MAÎTRISEZ VOTRE MÉTABOLISME

Collaboration à la traduction : Claude Papineau, Guy Rivest, Claudia Houle-Champoux

Infographiste : Luisa da Silva

Catalogage avant publication de Bibliothèque et Archives nationales du Québec et Bibliothèque et Archives Canada
Michaels, Jillian

Maîtrisez votre métabolisme : le régime idéal pour atteindre l'équilibre hormonal et être en bonne santé

Traduction de: Master your metabolism.

ISBN 978-2-7619-2721-5

1. Perte de poids - Aspect endocrinien.
2. Métabolisme - Régulation. I. Aalst, Mariska van.
II. Titre.

RM222.2.M5214 2010 613.2'5 C2010-940876-4

04-10

L'ouvrage original a été publié
par Crown Publishers,
succursale de Random Huse, Inc.
sous le titre *Master Your Metabolism*

Dépôt légal : 2010
Bibliothèque et Archives nationales du Québec

ISBN 978-2-7619-2721-5

DISTRIBUTEURS EXCLUSIFS :

Pour le Canada et les États-Unis :
MESSAGERIES ADP*
2315, rue de la Province
Longueuil, Québec J4G 1G4
Téléphone : 450 640-1237
Télécopieur : 450 674-6237
Internet : www.messageries-adp.com
* filiale du Groupe Sogides inc.,
filiale du Groupe Livre Quebecor Media inc.

Pour la France et les autres pays :
INTERFORUM editis
Immeuble Paryseine, 3, Allée de la Seine
94854 Ivry CEDEX
Téléphone : 33 (0) 1 49 59 11 56/91
Télécopieur : 33 (0) 1 49 59 11 33
Service commandes France Métropolitaine
Téléphone : 33 (0) 2 38 32 71 00
Télécopieur : 33 (0) 2 38 32 71 28
Internet : www.interforum.fr
Service commandes Export – DOM-TOM
Télécopieur : 33 (0) 2 38 32 78 86
Internet : www.interforum.fr
Courriel : cdes-export@interforum.fr

Pour la Suisse :
INTERFORUM editis SUISSE
Case postale 69 – CH 1701 Fribourg – Suisse
Téléphone : 41 (0) 26 460 80 60
Télécopieur : 41 (0) 26 460 80 68
Internet : www.interforumsuisse.ch
Courriel : office@interforumsuisse.ch
Distributeur : OLF S.A.
ZI. 3, Corminboeuf
Case postale 1061 – CH 1701 Fribourg – Suisse
Commandes :
Téléphone : 41 (0) 26 467 53 33
Télécopieur : 41 (0) 26 467 54 66
Internet : www.olf.ch
Courriel : information@olf.ch

Pour la Belgique et le Luxembourg :
INTERFORUM BENELUX S.A.
Fond Jean-Pâques, 6
B-1348 Louvain-La-Neuve
Téléphone : 32 (0) 10 42 03 20
Télécopieur : 32 (0) 10 41 20 24
Internet : www.interforum.be
Courriel : info@interforum.be

Gouvernement du Québec – Programme de crédit d'impôt pour l'édition de livres – Gestion SODEC – www.sodec.gouv.qc.ca

L'Éditeur bénéficie du soutien de la Société de développement des entreprises culturelles du Québec pour son programme d'édition.

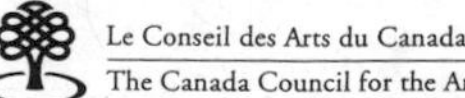

Nous remercions le Conseil des Arts du Canada de l'aide accordée à notre programme de publication.

Nous remercions le gouvernement du Canada de son soutien financier pour nos activités de traduction dans le cadre du Programme national de traduction pour l'édition du livre.

Nous reconnaissons l'aide financière du gouvernement du Canada par l'entremise du Fonds du livre du Canada pour nos activités d'édition.

JILLIAN MICHAELS
EN COLLABORATION AVEC MARISKA VAN AALST

MAÎTRISEZ VOTRE MÉTABOLISME

LE RÉGIME IDÉAL POUR ATTEINDRE L'ÉQUILIBRE HORMONAL ET ÊTRE EN BONNE SANTÉ

Traduit de l'américain par Serge Rivest

Une compagnie de Quebecor Media

NOTE

Les informations contenues dans cet ouvrage ne devraient en aucun cas être considérées comme des conseils d'ordre médical ou comme un substitut à une consultation médicale. Ces renseignements devraient être utilisés comme un complément aux avis et aux soins de votre médecin. Vous devriez consulter celui-ci avant d'entreprendre ce programme, comme cela devrait être le cas pour tout programme d'amaigrissement ou de maintien du poids. Votre médecin devrait bien connaître tous les aspects de votre état de santé ainsi que les médicaments et les suppléments alimentaires que vous consommez. Comme c'est le cas pour tout plan d'amaigrissement, les informations contenues dans cet ouvrage ne devraient en aucune manière s'appliquer aux patients sous dialyse ni aux femmes enceintes ou qui allaitent.

À ma petite sœur Lauren, qui représente l'espoir au fond de mon cœur et me remplit de fierté. De te voir grandir, éclore et t'épanouir m'a inspirée à devenir une femme meilleure. Le titre de ce livre évoque la maîtrise de son corps et de sa santé, mais au fond, il s'agit de prendre le contrôle de sa vie. Tu es la maîtresse de ta destinée. Décroche la lune. Que rien ne t'arrête. N'oublie jamais la puissance qui est au fond de toi. Va au bout de tes possibilités.

REMERCIEMENTS

Mariska van Aalst, ma brillante complice, merci pour ta patience, ton sang, ta sueur et tes larmes. Andy Barzvi, merci de m'avoir aidée à faire de ce livre une réalité. Merci au Dr Christine Darwin, qui a rédigé la préface de cet ouvrage, en plus de prodiguer ses précieux conseils concernant certains problèmes de santé figurant à la fin de cet ouvrage. Aux membres de mon équipe – Giancarlo Chersich, Steve Blatt, Tammy Munroe, David Markman, Kevin Huvane, Jonathan Swaden et Lisa Shotland –, je veux dire que je ne serais rien sans eux. Merci également à mon adjointe Janet Graham de m'avoir tolérée et d'avoir fermé les yeux sur mes névroses. Merci enfin à ma mère, pour son amour inconditionnel.

Merci à tous… pour tout!

PRÉFACE

PAR LE Dr CHRISTINE DARWIN

À titre d'endocrinologue, il m'arrive fréquemment de rencontrer des gens qui cherchent, dans leur fonctionnement hormonal et leur métabolisme, une explication à leur fatigue et à leur gain de poids.

Cet ouvrage exceptionnel traite justement de la question des hormones dans un style convivial. Jillian Michaels raconte, de superbe façon, les expériences personnelles qui l'ont amenée à tirer parti de ses erreurs pour les transformer en occasions d'apprentissage, apprentissage qu'elle met maintenant au service des autres. Ce livre ne traduit pas seulement la passion de Jillian pour la promotion d'une saine hygiène de vie qui inclut l'exercice physique, mais aussi son engagement à offrir à ses lecteurs des renseignements essentiels concernant les hormones, les habitudes alimentaires et la santé en général.

Ce guide simple répond à plusieurs des questions les plus souvent posées, en particulier à l'égard des hormones et du poids. Chacun y trouvera son compte parce que ce livre s'adresse aux gens de tous âges qui souhaitent intégrer une saine alimentation à un mode de vie équilibré. Maîtrisez votre métabolisme *s'avérera également très utile pour les parents préoccupés par les risques hormonaux qui pèsent sur leurs enfants, en particulier dans le monde actuel où l'obésité infantile est endémique.*

En plus des patients qui me confient leurs inquiétudes bien légitimes au sujet de leurs hormones, je rencontre par ailleurs des gens en bonne santé qui tiennent à consommer divers types d'hormones de façon régulière parce qu'ils croient – à tort – que cela les aidera à régler des problèmes liés au poids et au métabolisme. À titre de médecin habitué à traiter de nombreux patients dans cette situation, je leur déconseille fortement la prise d'hormones additionnelles pour faire face à ces problèmes.

Votre corps a besoin d'examens médicaux réguliers. Vous devez porter une attention soutenue à ce qui se passe dans votre organisme, de la même façon que vous triez votre courrier chaque jour ou que vous faites le ménage de votre chambre et des autres pièces de la maison. Nous n'acceptons pas de recevoir des pourriels ou des messages indésirables dans notre ordinateur parce que nous n'en avons que faire. Le même principe s'applique lorsqu'il s'agit de produits nocifs ou toxiques qui s'insinuent dans notre corps : nous devons nous en débarrasser, car ils nous font du tort. Nous devons les retirer régulièrement de notre organisme afin de faire de la place aux éléments qui sont bons pour lui.

Certains produits sont sains, tout comme ces documents que nous conservons et classons dans nos ordinateurs. La consommation de nutriments sains et le maintien de bonnes habitudes de vie – telles que l'exercice physique pendant au moins 30 minutes trois ou quatre fois par semaine – font partie de ces choses que nous désirons conserver. L'exercice nous procure une satisfaction personnelle en plus de nombreux autres avantages, même lorsqu'il n'implique qu'une perte de poids minimale ; il s'harmonise avec nos hormones pour optimiser notre biochimie interne et nous aider à reprendre possession de notre corps.

L'ouvrage de Jillian illustre bien les défis quotidiens auxquels nous faisons face et la façon dont le stress nous influence, aussi bien sur le plan émotif que sur le plan physique. Il nous montre comment relever ces défis et vaincre le stress de manière à retrouver un corps sain. L'importante somme de travail contenue dans ces pages démontre par ailleurs à quel point il est essentiel d'atteindre un équilibre sur les plans psychologique, hormonal, nutritionnel et physique pour profiter d'une vie longue, saine et enrichissante.

En lisant ce livre, vous disposerez de tous les outils nécessaires pour comprendre le fonctionnement des hormones et commencerez ainsi à reconnaître les influences toxiques susceptibles de s'insinuer dans votre vie afin de vous en débarrasser. En outre, au fur et à mesure de cet apprentissage, vous souhaiterez consulter votre médecin afin de corriger, s'il y a lieu, tout déséquilibre hormonal et ainsi reprendre possession de votre corps.

Félicitations ! Vous êtes sur le point d'entreprendre un merveilleux voyage qui vous donnera le goût de vous reprendre en main, d'éliminer les toxines de votre organisme et de donner un nouvel équilibre à votre vie grâce à de saines habitudes de vie.

Dr Christine Darwin, F.A.C.P., F.A.C.E.
Professeur associé de médecine
David Geffen School of Medicine,
University of California in Los Angeles (UCLA)

INTRODUCTION

REPRENEZ POSSESSION DE VOTRE MÉTABOLISME

POURQUOI LES HORMONES SONT IMPORTANTES POUR CHACUN DE NOUS

J'aurais pu intituler ce livre *L'évolution d'une gourou de la santé et de la forme.* Pourquoi ? Parce qu'après 17 ans de travail dans le secteur de la forme physique – 17 années d'apprentissage auprès des plus grands spécialistes dans les domaines de la médecine sportive, de la nutrition, de l'endocrinologie et du vieillissement –, il résume toutes les connaissances que j'ai acquises. *Maîtrisez votre métabolisme* représente mon approche globale du poids optimal et de la santé optimale.

Cet ouvrage est donc le résultat de mon long voyage dans l'univers de la santé, depuis l'enfant boulimique jusqu'à la gourou de la perte de poids. J'ai été immergée dans cet univers pendant presque deux décennies, mais ce que j'ai appris au cours des dernières années a complètement changé mon corps aussi bien que ma vie.

Mon premier livre, *Winning by Losing*[1], traitait principalement des aspects psychologiques et comportementaux de la perte de poids. J'y insistais particulièrement sur la façon de se placer dans un état d'esprit propice à la perte de poids. (Si vous venez tout juste d'entreprendre un programme d'exercice et souhaitez adopter un plan facile d'accès, vous voudrez peut-être le consulter.)

Mon deuxième livre, *Making the Cut*[2], représentait mon ode à la forme physique. Il proposait un programme d'exercice physique conçu pour venir à bout

1. NDT : offert en anglais seulement.
2. NDT : offert en anglais seulement.

de ces cinq derniers kilos qui sont les plus difficiles à perdre. Ce programme est sans pitié, mais très efficace (insérer un rire sardonique ici). Il vous laisse en lambeaux, c'est vrai, mais il s'attaque aux zones à problème telles que les « poignées d'amour » et la « culotte de cheval », et vous aide à vous préparer au grand événement ou à la fête pour lesquels vous voulez être au mieux. (Si vous n'avez que quelques kilos à perdre et que vous souhaitez retrouver la forme rapidement, ce programme de 30 jours vous conviendra également.)

Cet ouvrage-ci, toutefois, n'a rien à voir avec l'exercice.

Ça vous étonne?

Je sais, ça ne correspond pas à ce que vous attendiez de ma part. Je n'ai pas cessé, ces dernières années, d'insister sur les bienfaits de l'exercice. Et vous-même savez que cela est bon pour vous. Mais tel n'est pas l'objectif de ce livre.

Il ne s'agit pas non plus d'un ouvrage sur le calcul des calories.

Je devine ce que vous pensez: après avoir tyrannisé les gens à propos de l'exercice et des calories, je me suis finalement ramollie. C'est ce que vous croyez? Eh bien, vous avez tort!

Maîtrisez votre métabolisme est avant tout un ouvrage sur l'alimentation. C'est mon tout premier livre traitant d'habitudes alimentaires. Et, croyez-moi, si vous suivez les conseils qui s'y trouvent, votre vie va changer. Je ne parle pas seulement de perdre du poids. Je parle de prolonger votre vie de plusieurs années et d'améliorer votre qualité de vie.

Nous savons tous que les régimes amaigrissants « à la mode » sont dévolus et que les régimes sans gras qui ont connu un engouement dans les années 1980 et 1990 étaient une risée sur le plan scientifique et des dinosaures de la culture pop. Bienvenue dans l'avenir! Nous en sommes aujourd'hui à l'époque de la cartographie du génome humain, de la recherche sur les cellules souches et de la nutrigénomique (l'étude de la manière dont les aliments interagissent avec nos gènes). Oui, l'exercice et le calcul des calories sont très importants, mais ils ne disent pas tout. Au-delà des régimes et des programmes d'exercice, il y a les petits messagers qui transmettent l'information de votre corps à votre cerveau et vice-versa. Ces « petits messagers », ce sont vos hormones.

Qu'est-ce que les hormones ont à voir dans tout ça? Je vais vous expliquer. Si je vous demandais de me définir ce qu'est votre « métabolisme », que diriez-vous? Je parie que votre réponse serait: « C'est la manière dont mon corps brûle les calories. »

Eh bien, vous auriez tort. Bien sûr, c'est l'une des choses que *fait* votre métabolisme. Mais savez-vous ce qu'il *est*?

La réponse, ce sont les *hormones*! Votre métabolisme, c'est votre biochimie.

Certaines hormones vous disent que vous avez faim et d'autres, que vous êtes rassasié. Lorsque vous mangez, les hormones disent à votre corps comment il doit disposer de tel aliment, qu'il s'agisse de l'emmagasiner ou de le brûler comme du carburant. Et lorsque vous faites de l'exercice, vos hormones disent à votre corps comment bouger et libérer ses réserves d'énergie, et de quelle manière stimuler ou bloquer certaines parties de votre organisme. Les hormones gouvernent presque tous les aspects du processus de gain de poids et la manière dont nous pouvons en perdre.

Peut-être êtes-vous en train de vous dire: «Je suis un gars, je n'ai pas à me soucier des hormones» Ou encore: «Si ce livre traite des hormones, il ne s'adresse pas à moi, car je suis encore loin de la ménopause.»

C'est ce que je croyais aussi. Je n'ai que 35 ans: en quoi mon poids aurait-il à voir avec mes hormones? Mais vous savez quoi? Que vous soyez un homme ou une femme, jeune ou vieux, votre poids a *tout* à voir avec vos hormones. Que vous souhaitiez perdre les quelques kilos que vous avez pris durant votre première année d'université, un ventre post-natal ou une bedaine de bière, ce sont vos hormones qui détermineront vos chances de succès. Et en ce moment même, vos hormones – et, par définition, votre métabolisme – sont sur la voie de l'échec. Sans même que vous le sachiez, vos hormones ont été prises en otage par des éléments bourrés de toxines, déficients sur le plan nutritif et soumis au stress – des bloqueurs du système endocrinien – qui causent l'obésité et la maladie. Ces éléments se terrent dans des endroits étonnants, mais au bout du compte, ils entravent le fonctionnement de nos hormones et causent des déséquilibres hormonaux chez *chacun* de nous.

Voici pourquoi j'ai écrit *Maîtrisez votre métabolisme*: pour reconnaître ces catalyseurs d'obésité et de maladie, les faucher à la racine et susciter un état de santé optimale en vertu duquel le corps et l'esprit fonctionnent avec un maximum d'efficacité. Ensemble, nous allons cibler et éliminer ces bloqueurs du système endocrinien et les remplacer par des éléments «hormonopositifs» qui amélioreront votre santé, vous rendront heureux et mince, peu importe votre âge.

En synthétisant ce que la science de l'endocrinologie peut vous enseigner sur votre métabolisme, vos habitudes alimentaires et votre poids, *Maîtrisez votre métabolisme* vous propose un plan précis qui mettra les plus récentes recherches au service de votre propre biochimie. Et ce programme complet d'hygiène de vie vous aidera non seulement à perdre du poids, mais aussi à maintenir un poids santé une fois pour toutes.

LE SECRET D'UNE PERTE DE POIDS PERMANENTE : L'HARMONIE HORMONALE

Le système endocrinien peut se comparer à un orchestre. Chaque hormone qui en fait partie est comme un instrument. Lorsque tous les instruments jouent en harmonie, ils produisent une musique extraordinaire. Mais qu'arriverait-il si, au beau milieu du concert, le violon se mettait soudain à jouer son propre air en émettant des sons aigus insensés ? Et si la clarinette commençait à lancer des sons perçants ? Et si le pianiste ne pouvait plus tenir le rythme ? Le résultat serait pour le moins désastreux, non ?

C'est exactement ce qui se passe dans votre métabolisme. Votre corps ne peut pas fonctionner comme il le devrait si une seule de vos hormones est « désaccordée ». Si une seule d'entre elles perd le rythme, toutes les autres le perdent aussi. Voilà pourquoi, lorsque vos hormones « jouent faux », il n'est pas possible de vous concentrer sur une seule à la fois : il vous faut toutes les accorder à la même clef.

Il vous est sans doute arrivé d'entendre, en particulier dans des infopublicités télévisées sur la perte de poids vers une heure du matin, des mots tels que « cortisol », « hormone de croissance » (ou GH), « insuline » et « leptine ». Je me trompe ? Eh bien, il s'agit de noms d'hormones qui affectent de façon spectaculaire votre poids et votre santé.

C'est donc dire que les produits amaigrissants qui ciblent ces hormones doivent être efficaces, non ? À peine, à vrai dire. Le problème, c'est que ces « cures » superposées n'agissent que sur une hormone à la fois (lorsqu'elles le font, ce qui est loin d'être toujours le cas), ce qui offre un portrait à la fois incomplet et trompeur de la situation.

Contrairement à ces réclames publicitaires, plutôt que de tenter d'isoler une hormone à la fois – ce qui est absolument impossible –, je vous propose dans ce livre de vous montrer comment vous pouvez optimiser de façon naturelle le fonctionnement de *toutes* vos hormones. Et comment vous pouvez le faire sans prendre de médicaments dangereux et coûteux.

Nos hormones – chacune d'entre elles – subissent l'influence de millions de facteurs liés à nos habitudes alimentaires et à notre environnement, des aliments préparés aux pesticides, en passant par le manque de sommeil et l'excès de stress. Toute perturbation provoquera la suractivité d'une hormone donnée et en placera une autre en mode d'hibernation. Lorsque le fonctionnement normal d'une hormone se trouve altéré, il s'ensuit toute une série de déséquilibres qui affecteront toutes les hormones l'une après l'autre. Trop souvent, ces déséquilibres chroniques entraînent un gain de poids, même si vous êtes sans pitié pour vous-même et tenez un compte scrupuleux de vos calories.

Je souhaite vous montrer comment vous pouvez tenir vos hormones à l'œil en modifiant simplement vos habitudes au marché d'alimentation et dans votre cuisine. Nous allons creuser profondément dans cette zone et **retirer** toutes ces saletés de toxines qui endommagent votre système endocrinien, stimulent vos hormones qui emmagasinent le gras et vous font prendre du poids. Ensuite, nous allons **restaurer** les nutriments qui s'adressent directement à vos hormones chargées de la combustion du gras afin de les ramener à un taux optimal. Enfin, nous allons **rééquilibrer** l'énergie qui entre et sort de votre corps, de façon que votre métabolisme joue le rôle d'une machine à liquider le gras, plutôt que de travailler contre vous en stockant le gras et en vous volant votre énergie.

Quand vos hormones sont à un taux optimal, votre corps fonctionne avec un maximum d'efficacité:

- Votre métabolisme commence à se saturer.
- Vous avez bien meilleure mine.
- Votre corps maintient un poids santé sans trop d'efforts conscients de votre part.
- Votre ventre s'aplatit.
- Votre peau est claire et éclatante.
- Vos yeux brillent.
- Vos sens sont éveillés et non pas émoussés.
- Vous ne souffrez pas de faim excessive et n'avez pas de fringales.
- Vous devenez mince.

- Vous avez de l'énergie à revendre.
- Vos perspectives de santé et de longévité s'améliorent.

Si vous m'avez vue à la télévision ou entendue à la radio, vous savez que je suis comme un chien devant un os : je n'abandonne jamais. J'ai donc perfectionné ce plan jusqu'à ce qu'il convienne à tout le monde. Et je l'ai fait dans le même esprit que lorsque je travaille avec mes clients ou avec les concurrents de l'émission *Qui perd gagne* : avec un grand souci du détail et une persévérance de tous les instants. J'ai eu recours aux plus récentes recherches de pointe et je les ai personnellement mises à l'épreuve afin de m'assurer de proposer le plan alimentaire et d'hygiène de vie le plus sain et le plus efficace possible.

Croyez-le ou non, j'ai ajusté ce plan au point où je peux consommer 2000 calories par jour et m'entraîner de deux à trois heures par semaine (vous adorerez ces horaires éreintants !) et quand même réussir à maintenir mon apparence physique.

Ça vous paraît insensé ? Eh bien, je vous dis que c'est possible aussi pour vous.

La bonne nouvelle, c'est que vous n'aurez pas à vous farcir tout le travail que j'ai fait !

Je sais que vous menez une vie intense et trépidante. Je sais que vous détestez ces programmes qui vous forcent à calculer, à tracer des graphiques et à devenir obsédé par les moindres détails. Oubliez tout ça. Je suis peut-être coriace dans la salle d'entraînement, mais avec ce régime, je vais plutôt vous rendre la vie beaucoup plus facile. Assoyez-vous simplement à table et régalez-vous.

Dans ce livre, vous apprendrez comment :

- optimiser *toutes* les hormones nécessaires à la perte de poids ;
- faire en sorte que votre métabolisme travaille pour vous, pas contre vous ;
- choisir des aliments et adopter des habitudes de vie qui stimulent les hormones responsables de la perte de poids ;
- éviter les aliments qui stimulent les hormones associées au gain de poids ;
- opter pour des aliments qui travaillent en harmonie et les préparer de façon qu'ils offrent les plus grands avantages pour votre système endocrinien ;

- préparer rapidement des repas favorisant l'équilibre hormonal avec les aliments qui se trouvent déjà dans votre cuisine ;
- manger incroyablement bien pour quelques dollars par jour ;
- corriger le dysfonctionnement biochimique grâce à des techniques de relaxation ;
- purifier votre environnement de manière que vos hormones se réajustent et favorisent la perte de poids ;
- profiter d'aliments frais qui peuvent prévenir le cancer, les maladies cardiovasculaires, la dépression, le diabète et d'autres problèmes de santé liés aux habitudes alimentaires et au mode de vie ;
- accroître de façon spectaculaire le niveau d'énergie dans votre corps et éventuellement prolonger votre vie de plusieurs années.

À mesure que vous avancerez dans la lecture de ce livre, il vous sera possible d'intégrer ce programme soit comme principe général de vie, soit comme plan précis pour perdre du poids. Je vous fournirai tous les détails dont vous aurez besoin. Il vous reviendra de suivre le programme au complet ou d'en tirer simplement les grands principes. À vous de choisir.

Je vous invite d'abord à envisager la pente qu'il vous faut remonter, puis à faire des choix inspirés des grands principes de ce programme. Si vous faites cela, vous reprendrez le contrôle de vos hormones, activerez votre métabolisme et le ferez tourner à plein régime. Parce qu'au fond, l'idée de ce livre n'est pas d'être mince pour être en bonne santé. C'est d'être en bonne santé pour être mince.

Prêt ? On y va !

PREMIÈRE PARTIE

VOS HORMONES SONT VOTRE MÉTABOLISME

CHAPITRE 1

LAISSEZ-MOI DEVINER : EST-CE QUE C'EST CE QUI VOUS ARRIVE ?

COMMENT JE ME SUIS RENDU COMPTE QUE MES HORMONES ÉTAIENT COMPLÈTEMENT BOUSILLÉES

J'ai essayé de toutes les manières possibles de réunir les pièces du puzzle, mais l'histoire était toujours la même.

Médecin après médecin, étude après étude, test après test, tous m'ont appris ce fait terrifiant : dans ma quête pour être « mince », j'ai abusé de mon corps pendant des années et des années. Plutôt que de maigrir, j'ai seulement réussi à accélérer mon processus de vieillissement, à nuire à mon équilibre hormonal et à enseigner à mon corps à *engraisser*.

Mais attendez un peu avant de me dire : « Jillian, franchement, est-ce que tu t'es regardée ? » Si vous m'avez vue à la télé, vous savez que je ne suis pas une fainéante. (J'imagine qu'on ne devient pas « l'entraîneur le plus coriace de la télé » en étant une mauviette !) Il est vrai que j'ai accumulé beaucoup d'heures en salle d'entraînement. J'ai travaillé littéralement comme une folle pour avoir le corps que j'ai.

Et c'est précisément ce que je veux dire : malgré tous mes efforts, mon corps ne répondait toujours pas comme il aurait dû. Et c'est alors que je me suis rendu compte qu'il me manquait une pièce du puzzle. Aujourd'hui, ça me rend malade de penser que si j'avais su alors ce que je sais maintenant, j'aurais pu ne fournir que la moitié des efforts que j'ai déployés pour avoir le corps que j'ai.

Je sais maintenant que la clé d'une vie heureuse et saine est l'équilibre hormonal et non un régime impossible qui vous prive de tous les plaisirs de la vie. Lorsque j'ai appris comment manger et vivre d'une façon qui favorise l'équilibre et l'optimisation de mes hormones, le gros de ma bataille pour perdre du poids était déjà gagné avant même que je mette le pied au gymnase.

Mais j'ai mis vraiment, *vraiment* beaucoup de temps à le découvrir. Et je ne veux pas que ça vous arrive.

L'ENFER HORMONAL À NOUVEAU !

Est-ce que vous présentez l'un ou l'autre de ces symptômes ?

- Peu importe que vous mangiez peu ou fassiez beaucoup d'exercice, votre poids reste le même – l'aiguille de votre pèse-personne ne bouge vraiment pas.
- Votre niveau d'énergie semble baisser continuellement.
- Votre teint devient cireux et votre peau est plus ridée que de raison, même si vous n'avez pas encore 40 ans.
- Vous avez des éruptions cutanées constantes, alors que l'adolescence est très loin derrière vous.
- Vous présentez des variations d'humeur imprévisibles.
- Votre cycle menstruel vous rend (ainsi que votre entourage) complètement folle.
- Vous ressentez une fatigue écrasante qui ne s'amenuise pas, peu importe vos heures de sommeil.
- Vous sentez de l'épuisement, accompagné d'une légère dépression, dont il est impossible de vous défaire.
- Vous reprenez et perdez constamment les mêmes 3, 5 ou 10 kilos.
- Ou, plus probablement, vous perdez du poids pour ensuite en reprendre encore plus chaque fois, ce qui rend votre situation toujours plus désespérée.

Ça m'est arrivé aussi. Tout ça et même plus. Je savais que quelque chose n'allait pas, mais je ne réussissais pas à mettre le doigt dessus. Je croyais devenir folle. C'est alors que j'ai commencé à explorer la piste de l'endocrinologie – cette branche de la médecine qui s'intéresse aux hormones – et à comprendre lentement mais sûrement (à mon immense désarroi) que j'étais largement responsable de ma situation.

UN PEUPLE DE « DÉSÉQUILIBRÉS HORMONAUX »

Quand je regarde autour de moi, je constate que je ne suis pas seule. Il y a un tas de systèmes endocriniens amochés dans ce pays. Les statistiques sont éloquentes :

- 24 millions d'Américains souffrent de diabète (1 personne sur 4 ne sait pas qu'elle en souffre).
- 57 millions d'Américains présentent un prédiabète.
- 1 personne sur 10 présente un syndrome métabolique.
- 1 personne sur 4 a une insuffisance thyroïdienne.
- 1 femme sur 10 souffre du syndrome des ovaires polykystiques (SOPK).
- 1 femme sur 13 souffre de syndrome prémenstruel aigu.

C'est sans compter les quelque 33 millions de femmes qui se dirigent tout droit vers la ménopause. Les baby-boomeuses, bien sûr, mais aussi les premières représentantes de la génération X. Ajoutons à cela les

33 millions d'hommes au bord de l'andropause, c'est-à-dire la « ménopause masculine » qui, quoi qu'on en dise, existe bel et bien.

Toutes ces situations sont provoquées par le déséquilibre hormonal. Certaines sont le résultat prévisible de l'âge ; d'autres sont attribuables à des prédispositions génétiques. Mais quel est le symptôme le plus commun d'un système endocrinien complètement chamboulé ?

L'excès de gras, purement et simplement.

L'obésité – sans parler de la maladie et du vieillissement précoce – est causée par des déséquilibres hormonaux qui usent graduellement le système endocrinien jusqu'à ce qu'il soit amené à accumuler les kilos. Et une fois que votre métabolisme croit que vous voulez prendre du poids, il fait tout ce qu'il peut pour vous satisfaire.

Voilà pourquoi deux personnes sur trois ont un surplus de poids et une sur trois souffre d'obésité.

Et voilà pourquoi j'ai écrit ce livre.

Ensemble, nous allons rééduquer votre métabolisme afin que votre corps devienne, de façon naturelle, une éclatante et dynamique machine à éliminer le gras.

LA GRANDE ILLUSION HORMONALE

Toutes les fonctions imaginables de votre corps sont contrôlées par vos hormones. D'une minute à l'autre, votre biochimie tente de maintenir l'homéostasie – l'équilibre – dans votre organisme. En plus d'aider tous les systèmes de votre corps – vos reins, vos viscères, votre gras, votre système nerveux, vos organes reproductifs – à communiquer entre eux, vos hormones sont chargées d'une autre énorme responsabilité. Chaque fois que votre corps interagit avec des millions de variables externes – le contenu d'un repas, le moment de la journée, l'intensité d'un exercice –, votre système endocrinien répond en libérant des hormones afin de vous aider à équilibrer votre glycémie, à dormir, à éliminer les gras ou à raffermir votre musculature.

Le seul problème, c'est qu'il arrive parfois que ces variables externes dépassent les limites et alors vos hormones ne savent plus comment réagir. Elles tentent d'aider votre corps à retrouver son équilibre, mais face aux aliments malsains, aux toxines présentes dans l'environnement et à l'excès de stress, elles commencent à réagir de façon excessive et à surcompenser. C'est à ce moment-là que les problèmes commencent.

Trop d'échéances génératrices de stress libèrent le cortisol, responsable de l'accumulation de gras dans l'abdomen. Les œstrogènes synthétiques présents dans l'environnement assaillent le corps de toutes parts et dupent votre testostérone. Trop de nuits sans sommeil réduisent considérablement l'efficacité des hormones de croissance chargées de la combustion des graisses. Trop de déjeuners manqués incitent la ghréline – l'hormone qui stimule l'appétit – à s'emballer. Et l'accoutumance aux boissons gazeuses sucrées empêche les hormones de satiété comme la leptine de faire leur travail.

À l'origine, votre corps n'avait pas prévu ces variations hormonales spectaculaires. Ces fluctuations imprévisibles en viennent donc à miner les processus régulateurs naturels du corps. Votre système endocrinien ne comprend plus la notion d'équilibre. Il cesse alors de répondre comme il le devrait. Vos organes en prennent pour leur rhume et vos glandes s'épuisent. Vous commencez alors à souffrir d'hypothyroïdie et votre corps devient résistant à la leptine et à l'insuline.

Et c'est à ce moment-là que vous prenez du poids.

Voilà pourquoi il faut que votre corps retrouve son équilibre. Et c'est ce que ce livre va vous permettre de faire. Je vais vous fournir tous les outils dont vous avez besoin pour reprendre le contrôle de la biochimie de votre corps. Ensemble, nous allons presser le bouton de remise à zéro de votre métabolisme et recycler vos hormones de façon que, plutôt que de prendre du poids, vous puissiez commencer à en perdre… et beaucoup à part ça.

LES ENJEUX

Partout, on aperçoit les signes d'une véritable crise nationale du système endocrinien. Plus d'Américains que jamais – 72 millions selon les plus récentes statistiques – souffrent d'embonpoint. L'obésité est la deuxième cause principale de mort évitable. Seul le geste d'allumer des substances cancérigènes et de les inhaler au fond de vos poumons – à savoir l'usage du tabac – est plus mortel.

Les gens obèses sont de 50 à 100 % plus susceptibles de mourir précocement que ceux qui ont un poids normal. Ils sont aussi atteints plus que le reste de la population de plusieurs affections débilitantes ou mortelles, dont les suivantes :

- accident vasculaire cérébral;
- apnée du sommeil;
- arthrite;
- athérosclérose (durcissement des artères);
- cancer (en particulier du pancréas, du foie, des reins, de l'endomètre, du sein, de l'utérus et du côlon ainsi que la leucémie et le lymphome);
- dépression grave;
- diabète de type 2;
- épaississement de la paroi du cœur;
- goutte;
- hypertension artérielle;
- infarctus;
- insuffisance cardiaque;
- maladie coronarienne;
- problèmes de la vésicule biliaire;
- problèmes respiratoires;
- taux élevé de cholestérol;
- taux élevé de triglycérides;
- traumatisme issu du rejet social.

J'aimerais bien pouvoir vous effrayer avec tout ça, mais je sais bien que ce n'est pas le cas. Nous avons tous lu les grands titres. Nous savons tous que de nombreux facteurs expliquent ces choses: 20 000 chaînes de télévision sur le câble, des méga burgers au fromage, des aliments préparés, des trajets quotidiens de 75 kilomètres entre la maison et le bureau, des semaines de travail de 70 heures.

Mais il y a aussi d'autres raisons dont personne ne parle. Qu'en est-il de tous ces produits chimiques qui se trouvent dans l'air ambiant, dans l'eau, dans nos cosmétiques et dans nos vêtements? Qu'en est-il de ces herbicides sur les pelouses de nos voisins? de ces produits en plastique qui envahissent les quatre coins de notre univers?

Nous diabolisons la malbouffe depuis longtemps. Mais de nombreux autres facteurs d'ordre environnemental, diététique et sociétal sont entrés en jeu au cours des 30 dernières années et un grand nombre d'entre eux perturbent nos hormones et coupent le contact de notre métabolisme.

J'ai vu tellement de gens que j'aime glisser sur la pente d'une mort prématurée provoquée par le dérèglement de leurs hormones ! Vous connaissez sûrement ce type – peut-être même *êtes-vous* ce type – qui porte autour de la ceinture le baril de graisse qui le précipite tout droit vers l'infarctus. Ou cette femme qui se découvre une bosse à un sein à l'âge de 28 ans. Ou encore ce gamin chez qui on vient de diagnostiquer un diabète de type 2 (généralement associé à l'âge mûr) avant même qu'il soit autorisé à voir un film déconseillé au moins de 13 ans.

Ce dernier cas me brise tellement le cœur ! Le taux de diabète a connu une poussée de 40 % au cours de la dernière décennie. Mais qu'est-ce que c'est que ce bordel ? Comment se fait-il que nos hormones se dérèglent ainsi et comment allons-nous réussir à arrêter cela ?

Il n'y a qu'une seule façon de le faire, c'est assez clair. Nous devons nous réveiller et prendre conscience que chaque bouchée que nous mangeons et chaque choix de vie que nous faisons a son importance. Pas seulement sur le plan des calories, des gras et des glucides, mais parce que ces bouchées et ces choix imposent des réactions à notre corps. Bouchée après bouchée, gorgée après gorgée, souffle après souffle, lorsque nous choisissons les mauvais aliments ou que nous vivons dans un environnement peuplé de produits chimiques toxiques, nous imposons à nos hormones de faire des choses que, si nous en étions conscients, nous n'accepterions jamais qu'elles fassent.

Il nous faut apprendre de quelle manière notre chaîne alimentaire moderne et notre univers toxique interagissent avec nos hormones. Nous devons comprendre exactement en quoi ils induisent le surpoids et la maladie. C'est la seule façon de rectifier la situation. Et tel est le propos de *Maîtrisez votre métabolisme*.

LES CONFESSIONS D'UNE EX-OBÈSE

Jusqu'à quel point nous sommes-nous éloignés de la voie de l'équilibre hormonal naturel ?

Nous sommes allés pas mal loin, en fait. Et je sais de quoi je parle, puisque, pendant plusieurs années, je m'en suis moi-même beaucoup éloignée.

Je vais vous raconter ce qui m'est arrivé, comment mes taux d'hormones ont été complètement chamboulés, non pas parce que c'est particulièrement inhabituel, mais parce que la même chose vous est probablement arrivée, à vous ou à quelqu'un que vous connaissez. Sans s'en apercevoir, même un gourou de la forme physique peut voir tous ses efforts sapés par des hormones qui ne tournent pas rond. Alors quelles sont les chances d'un enseignant, d'un vendeur ou d'une mère au foyer de s'en sortir?

Tout a commencé quand j'étais une adolescente obèse.

J'ai peut-être un corps bien fait aujourd'hui, mais j'ai passé les premières années de ma vie à lutter constamment contre l'excès de poids.

Le fait de vivre avec mon père fut l'une des premières causes de cette situation. Mon père était un accro, et la bouffe n'était que l'une de ses multiples dépendances. Il était sans doute aussi hypothyroïdien, même si aucun d'entre nous ne le savait à l'époque. Mais sa dépendance aux aliments et sa disposition génétique à l'excès de poids m'ont clairement été transmises.

Les frites sont l'un des trois légumes les plus couramment consommés par les bébés de 9 à 11 mois.

Je passais mon temps à la maison avec mon père lorsque ma mère suivait des cours du soir pour devenir psychologue. La bouffe était la seule manière qu'il connaissait de me prouver son affection ou d'entrer en rapport avec moi. Il préparait d'immenses seaux de maïs soufflé et nous regardions *Buck Rogers* à la télé tous les deux. Ou nous préparions de la pizza ensemble. Il avait même appris à fabriquer de la crème glacée maison.

Si nous sortions, c'était pour aller à notre rôtisserie préférée ou à cet autre restaurant que nous aimions bien et où l'on servait des burritos. La nourriture était devenue le principal lien entre mon père et moi.

Mais mon père n'a pas été le seul responsable de mes problèmes avec la bouffe. Il arrivait quelquefois que ma mère, qui a toujours été mince, me récompense en me faisant manger. J'étais une enfant unique et si mes parents étaient tous les deux absents de la maison, ils me confiaient à une gardienne. Je *détestais* ça. Alors avant que la gardienne arrive, ils m'emmenaient tous deux à la pâtisserie et me disaient: « Choisis ce que tu veux. » Ou alors mon père me commandait un napoléon, son dessert favori. Et une fois sortis de la pâtisserie, j'étais autorisée à manger une boule au rhum, une petite sucrerie supplémentaire. Encore aujourd'hui, ces desserts éveillent en moi une émotion tellement bizarre que c'en est effrayant.

LES SOURCES DE L'OBÉSITÉ, 1re PARTIE : (EN BONNE PART) UNE AFFAIRE DE FAMILLE

Examinons les éléments de l'environnement familial qui sont associés à un risque accru d'obésité :

- Poids de la mère : à l'âge de six ans, les enfants nés d'une mère présentant un surpoids sont 15 fois plus susceptibles d'être obèses que ceux nés d'une mère ayant un poids normal.
- Allaitement maternel : de nombreuses études établissent un lien entre l'allaitement maternel et une réduction des risques d'obésité infantile. Certains spécialistes estiment que les bébés nourris au biberon ont de 15 à 20 % plus de risques de devenir obèses que ceux qui sont nourris au sein.
- Télévision : chaque heure passée devant la télévision accroît de 2 % le risque pour les adolescents de devenir obèses. La réduction du temps passé devant la télé à une heure par semaine pourrait réduire de presque le tiers le nombre d'adolescents obèses.
- Repas familiaux : une enquête menée auprès des 8000 enfants a permis de conclure que ceux qui ne prennent pas souvent leurs repas en famille mais regardent beaucoup la télé sont plus susceptibles de devenir obèses dès la troisième année d'école.
- Activités de plein air : si ces mêmes enfants vivent en plus dans un quartier non sécuritaire où il est dangereux de jouer dehors, ils seront atteints d'obésité dès l'école maternelle.
- Contrôle parental : lorsque les parents exercent un contrôle très strict sur le régime alimentaire de leurs enfants, ceux-ci ne développent pas d'autodiscipline à l'égard de leur alimentation et sont susceptibles de faire de l'embonpoint.
- Régime amaigrissant trop précoce : les enfants qui sont incités à suivre un régime amaigrissant sont trois fois plus susceptibles de souffrir d'embonpoint cinq années plus tard, en raison de fréquentes crises de boulimie, de repas sautés et d'autres tentatives malsaines de perdre du poids.

Lorsqu'elle partait au boulot, ma mère savait que j'allais souffrir de son absence. Alors avant de partir de la maison, elle me disait : « Qu'est-ce que tu aimerais que je t'achète à la machine distributrice ? » Et aussitôt qu'elle était de retour, elle me donnait ma barre chocolatée Twix. Ma consommation de barres Twix était l'objet d'un rituel élaboré. D'abord, je mangeais au complet la couche de caramel qui coiffait le biscuit. Ensuite, je trempais le biscuit dans un verre de lait. Ces rituels alimentaires me réconfortaient par leur régularité et le sentiment de sécurité qu'ils me procuraient. Mais au bout du compte, ils étaient aussi très malsains.

Aussi loin que je me souvienne, c'est toujours ainsi que les choses se passaient dans ma famille. Un jour – j'avais trois ans –, mes parents discutèrent de séparation. Ils m'ont donné un sac de croustilles Cheetos et m'ont installée dans la cuisine avant d'aller se disputer dans la pièce d'à côté. Je me souviens qu'assise toute seule à la table de la cuisine en face d'un immense sac de Cheetos, je m'étais demandé : « Qu'est-ce que ça veut dire pour moi ? » Je n'avais ni frère ni sœur à l'époque. Aucun véritable soutien. Mais les Cheetos étaient là. La bouffe me tenait compagnie. J'avais quelque chose à désirer, quelque chose de constant et qui ne me laisserait pas tomber.

Triste, n'est-ce pas?

- Pauvreté: un faible revenu combiné à n'importe quel autre de ces facteurs accroît considérablement les risques d'obésité. Je crois que les toxines présentes dans notre environnement ciblent les personnes les plus vulnérables, soit les enfants dont les parents ne peuvent se payer que des aliments préparés à base de maïs et de soya, faciles d'accès, génétiquement modifiés et bourrés de pesticides.

Mes parents ont fini par divorcer quand j'avais 12 ans. Ce n'est pas un hasard si cette époque correspond à l'apogée de mes problèmes de poids. Tout s'effondrait autour de moi. Je séchais mes cours, ratais mes examens et goûtais même au contenu du cabinet à boisson de mes parents. Je faisais toutes sortes de choses stupides et dangereuses.

J'ai commencé à voler l'auto de ma mère après l'école. (N'oublions pas que je n'avais que *12* ans!) Je revenais à la maison en après-midi pendant qu'elle était encore au travail et je m'emparais de ses clés de rechange. Je démarrais la Jeep Cherokee et conduisais à toute allure, comme une folle, dans les rues du voisinage. J'ai eu beaucoup de chance de ne pas tuer quelqu'un, y compris moi-même.

Pendant ces trajets en voiture, je m'arrêtais régulièrement à mes comptoirs favoris de restauration rapide. Ça commençait par un tour au Taco Bell: deux burritos haricots et fromage sans oignons avec extra fromage et un taco. Puis, trois burritos haricots et fromage sans oignons avec extra fromage et un taco suprême. Avec en plus, maintenant que j'y pense, des torsades à la cannelle et un cola.

Ou, après l'école, je commandais une pizza, j'allais m'asseoir sur le toit de la maison et je l'engouffrais au complet. Ou je m'achetais un sac de Cheetos que je dévorais en entier en regardant *Punky Brewster* ou *Drôle de vie* à la télé. Je m'assoyais simplement sur le canapé, je prenais du poids et m'abandonnais au cafard.

Vers cette époque, j'ai commencé à rêver que j'étais prisonnière de guerre dans une zone de combat. Je suis devenue obsédée par les films sur la guerre du Vietnam et je me suis mise à croire que j'étais un prisonnier de guerre réincarné. Le jour où le divorce de mes parents a été prononcé, j'ai donné un coup de pied qui a laissé un trou dans le mur.

J'avais 12 ans, je mesurais 1,52 m et pesais 80 kilos. (Autrement dit, je mesurais 5 centimètres de moins que maintenant et pesais 25 kilos de plus.)

Ma mère m'a observée un long moment et a pris conscience qu'elle devait agir, et vite. Elle m'a emmenée chez un thérapeute, mais a reconnu aussi – heureusement – qu'il me fallait un exutoire physique pour libérer ma colère et ma frustration.

C'est à ce moment-là que les arts martiaux m'ont sauvé la vie.

ENTREZ DANS LE MONDE DE L'EXERCICE… ET DU POUVOIR

À l'époque, ma mère fréquentait ce type dont les neveux suivaient des cours d'arts martiaux chez un professeur dont le moins qu'on puisse dire est qu'il n'était pas très conventionnel. J'étais intriguée. Quelque part, ma mère avait le sentiment que c'est ce qu'il me fallait, mais du même souffle, elle avait l'impression que confier sa fille à un tel professeur équivalait à l'envoyer dans une école militaire. Ce type ne déconnait pas.

Il s'appelait Robert David Margolin. Il donnait ses cours dans un dojo qu'il avait aménagé dans son garage à Calabasas Hills[3]. Robert avait créé un style hybride, sorte de mélange d'aïkido et de muay thaï appelé « akarui-do ». Au fond, il a été l'un des pionniers de la fusion des arts martiaux. Il est devenu pour moi une sorte de figure paternelle. Mais il était clairement un rebelle.

Il était très porté sur les extrêmes et j'adorais ça. J'y croyais plus que je ne l'aurais fait avec une approche plus timide, plus conventionnelle. J'imagine que je suis simplement attirée par les extrêmes. (Vous l'aviez sans doute déjà deviné !)

Les enfants qui s'adonnent à un sport courent 80 % moins de risques de souffrir d'un excès de poids que ceux qui ne le font pas.

Les hommes qui fréquentaient ce minuscule dojo sont devenus comme des frères pour moi. Ils attachaient une grande importance à leur santé et ils étaient engagés, spirituels et concentrés. Parce que je les admirais tellement, j'ai commencé à prendre conscience que tous les autres trucs que je faisais – boire de l'alcool, sécher des cours, et tout ce qui contribuait au désordre de ma vie – n'étaient pas *cool*. Voilà ce qui était *cool*. Je voulais simplement être comme ces gens. Je voulais les impressionner.

3. NDT : ville de la Californie, à proximité de Los Angeles.

Alors qu'est-ce que Rob m'a dit qui a fait que j'ai finalement bougé mes fesses? Je vais vous raconter l'histoire. Je pense que quiconque veut vraiment changer sa vie passe par cette étape que j'appelle «le fond du baril». C'est la révélation qui, au bout du compte, vous motive au changement, quoi qu'il arrive.

Un jour que j'attendais le début du cours et que j'étais en train de terminer mon sac de Cheetos, Robert s'est approché de moi, a regardé longuement mon sac, puis m'a jetée dehors du dojo. «Tu me fais perdre mon temps, m'a-t-il dit. Et jusqu'à ce que tu sois prête à recevoir ce que j'ai à t'offrir, c'est aussi ton temps à toi que tu perds. Mais le mien est précieux. Alors sors d'ici.» J'ai senti mon corps qui se vidait de son sang. Il a vu à quel point j'étais anéantie. «Si tu veux prendre ça au sérieux et te prendre toi-même au sérieux, alors reviens et je vais t'aider.» Et il m'a fermé la porte au nez.

Le message que Robert m'a alors transmis, et qui depuis est mon principe de vie, est le suivant: le long trajet vers la santé est une affaire de pouvoir. Et pour moi, le pouvoir consiste à réaliser ses rêves.

Permettez-moi de vous confier un petit secret: je n'aime pas l'exercice. Il m'arrive parfois d'y prendre plaisir, mais c'est rare. Je me fous complètement que quelqu'un ait des abdos bien découpés ou des fesses d'enfer. Comprenez-moi bien. Si c'est votre cas, tant mieux pour vous. Mais à mes yeux, la forme physique, c'est beaucoup plus que ça.

Je me sers de la forme physique pour donner du pouvoir aux gens. Pour qu'ils se sentent forts, sûrs d'eux et solides, et pour que cette force se propage dans d'autres aspects de leur vie.

Et je comprends aujourd'hui qu'il en va de même pour votre alimentation et d'autres aspects de votre mode de vie. Une fois que vous avez pris la décision d'exercer un contrôle sur ce qui entre dans votre corps, vous êtes en mesure d'harnacher ce pouvoir. En reconnaissant que certaines forces qui se trouvent à l'extérieur de votre corps perturbent votre biochimie interne et en prenant des mesures pour optimiser le fonctionnement de vos hormones, vous vous appropriez ce même pouvoir à votre propre avantage.

Le jour où Robert m'a mise à la porte de son dojo, j'étais âgée de 14 ans. J'y allais depuis plus d'un an. J'ai réalisé tout à coup le chemin parcouru. La petite grosse de l'école qui était incapable de détourner ses yeux du sol – celle qui prenait chaque jour son repas du midi dans le bureau de madame Cronstad parce qu'elle avait trop peur de se montrer dans la cour – était maintenant la fille qui arpentait le corridor en regardant les gens droit dans les yeux tout en pensant: « Tu ne me parles pas sur ce ton. Je viens juste de casser deux planches avec mon pied droit. Je peux le refaire. »

Je ne pouvais pas risquer de perdre de nouveau ce pouvoir.

Ma rencontre avec Robert m'avait complètement changée sur le plan psychologique. Elle m'avait donné confiance et ouvert la voie vers un nouveau mode de vie que je valorisais et qui allait m'aider à réaliser mes rêves. Robert m'avait aidée à prendre conscience que plus j'étais forte physiquement, plus j'avais du pouvoir comme être humain.

Mais je n'avais pas encore compris une chose essentielle. Robert se foutait pas mal que je sois mince. Moi non. Mais lui n'en avait vraiment rien à cirer. Il voulait que j'aie un régime alimentaire sain afin que je prenne soin de mon corps, mais ce n'est que bien plus tard que j'ai compris *cette* partie de son message.

JEUNE ET BELLE

À 17 ans, j'étais une instructrice certifiée en conditionnement physique. Et j'étais vaniteuse.

J'étais une jeune femme vivant à Los Angeles. Naturellement, je voulais être belle. Je n'en avais que pour ça. Il n'y a rien que je ne lisais pas sur la question. J'achetais tous les magazines professionnels, de *Muscle & Fitness* à *Shape*. Je lisais chaque livre parlant de régime, j'essayais tous les programmes de conditionnement à la mode. Je savais ce qui marchait et ce qui ne marchait pas.

J'étudiais les modes d'entraînement des SEAL[4] de la marine américaine, je me plongeais dans les ouvrages sur Bruce Lee et les méthodes des équipes d'intervention tactique de l'armée israélienne. Je passais des heures et des heures au gymnase à faire les trucs les plus fous; je faisais de la pliométrie et des séances d'entraînement à haute intensité 10 ans avant que ça devienne à la mode. Je demeurais suspendue, la tête en bas, à une botte de gravité ou je faisais des tractions à la barre fixe avec un seul bras, comme si de rien n'était.

Les gens me regardaient et se disaient: « Mais que diable fait donc cette fille? » Puis certains d'entre eux sont venus me demander d'être leur entraîneur. C'est ainsi que ma carrière a commencé: les gens voulaient que je leur enseigne tous ces trucs déments que je faisais.

---

4. NDT: unité des forces spéciales de nageurs de combat de la marine américaine.

Je ne songeais même pas à en faire une carrière. Je travaillais déjà dans un bar le soir. (Avec une fausse carte d'identité, dois-je préciser, comme la rebelle que j'étais ; on ne se change pas.) Je gagnais vraiment beaucoup d'argent pour une adolescente. Je n'avais pas besoin d'un revenu supplémentaire. Je n'ai jamais sollicité de clients. Je pensais seulement : « Je le fais pour moi, mais si vous voulez, je veux bien vous entraîner. Pourquoi pas ? Ça pourrait être sympa. »

Bien sûr, à ce moment-là, je n'avais aucune idée que cela allait être ma destinée : aider les gens à changer leur corps et leur vie par la forme physique et de saines habitudes de vie. J'étais toujours au cœur de ma propre saga, de mon propre combat contre l'excès de poids.

L'Américaine moyenne a tenté de perdre du poids à au moins 10 reprises.

J'étais obsédée par la recherche des meilleures façons de brûler les graisses, pas seulement pour mes clients mais aussi pour moi. Par exemple, j'ai observé pendant un bon moment la croyance selon laquelle le moyen le plus efficace de brûler les graisses était de faire de l'exercice l'estomac vide. Mais après en avoir discuté avec un biochimiste, je me suis rendu compte que c'était exactement le contraire de ce qu'il fallait faire parce que ce sont alors les tissus musculaires qui sont métabolisés par le corps ! On efface et on recommence.

Même chose avec les régimes. J'ai essayé Pritikin, Atkins, le régime selon le groupe sanguin, le régime selon le pH, le paléolithique, le végétarisme, l'alimentation dissociée et même le redoutable Master Cleanse. Nommez-les, je les ai tous essayés. Pourquoi ? Parce que je voulais être mince, très mince !

Pendant une décennie complète, j'ai traité mon corps comme si j'étais un rat de laboratoire. Comment aurais-je pu me douter que toutes ces expériences extrêmes bousilleraient mes hormones ? Tout ce qui m'importait alors, c'était de ne pas redevenir la petite grosse que j'avais été et, pour être tout à fait franche, je me souciais bien peu de la façon d'y arriver, pourvu que j'obtienne le résultat recherché.

À travailler au gymnase, à examiner les plus récentes recherches diététiques, j'étais dans mon élément. J'aimais la vie que je menais. Et alors, pour quelque raison encore obscure, je me suis égarée pendant quelques années au pays des ronds-de-cuir.

LA COURSE FOLLE FAIT UNE AUTRE VICTIME

Vous est-il déjà arrivé dans la vie de faire un choix qui vous apparaissait alors comme une légère correction du tir, mais qui s'est avéré au bout du compte un détour de première importance ? C'est ce qui m'est arrivé et j'ai mis des années à m'en remettre.

J'étais parfaitement heureuse à entraîner des gens pendant le jour et à travailler dans un bar le soir. Je ne pensais pas beaucoup à l'avenir. Je me contentais simplement de profiter de la vie. C'est alors qu'un type avec qui je sortais a commencé à me faire la morale. « Jillian, tu as 23 ans, dit-il. Tu vis à Los Angeles. Tu ne peux quand même pas être *entraîneur* (comme s'il avait dit *revendeur de drogue*) le reste de ta vie ! Il faut que tu deviennes sérieuse. Il te faut une carrière. »

À partir de ce moment, je me suis mise à penser : « Oh, j'imagine qu'être entraîneur n'est pas une vraie carrière. » Le plus triste, c'est que je ne voyais pas l'entraînement comme une carrière précisément parce que j'adorais ça. Quand on y trouve autant de plaisir, ça ne peut pas être du travail, non ? Vraiment tragique.

Je me suis dit qu'il fallait que je devienne sérieuse et que je me trouve un « job d'adulte ». Alors je suis allée travailler pour une importante agence artistique de Los Angeles.

Au cours des quatre années suivantes, accablantes et pleines de questionnement, j'ai brûlé la chandelle par les deux bouts à occuper un boulot administratif 60 heures par semaine, subissant un niveau de stress vertigineux, le derrière calé en permanence dans une chaise. Et même si je devais aller au gymnase à minuit, je poursuivais mon entraînement jusqu'à l'épuisement, toujours obsédée par ma santé. Sauf que je n'entraînais plus de clients. Durant mes rares heures de loisir, je continuais à dévorer tout ce qui s'écrivait sur chaque nouveau régime à la mode. « Bon, est-ce qu'on est dans la zone maintenant ? Un instant, on en est cette fois au régime métabolique, c'est bien ça ? Et qu'est-ce que c'est que ce truc de South Beach ? Ça marche ? » J'étais toujours en lutte constante avec mon poids, mon corps, ma santé. Jour après jour, je calculais fidèlement la moindre calorie.

À peu près à cette époque, j'ai remarqué que j'avais sur le visage une espèce de tache brunâtre qui ne voulait pas disparaître. Je suis allée voir le dermatologue. Il s'est avéré que j'avais un chloasma, également connu sous le nom de «masque de grossesse». Il s'agit d'une hyperpigmentation du visage qui e souvent causée par des taux élevés d'œstrogènes et de progestérone. Mon dermatologue y a jeté un coup d'œil avant de dire: «On pourrait faire un peeling pour l'éclaircir.»

«Un peeling? ai-je pensé. Un instant! D'abord, pourquoi est-ce que j'ai ça?» Je n'avais jamais été enceinte et je ne prenais pas de pilules contraceptives. Qu'est-ce qui se passait?

Je n'ai pas eu le temps d'y penser longtemps. Stressée à l'excès, nourrie d'aliments minceur transformés (donc faux), d'édulcorants artificiels, de polyols et de caféine, je me forçais à terminer mes journées, y parvenant de peine et de misère au moyen d'une dépendance pure et simple au cola diète. J'en buvais un pack de six, ou plus, chaque jour.

Vu de l'extérieur, mon boulot était vraiment prestigieux. Je n'avais pas à faire la queue au restaurant. Les gens «savaient» qui j'étais. Je travaillais à Hollywood, bon sang! J'étais quelqu'un d'important.

Les gens qui subissent un grand stress au travail présentent 73 % plus de risques de devenir obèses et 61 % plus de risques de développer du gras abdominal que les personnes qui n'en subissent pas.

Mais en réalité, je détestais mon travail. Je détestais ce que je faisais. Tous les matins en me réveillant, j'avais littéralement envie de hurler. J'avais le sentiment que ma vie était insignifiante.

Vous connaissez ce proverbe: «L'heure la plus sombre vient toujours avant l'aube»? Mon heure la plus sombre est arrivée au moment où j'ai été prise dans une lutte de pouvoir entre deux agents. Je savais que l'un d'eux avait fait quelque chose de terrible, qui allait sûrement le faire virer et peut-être même l'exposer à une poursuite judiciaire. Le stress associé au fait de connaître cette information était plus que je ne pouvais supporter. (En plus, pour être tout à fait sincère, je ne pouvais vraiment pas blairer ce type.) Alors, quand les gens de la haute direction m'ont pressée de questions sur ce qu'il avait fait, j'ai vidé mon sac. L'histoire au grand complet. Je leur ai dit ce qu'il avait fait et comment.

Vous me voyez venir?

L'agent a renégocié son contrat. Ils m'ont virée. Et je venais de me faire un ennemi mortel pour le reste de ma vie.

Ce qui s'est passé par la suite sort tout droit du livre *You'll Never Eat Lunch in this Town Again*[5]. Il m'a blackboulé partout en ville. Je ne pouvais être embauchée nulle part. Je ne pouvais même pas bouger de mon canapé. J'étais assise là, à me dire: «J'ai perdu quatre années de ma vie à me saigner à mort, sans aucune raison, et à me rendre malheureuse. Et qu'est-ce que ça m'a donné?»

À un certain moment, je n'ai plus eu le choix: il fallait que je gagne ma vie. Un ami m'a embauchée comme aide au physiothérapeute dans un centre de conditionnement physique. J'ai dû avaler ma pilule et travailler pour à peu près le dixième de mon ancien salaire, distribuer des serviettes à des gamins qui travaillaient comme adjoints dans la compagnie qui venait tout juste de me mettre à la porte. Des gamins que j'avais justement envoyés à ce centre quand j'étais leur patronne! Toute cette expérience était vraiment humiliante.

Et puis, juste à ce moment, la chose la plus extraordinaire m'est arrivée.

Une mauvaise journée pour l'ego est généralement une journée magnifique pour l'âme.

DE RETOUR À LA CASE DÉPART… ET SUR LE POINT DE TROUVER DES RÉPONSES

Au bout du compte, cette immense blessure à l'ego s'avéra exactement ce dont j'avais besoin. J'étais de retour dans mon élément, j'avais pris un bain d'humilité et je brûlais de me dépenser à nouveau. Après avoir essayé pendant longtemps de me conformer à une définition du succès qui n'était pas la mienne, je revenais dans un milieu que j'aimais. Et j'étais heureuse, pour la première fois depuis des années.

En l'espace d'à peine quelques mois, j'avais aidé le centre à élargir son offre et à ouvrir un nouveau gymnase. Ma liste de clients a commencé à s'allonger. Je travaillais avec des célébrités telles que Vanessa Marcil et Amanda Peet, des agents et des producteurs de Hollywood, tous des nouveaux clients qui étaient venus à moi parce que j'avais travaillé dans l'industrie du divertissement. À mesure que ma réputation s'établissait, je discutais de plus en plus souvent avec les nutritionnistes, les diététistes et les médecins sportifs de ces célébrités, tous les meilleurs dans leurs domaines respectifs. Croyez-moi, je n'ai

5. NDT: allusion aux mémoires de la productrice de Hollywood Julia Philips qui, en 1991, fit scandale en amochant sérieusement la réputation de certaines grandes vedettes de cinéma.

jamais raté une occasion d'avoir recours à leurs lumières. Je me remémorais toutes ces théories que j'avais apprises et je leur disais: «Expliquez-moi Atkins. Où est la science dans ce régime? Quels sont ses véritables effets?» Graduellement, le portrait devenait plus clair, mais je n'avais toujours pas réuni les pièces du puzzle, en particulier pour ce qui arrivait à mon propre corps.

Dans le cours de l'année suivante, j'inaugurais mon propre centre de médecine sportive à Beverley Hills, doté de trois kinésithérapeutes, d'un physiatre et d'un chiropraticien. Peu après, des magazines tels que *Shape*, *Self* et *Marie Claire* ont commencé à m'appeler chaque fois qu'ils avaient besoin de réaliser une interview sur un nouveau programme d'exercice, un nouveau régime ou quelque autre trouvaille sur la perte de poids.

Sur le plan professionnel, les choses roulaient pour moi et mon avenir s'annonçait brillant. Mais malgré cela, je n'en continuais pas moins à lutter constamment pour maintenir mon poids à la baisse. La seule raison pour laquelle je restais en forme, c'est que j'étais méticuleuse – je veux dire vraiment *mé-ti-cu-leu-se* – quant au calcul des calories. J'entraînais mon corps vigoureusement de sept à huit heures par semaine. Mais j'avais beau dire à mes clients de boire des tonnes d'eau, j'étais moi-même lourdement accro à la caféine, enfilant boissons gazeuses diètes les unes après les autres.

Pour chaque cannette de boisson gazeuse diète consommée chaque jour, le risque d'obésité augmente de 41 %.

Dieu me pardonne, il m'arrivait de m'oublier pendant quelques jours. Je gagnais alors trois kilos le temps de le dire, ce qui me ramenait aussitôt à ma pénible routine. Après tous les efforts que j'avais déployés pour apprendre les tenants et aboutissants des régimes et de la nutrition, je ne pouvais simplement pas comprendre pourquoi mes exercices quotidiens et mes folles habitudes alimentaires ne faisaient pas le travail. Je pensais vraiment que je m'étais fait royalement avoir à la loterie de la génétique, que mon métabolisme était complètement nul et que je ne réussirais jamais à contrôler mon poids aussi facilement que certains de mes amis.

Mais au bout du compte, la réalité, c'est qu'un corps ne pouvait soutenir cette pression que pendant un temps avant de lâcher complètement. C'est ce qui m'est arrivé quand je me suis jointe à l'équipe de l'émission télévisée *Qui perd gagne*.

Si une fille doit se présenter à la télé pour encourager des gens à perdre des dizaines de kilos, il faut qu'elle ait belle apparence, non? C'est la pensée qui m'habitait alors que je me préparais à faire face à la caméra. « Il faut que j'aie un corps de rêve. Il faut que je les impressionne », me disais-je. J'avais donc rigoureusement limité ma consommation quotidienne de calories à 1200 tout en continuant à me tuer au gymnase. C'était la seule façon de maintenir mon corps dans une forme extraordinaire. J'avais seulement une chance d'attirer l'attention des gens et de les impressionner, alors il fallait que je sois plus en forme que je ne l'avais jamais été. Il fallait, en somme, que je pratique ce que j'allais prêcher.

Ç'a marché. Mais j'avais l'air d'une morte vivante. J'étais épuisée. Je m'usais jusqu'à la moelle et j'étais stressée au maximum.

Aussitôt la saison terminée, je suis passée de 1200 à 1800 calories par jour, un régime beaucoup plus sain et parfaitement raisonnable pour quelqu'un qui travaille aussi fort. Et j'ai gagné sept kilos pratiquement du jour au lendemain.

Pourtant, ce n'est pas parce que je m'empiffrais de pizza à la maison. Je continuais à faire de l'exercice cinq heures par semaine! Mais si je prenais un seul verre de vin, je prenais du poids. À nouveau, il fallait que je souffre le martyre pour revenir à la normale.

Quelque chose d'autre n'allait pas. « C'est ridicule », me disais-je. Ça ne pouvait pas être si difficile que ça.

LES CLÉS DU ROYAUME

Puis, exactement à cette époque, j'ai atteint le cap de la trentaine. Il se passe des choses étranges quand on franchit cette étape. On se met vraiment à réfléchir à la possibilité d'avoir des enfants, au désir de vivre longtemps et en bonne santé. Jusque-là – ça peut sembler bizarre –, j'avais toujours présumé que j'allais mourir jeune. Et quand je suis arrivée à un certain âge, j'ai pris conscience que je n'étais pas James Dean. Je n'allais pas m'en sortir aussi facilement. Et je n'en avais aucune envie non plus! Je voulais avoir une longue vie, grandir et vieillir avec élégance.

Après l'âge de 20 ans, le fonctionnement du métabolisme ralentit d'environ 2 % par décennie ; après 40 ans, il ralentit de 5 % par décennie.

Il ne s'agissait plus seulement d'être mince ; il s'agissait aussi de santé et de longévité. Je ne voulais plus seulement avoir un corps élancé, mais aussi vivre longtemps, heureuse et en bonne santé.

À ce moment-là, une bonne amie à moi qui était aussi l'une de mes clientes voyait un endocrinologue. Un jour, j'ai eu une conversation téléphonique avec ce médecin afin de discuter de la santé et du bien-être de ma cliente, ce qui était assez routinier pour moi. Je travaillais alors avec à peu près l'ensemble de la communauté médicale de Los Angeles et parlais régulièrement à une foule de diététistes, de médecins sportifs, de biochimistes, de chiropraticiens, de podiatres, etc. Mais c'était la toute première fois que je discutais avec un endocrinologue.

En parlant avec ce médecin, j'ai finalement compris pourquoi ma cliente n'obtenait pas de résultat. Toutes les pièces manquantes du puzzle étaient là, directement en face de moi. Ma cliente souffrait d'hypothyroïdie ; voilà pourquoi elle ne réussissait pas à se débarrasser de sa dizaine de kilos en trop. Elle était également atteinte du syndrome des ovaires polykystiques, lié au diabète de type 2, qui faisait aussi en sorte que son métabolisme fonctionnait au rythme d'un escargot. Je savais déjà que son métabolisme était lent, mais maintenant je savais pourquoi. Et avec l'aide de ce médecin, j'ai élaboré un régime qui allait permettre à ma cliente de corriger le tir.

La production de testostérone et de progestérone chez les femmes atteint son point culminant dans la vingtaine, puis décline pendant le reste de leur vie. La sécrétion de l'hormone de croissance baisse d'environ 75 % après 35 ans.

Incroyable, pensais-je. Il faut que j'applique ce régime à moi-même. « Quand puis-je vous voir ? demandai-je au médecin. Est-ce que je peux y aller tout de suite ? »

Au bout du compte, je me suis placée à la merci de l'endocrinologue, qui m'a fait subir des tests complets portant aussi bien sur mon taux de cholestérol que sur l'intoxication aux métaux lourds. Je me rappelle encore ce jour où il est entré dans son cabinet avec les résultats alors que je l'y attendais. Il a souri, m'a tendu une feuille de papier et, avant même que j'aie la chance de lire ce qui y était écrit, il m'a dit : « Il y a combien de temps que vous souffrez d'hypothyroïdie ? »

J'ai cligné des yeux. Le bout de papier était parsemé de chiffres dans la colonne des « anomalies ».

« Et votre taux de testostérone est vraiment bas. Vous avez déjà pris de l'Accutane ? »

J'avais de la difficulté à retrouver mon souffle.

« Est-ce que vous connaissez le terme "œstrogènes dominants" ? »

À ce moment, je me suis sentie presque étourdie. Tout à coup, on m'offrait une explication entièrement plausible de tous les symptômes que j'avais ignorés ou niés pendant si longtemps : la pigmentation faciale, mes sursauts et mes baisses d'énergie et, bien sûr, ces sept ou huit kilos que je n'arrivais jamais à perdre pour de bon. Le facteur commun, c'était mes *hormones*.

Mes hormones du stress qui emmagasinent les graisses – comme le cortisol – crevaient le plafond. Quant à mes hormones de jouvence qui éliminent les graisses, telles que les hormones de croissance et la déhydroépiandrostérone (DHA), elles piquaient du nez. J'avais plus d'œstrogènes dans mon organisme que mon corps savait quoi en faire. Mon système endocrinien était entièrement déréglé et, du coup, mon métabolisme.

Cette prise de conscience a été l'une des grandes révélations de ma carrière. À partir de ce moment-là, rien n'a pu m'arrêter. Cet univers était complètement nouveau pour moi, mais je comprenais qu'il existait une avenue qui permettait de corriger les choses et de régler la situation.

J'ai décidé de canaliser vers cette nouvelle obsession toute l'énergie que j'avais mise auparavant à brûler les calories. J'ai entrepris d'étudier la science de l'antivieillissement, rencontrant les meilleurs endocrinologues et spécialistes en toxicologie au pays.

J'ai commencé à m'informer au sujet des toxines présentes dans l'environnement et de leurs effets sur le corps. Je me suis mise à étudier tout ce qui touchait les produits biologiques. Comme je l'avais fait au centre d'entraînement quand j'étais adolescente, j'ai creusé les plus obscures recherches, je les ai expérimentées et j'ai constaté ce qui marchait et ce qui ne marchait pas. J'ai commencé à comprendre vraiment pourquoi la perte de poids avait toujours été un combat pour moi et comment j'avais rendu ce combat encore plus difficile qu'il aurait dû l'être.

J'ai compris que le fait de brûler la chandelle par les deux bouts et que mon obsession malsaine pour les régimes amaigrissants et les restrictions alimentaires avaient sérieusement mis mes hormones à l'épreuve et, par le fait même, mon métabolisme.

Prise de conscience n° 1: depuis l'âge de 14 ans, l'ensemble de mon régime alimentaire était entièrement composé de produits dont le nom comprenait le mot *sans*: repas à base de viande sans gras, pain sans glucides, yogourt sans sucre. Autrement dit, je consommais des non-aliments, des produits «frankensteinisés», de la nourriture transformée qui me donne la chair de poule quand j'y repense. À mon grand désarroi, j'ai appris que les produits chimiques synthétiques contenus dans ces prétendus aliments «parlaient» aux cellules qui composent mon ADN. Qu'ils pouvaient même réveiller des gènes de stockage des gras qui seraient demeurés dormants si j'avais simplement mangé une pomme plutôt qu'un «Super-biscuit-chimique-aux-pommes-sans-sucre». Et naturellement, chacun de ces aliments était emballé dans des contenants de plastique qui transmettaient à mon corps des messages encore plus dévastateur pour mon système endocrinien!

Prise de conscience n° 2: la version extrême de l'équation «calories entrantes et calories sortantes», qui avait dicté ma vie jusqu'alors, était revenue me botter les fesses en y ajoutant un peu de graisse. L'équation demeurait la même, sauf que les chiffres étaient devenus plus petits. Je me suis aperçue tout à coup que toutes ces années de limites caloriques avaient saboté mon métabolisme de base en contribuant à affaiblir ma glande thyroïde, déjà mal en point.

Prise de conscience n° 3: l'Accutane que j'avais pris pendant six mois au début de la vingtaine – *six ou sept ans avant que les symptômes apparaissent* – avait vraisemblablement réduit considérablement mon taux de testostérone et contribué à rendre les œstrogènes dominants dans mon organisme, d'où ces affreuses taches sur mon visage dont je me débarrassais depuis au moyen de peelings. Sans parler de toutes ces calories qui n'étaient pas éliminées en raison d'un taux trop bas de testostérone! (Cette dernière révélation m'a vraiment mise au bord des larmes.)

Prise de conscience n° 4: pendant que je prêchais à mes clients les vertus du sommeil, je dormais cinq heures par nuit. «Une bonne nuit de sommeil contribue à la perte de poids», leur disais-je, tout en ignorant mes propres conseils. Je m'apercevais qu'en trichant ainsi, je m'étais privée de ces hormones qui éliminent les graisses et façonnent les muscles, hormones que mon

LES SOURCES DE L'OBÉSITÉ, 2e PARTIE : (EN BONNE PART) UNE AFFAIRE DE GÈNES

Vous avez sans doute déjà entendu parler d'une théorie à propos du prétendu gène économe, dont certains chercheurs croient qu'il a évolué afin d'aider nos ancêtres à stocker la graisse plus efficacement dans les années de vaches maigres. Les gens qui sont porteurs de ce gène ont développé un type de résistance saisonnière à l'insuline qui leur permet d'emmagasiner plus de calories sous forme de graisses dans les moments de disette (par exemple, durant l'hiver). On peut ensuite recourir à ces réserves de gras pour survivre, ce qui entraîne toutefois la création de nouvelles zones de stockage des graisses. (Et voilà pour l'économie. À mes yeux, ça me paraît plutôt carrément de l'avarice !)

Tout ce stockage de graisse était bien pratique en ces temps où famines et périodes d'abondance se succédaient rapidement. Mais aujourd'hui, aux États-Unis, où l'on produit 25 % plus de calories par personne depuis 1970, c'est plutôt le festin permanent et il n'y a pas de grand risque de famine à l'horizon.

Donc, l'idée d'avoir un tel gène serait plutôt nulle, non ? Alors, que diriez-vous d'avoir des milliers de ces petits gènes cupides ? Un article récent du *British Medical Journal* suggère en fait que plus de 6000 gènes – soit 25 % du génome humain – contribuent à déterminer notre poids. Les chercheurs estiment qu'il pourrait même y avoir jusqu'à 10 fois plus de gènes qui font augmenter le poids qu'il y en a qui le font diminuer.

Ces gènes – et la manière dont ils s'expriment dans chaque individu – ont tous des fonctions différentes. Certains nous disent de manger plus ou moins de sucre. D'autres incitent les gens à remuer constamment sur leur siège, éliminant ainsi des centaines de calories en trop. D'autres encore peuvent nous prédisposer à des dérèglements de la thyroïde, une glande qui régularise notre métabolisme. Certains gènes peuvent causer une carence en leptine – l'hormone de la satiété – poussant notre organisme soit à en produire moins, soit à la bloquer.

corps aurait libérées si j'avais été au lit à la maison plutôt que de traîner en ville à m'enfiler des cannettes de Red Bull sans sucre.

Et ça continuait ainsi, chaque découverte à propos de l'équilibre hormonal montrant du doigt des erreurs que j'avais commises dans mon régime, ma prise de suppléments et mon mode de vie. En fin de compte, tout se tenait. Ce n'était pas mes gènes qui m'avaient trahie ; je m'étais trahie moi-même en brûlant la chandelle par les deux bouts, en m'épuisant à l'entraînement et en me nourrissant d'aliments préparés, d'édulcorants artificiels, de polyols et de caféine. Quel désastre !

Dire que j'étais abattue serait un euphémisme. Combien d'années, combien de milliers d'heures supplémentaires au gymnase me suis-je imposées parce que je ne savais pas comment protéger mes hormones ? Combien de ces aliments diététiques incroyablement dégoûtants ai-je avalés en croyant qu'ils m'aideraient à rester mince, alors qu'en réalité ils me rendaient plus *grosse* ?

Je savais qu'il me fallait cesser de considérer la nourriture comme un ennemi et plutôt commencer à l'utiliser comme la source d'une vie longue et saine. C'est cette prise de conscience qui m'a ouvert les yeux. Pour mon propre équilibre mental, il fallait que je trouve une façon de transformer mes erreurs en une occasion d'apprentissage pour les autres. Voilà dans quelles circonstances j'ai décidé d'écrire *Maîtrisez votre métabolisme*.

> Mais le fait que votre famille au grand complet soit atteinte d'obésité ne signifie pas pour autant que tel est votre destin. Nous pouvons tous changer l'expression de nos gènes en améliorant notre environnement physique aussi bien que notre environnement cellulaire au moyen de choix plus avisés concernant l'alimentation et notre mode de vie.

Une fois que j'ai trouvé la bonne combinaison d'éléments, j'ai obtenu des résultats très rapidement. Les kilos ont commencé à dégringoler sans que j'aie besoin de m'entraîner pendant des heures. Alors qu'auparavant je devais être extrêmement méticuleuse et surveiller la moindre calorie qui passait entre mes lèvres, je pouvais maintenant manger normalement, sans être tenaillée par la faim, et cesser d'être obsédée par la bouffe. J'avais le corps que j'avais toujours désiré et je me sentais plus en santé et plus dynamique que je ne l'avais jamais été de toute ma vie.

Comment y suis-je parvenue ? J'ai d'abord reconnu et mesuré de quelle manière *les hormones, 24 heures sur 24 et 7 jours sur 7, affectent le moindre processus physiologique*. Bien sûr, les aliments que j'avalais, mon emploi du temps et le stress que je subissais affectaient mes hormones. Par tâtonnement, grâce à de nombreuses consultations auprès de médecins et de spécialistes, à des heures de lecture et de recherche, petit à petit, j'ai bouleversé toutes mes habitudes afin de remettre mes hormones à zéro et d'optimiser leur niveau, de manière qu'elles puissent fonctionner comme la nature l'a toujours voulu.

À votre tour maintenant de faire de même.

COMMENT ÇA MARCHE

J'ai 35 ans et je ne me suis jamais autant sentie en santé. Je ne mange pas à l'excès, mais je consomme entre 1800 et 2000 calories par jour plutôt que 1200. Je m'entraîne environ cinq heures par semaine, tout au plus. Je n'ai pas besoin d'en faire plus parce que mon corps se charge naturellement de maintenir l'équilibre. Pour quelqu'un comme moi, qui ai pratiquement utilisé une calculatrice pendant des années pour compter les calories et les heures d'exercice, vous n'imaginez pas à quel point ça peut être libérateur.

Je ne mange plus de saloperies synthétiques parce que, pour moi, elles ont maintenant le goût du poison (ce qu'elles sont en réalité) ! Je ne passe plus des heures au centre d'entraînement, mais lorsque j'y vais, ça vaut le coup. J'ai l'énergie suffisante pour en faire beaucoup plus qu'auparavant et j'ai le sentiment d'avoir rajeuni d'au moins 10 ans.

Tout cela est aussi à votre portée.

Peu importe que vous ayez malmené votre corps jusqu'à aujourd'hui – et je parie que vous l'avez fait, même sans le vouloir –, il est *possible* de le remettre sur la bonne voie. Vous pouvez réinitialiser votre métabolisme et optimiser le fonctionnement de vos hormones de manière que votre corps réapprenne à éliminer les graisses. Vous pouvez apprendre quels sont les aliments et les habitudes de vie qui stimulent vos hormones chargées de la perte de poids et lesquels réduisent l'action des hormones responsables du gain de poids. Vous pouvez effectuer ces changements qui vont rajeunir votre corps et lui donner quelques années supplémentaires. Il suffit de trois étapes simples.

RETIRER, RESTAURER ET RÉÉQUILIBRER

Vous aussi essayez sans doute de faire votre part pour assainir la planète au moyen des trois R : réduire, réutiliser, recycler. Eh bien, nous allons maintenant assainir le métabolisme de votre corps grâce aux trois R de la puissance hormonale : retirer, restaurer, rééquilibrer.

Retirer les antinutriments

Nous allons sortir une fois pour toutes de votre cuisine les aliments chimiques « frankensteinisés ». Nous allons faire le tour de votre garde-manger et vous débarrasser de tous les antinutriments, aliments toxiques préparés et produits chimiques synthétiques qui, jusqu'à maintenant, ont foutu en l'air votre métabolisme, y compris ceux dont vous pensiez qu'ils étaient bons pour votre santé. Nous allons même éliminer certains aliments naturels qui, quoi qu'on en pense, ont un impact négatif sur vos hormones.

Restaurer les aliments qui stimulent les hormones

Nous allons ajouter à votre garde-manger des aliments dont votre corps a besoin : des aliments frais et entiers qui, de façon naturelle, optimiseront le fonctionnement de vos hormones. Nous allons nous concentrer sur la restauration, dans votre alimentation, des groupes alimentaires qui stimulent vos hormones responsables de l'élimination des graisses et ralentissent celles qui les accumulent. Chacun de ces aliments contribue aussi au raffermissement des muscles et à l'adoucissement de la peau, à l'accroissement du niveau d'énergie et à la prévention de maladies telles que le cancer, les maladies cardiovasculaires, l'hypertension artérielle, le diabète, le syndrome métabolique et bien d'autres encore.

Rééquilibrer les heures de repas et les portions

Pas question de calculer les calories! Nous allons concevoir un plan personnalisé et facile à suivre pour vous aider à rééquilibrer votre consommation d'aliments afin de maintenir votre équilibre glycémique et énergétique toute la journée, sans faim ni fringales frénétiques. Vous apprendrez comment combiner les aliments de façon à stimuler le fonctionnement optimal de vos hormones, et vous consommerez les nutriments adéquats en portions suffisantes pour soutenir votre métabolisme. Et pour faire en sorte que votre corps élimine les calories de façon régulière, vous vous nourrirez de façon presque constante. Voilà l'un de mes aspects favoris de ce plan.

La remise en ordre de votre métabolisme ne se limite pas à votre régime alimentaire. L'une des choses les plus étonnantes que j'ai apprises dans le cadre de ma «révélation hormonale» a été l'impact de l'environnement et du mode de vie sur nos hormones. Les journaux ont récemment fait leurs choux gras des dangers que représentent les plastiques qui s'infiltrent dans les œstrogènes et qui font partie de la chaîne alimentaire. Dans le cadre de mes conversations avec des scientifiques du monde entier, j'ai été renversée d'apprendre l'ampleur des problèmes causés par les perturbations du système endocrinien, aussi bien en raison de l'environnement mondial qu'à l'échelle de nos propres foyers. Mais tout répandu que soit ce problème, j'ai toutefois été heureuse de savoir qu'il y a beaucoup de façons de réduire les risques qui y sont associés. Voilà pourquoi *Maîtrisez votre métabolisme* propose aussi un programme d'habitudes de vie qui vous aidera à extirper de votre vie beaucoup de facteurs de risque. Vous apprendrez notamment à retirer les produits toxiques de votre environnement, à restaurer les nutriments dans votre alimentation et à rééquilibrer votre niveau de stress.

Retirer les toxines

Vous ne pouvez pas imaginer le nombre de produits chimiques présents dans l'eau courante, dans votre maison, votre voiture, votre bureau – un peu partout, en fait – qui alimentent votre embonpoint en ce moment même. Partout où cela est possible, nous allons continuer à désintoxiquer votre corps en le débarrassant des perturbateurs du système endocrinien. Et du même coup, nous allons contribuer à assainir notre planète, un foyer à la fois.

Restaurer les nutriments

Tout dans la chaîne alimentaire américaine d'aujourd'hui – de l'agriculture industrielle à l'usage des pesticides, en passant par la transformation excessive des aliments – contribue à évacuer les nutriments naturels de la nourriture que nous consommons. Une fois que vous aurez commencé à restaurer dans votre alimentation les nutriments qui optimisent le fonctionnement de vos hormones, vous serez clairement engagé dans la bonne voie. Mais il arrive parfois que le corps ait besoin de certains minéraux et vitamines additionnels pour que le métabolisme fonctionne à plein régime. Je proposerai, pour répondre à toute carence persistante, un certain nombre de suppléments qui vous aideront à restaurer dans votre organisme les nutriments importants qui font défaut à votre régime.

Rééquilibrer votre niveau de stress

Le rééquilibrage est le dernier élément de ce programme, mais à bien des égards, il est aussi le plus important. Le repos et la détente ont un plus grand effet sur l'équilibre hormonal qu'à peu près tout ce que vous pouvez faire. Vous pouvez avoir le régime le plus adéquat qui soit, si vous êtes constamment stressé et privé de sommeil, ça ne changera pas grand-chose. Nous allons rééquilibrer le tout et apprendre à gérer l'inévitable stress présent dans nos vies (et aussi restaurer l'équilibre entre la veille et le sommeil) afin de bien surveiller nos hormones liées au stress.

UNE PROMESSE... ET UNE DEMANDE

Votre corps a été dupé. On vous a dépouillé de votre santé. Nous allons maintenant corriger la situation. Mais j'ai aussi quelque chose à vous demander en retour.

Vous devez vous engager sans équivoque dans ce programme. Vous devez en prendre la responsabilité et bien comprendre que notre société de consommation n'est pas votre alliée dans ce combat. Les grandes entreprises alimentaires ne sont pas de votre côté. Ce n'est pas parce que les pesticides sont vendus légalement, que le ministère de l'Agriculture affirme que les hormones contenues dans la viande de bœuf sont parfaitement inoffensives ou que votre patron vous dit que vous devez être marié à votre emploi 24 heures sur 24 et 7 jours sur 7 que tout cela est nécessairement vrai. Vous ne pouvez plus vous cacher la tête dans le sable. Les faux aliments, les produits chimiques et le stress s'attaquent directement à vos gènes, modifient vos hormones au point qu'elles en deviennent méconnaissables, empoisonnent votre corps et assassinent notre planète, un détestable dollar à la fois. Il n'est plus question ici de votre silhouette ; il est question de vous sauver vous-même.

Pour être tout à fait honnête, il m'importe peu que vous soyez engagé dans la portion « sauvons le monde » de notre programme. Pourvu que vous suiviez le régime, je me soucie peu que vous le fassiez pour votre ligne ou pour la planète. Le résultat final sera le même : vos hormones seront équilibrées, vous serez plus mince et vous profiterez plus longtemps de ce monde que vous aurez contribué à sauver. Je n'ai pas de problème avec ça !

Mais avant d'entreprendre ce programme, prenons un instant pour déterminer de quoi nous parlons. On peut discourir toute une journée durant de votre métabolisme, mais savez-vous vraiment de quoi il est fait ? Nous allons également nous pencher sur certaines hormones clés qui ont une influence directe sur votre poids. Vous aurez ainsi une idée de l'état de délabrement dans lequel se trouvent vraiment vos hormones et même *si* elles sont réellement dans un tel état. Certaines personnes ont de la chance, par exemple mon amie Vanessa. (Je vous entretiendrai de son cas dans les pages qui viennent.) Mais un très grand nombre d'entre nous présentent au moins une forme de déséquilibre hormonal qui a ralenti ou complètement neutralisé leur capacité de perdre du poids. Dans les deux prochains chapitres, nous verrons comment chacune de ces hormones fonctionne, nous prendrons connaissance des principaux symptômes de déséquilibre dans le corps et nous apprendrons avec précision comment, au départ, nous nous sommes enlisés dans cette crise hormonale.

Si vous êtes impatient de commencer le plan que je vous propose, allez tout de suite au chapitre 4 pour un aperçu. Vous pouvez même vous rendre directement au chapitre 5 intitulé « Étape 1 : retirer » et entreprendre aujourd'hui même de débarrasser votre cuisine de ses éléments indésirables. Beaucoup de gens aiment bien entreprendre le programme tout en s'informant des enjeux sous-jacents. Ce n'est pas une mauvaise idée. *Tout le monde* peut tirer des avantages de ce plan, alors aussi bien y aller tout de suite. Nous n'avons pas une seconde à perdre.

Mais n'hésitez pas à revenir aux chapitres 2 et 3. Parce que toutes terrifiantes que soient les informations qui y sont livrées – et elles le sont vraiment –, c'est dans le savoir que se trouve le pouvoir. Bon ! Parlons maintenant des hormones – celles qui ont un impact sur votre poids – et de la façon dont nous pouvons commencer à les orienter dans la bonne direction, aujourd'hui même.

CHAPITRE 2

VOICI LES JOUEURS CLÉS

COMMENT VOS HORMONES DÉTERMINENT VOTRE MÉTABOLISME

Je vous ai déjà expliqué que ma vie avait changé le jour où je suis allée consulter un endocrinologue. Mais en fait, la véritable révélation est survenue deux semaines plus tard.

D'abord, lorsque mon médecin m'a dit que mon système endocrinien était mal foutu, je suis restée bouche bée. J'avais simplement le cerveau en vrille. Et puis, une partie de moi a dit: «Je ne connais rien à ça. Peut-être qu'il essaie simplement de m'attirer dans une affaire de suppléments nutritionnels dans laquelle il est impliqué.» J'ai alors recouru à l'aide de ma meilleure amie, Vanessa, pour le piéger.

Vanessa est une de ces femmes qui, au grand désarroi des personnes comme moi, demeurent minces sans effort. Ai-je mentionné qu'en plus, elle est belle à couper le souffle? Elle a cinq ans de plus que moi, mais je l'ai vue engouffrer plus de nourriture que son mince petit corps pourrait en éliminer en une vie. Et pourtant, elle ne gagne jamais un kilo. Pourquoi?

Nous sommes exactement de la même taille et même si je suis beaucoup plus musclée qu'elle, je devais surveiller chaque calorie alors qu'elle pouvait avaler des tonnes de bouffe sans se soucier de sa ligne. Comment diable expliquer ça?

Si l'endocrinologue lui disait qu'elle avait besoin d'un traitement hormonal, alors j'aurais la preuve qu'il était uniquement motivé par l'appât du gain. Le jour où elle a obtenu ses résultats, j'en ai été quitte pour une petite leçon.

« Vanessa, j'ai lu votre dossier et je n'en reviens pas, a dit le médecin. Vous avez le taux de testostérone d'un garçon de 18 ans. Votre hormone de croissance est parfaite. Votre thyroïde est extrêmement saine. Vous êtes dans une forme splendide. Ne touchez à rien. » Vanessa l'a remercié et ils ont discuté quelques instants, pendant que, de mon côté, je sentais la frustration monter en moi. J'adore mon amie, mais pourquoi avait-elle autant de veine ?

J'étais bien décidée à connaître la réponse. Après avoir travaillé comme une malade pendant tant d'années, je voulais être comme elle.

C'EST QUOI LE « MÉTABOLISME », EN FIN DE COMPTE ?

La plupart des gens lancent à tout propos le mot « métabolisme » dans la conversation avec la certitude qu'ils savent ce que ce mot veut dire. On dit des choses comme « Mon métabolisme est lent » ou « Son métabolisme doit être rapide », en faisant allusion à la facilité avec laquelle certaines personnes perdent ou prennent du poids. Mais ces phrases expriment ce que le métabolisme fait, pas ce qu'il *est* vraiment. Alors qu'est-il ? Et peut-il être endommagé ou amélioré ?

Nous avons tendance à considérer le métabolisme comme une espèce de fournaise, mais, en fait, il s'apparente beaucoup plus à un laboratoire de chimie. Votre métabolisme est la combinaison de toutes les molécules, des hormones et de tous les autres messagers chimiques des cellules cérébrales et viscérales ainsi que des adipocytes (cellules de stockage des graisses ou cellules adipeuses) qui régulent le rythme auquel vous éliminez les calories. Lorsque vous mangez, les enzymes de votre tube digestif décomposent les aliments : les protéines sont transformées en acides aminés ; les graisses, en acides gras ; et les glucides, en glucose. Le sang amène chacune de ces composantes aux cellules ; ce processus entraîne des réactions chimiques qui déterminent comment elles sont utilisées ou métabolisées. Que cette énergie soit dépensée immédiatement, qu'elle soit stockée sous forme de graisses ou qu'elle serve à raffermir les muscles, tout cela est déterminé par les hormones.

En gros, toutes les activités métaboliques peuvent emprunter l'une ou l'autre des deux voies suivantes :

Les activités cataboliques relèvent de l'élimination. Elles consistent à décomposer les molécules les plus grosses (telles que les glucides, les graisses et les protéines contenues dans notre nourriture) afin de libérer l'énergie qui permet au corps de fonctionner. Ce processus ne nous fournit pas seulement l'énergie dont nous avons besoin pour marcher, sourire et penser, il sert aussi à raffermir les tissus de l'organisme dans le cadre des activités anaboliques.

Les activités anaboliques relèvent de la construction. Les cellules vont chercher le glucose, les acides gras et les acides aminés issus du catabolisme et les transforment en tissus de l'organisme tels que les muscles, les graisses et les os.

Plusieurs hormones qui agissent sur votre poids figurent habituellement dans l'une de ces deux catégories. Par exemple, le cortisol est considéré comme une hormone catabolique, alors que l'hormone de croissance est considérée comme une hormone anabolique. Les hormones cataboliques et anaboliques ne sont, en soi, ni complètement bonnes ni complètement mauvaises ; le corps a besoin de ces deux types d'hormones pour fonctionner normalement. Le truc, c'est d'avoir le bon équilibre hormonal – comme Vanessa – afin d'éliminer les graisses et de raffermir les muscles, et non le contraire. Personne n'a envie d'être plus gras et de réduire sa masse musculaire.

Il y avait autant de différences entre le test hormonal de Vanessa et le mien qu'entre le jour et la nuit. Je n'ai pas eu le choix de les examiner soigneusement et de me demander : « Pourquoi ? Comment cela est-il arrivé ? » J'ai commencé par examiner ces différences :

- J'avais suivi des régimes et surveillé mon apport calorique pendant une bonne quinzaine d'années. Vanessa n'avait jamais suivi de régime amaigrissant.
- Je consommais des tonnes de faux aliments, untel sans gras et tel autre pauvre en glucides. Vanessa consommait – depuis toujours – des aliments naturels.
- Je buvais un pack de six Coca-Cola diète par jour. Vanessa ne buvait jamais, sous aucun prétexte, de boissons gazeuses.
- Je n'accordais aucune attention à l'origine ou au mode de production des aliments que je consommais. Vanessa mangeait autant que possible des aliments biologiques.

J'ai continué ainsi le jeu des comparaisons jusqu'à ce que ma tête soit sur le point d'éclater. Les résultats étaient parfois déprimants, mais ils m'ont finalement aidée à me sortir de ma misère.

Car après avoir piqué une crise, puis m'être informée, j'ai appris une bonne nouvelle, à savoir que si le métabolisme est la biochimie du corps, alors il est dynamique et non statique, et il est possible de le changer. Pour le pire, c'est vrai, mais aussi pour le mieux. Quelques simples modifications à votre alimentation, à vos habitudes et à votre mode de vie peuvent avoir un effet important sur votre métabolisme et la capacité naturelle de votre corps de stocker les graisses et de réduire la masse musculaire. Pas besoin d'être un biochimiste pour faire ça !

Si vous êtes à la recherche de résultats immédiats et que vous préférez absorber les hormones sous forme d'injection ou de cachet quotidien, vous pouvez toujours aller voir un médecin et obtenir une ordonnance. Mais ne perdez jamais de vue que cette approche rendra votre corps dépendant d'un soutien externe et que cela comporte de sérieux risques. Ce programme propose plutôt d'aller aux racines mêmes du problème, d'optimiser les taux hormonaux naturels de votre corps et d'activer votre métabolisme de façon naturelle.

Lorsque vous fournissez à votre corps les aliments qu'il a été fabriqué pour « comprendre », vous aidez vos hormones à exécuter les fonctions pour lesquelles elles existent et vous faites en sorte que votre métabolisme travaille pour vous, et non contre vous. Je suis heureuse aujourd'hui de profiter des avantages d'un métabolisme solide, mais pendant longtemps mes hormones n'ont pas été de mon côté. Je n'avais aucune idée de ce qu'elles étaient et de ce à quoi elles servaient, sans parler de la manière de les faire fonctionner à mon avantage. C'est là que nous devions commencer.

« L'OBÉSITÉ DE POIDS NORMAL » : EST-CE VOTRE CAS ?

Même si vous ne souffrez pas officiellement d'embonpoint, vous pourriez bien être atteint de surpoids et cet excès de gras vous rend plus susceptible de présenter une résistance à l'insuline. Les résultats d'une recherche récente menée par la Clinique Mayo montrent que de nombreux adultes de poids normal présentent en fait un niveau élevé de graisse corporelle – plus de 20 % chez les hommes et plus de 30 % chez les femmes – ainsi que des troubles cardiaques et métaboliques. Les chercheurs ont découvert cette « obésité de masse corporelle normale » (que j'appelle le « gras des maigres ») chez plus de la moitié des patients dont l'indice de masse corporelle était normal. Ces patients avaient également tendance à présenter une proportion élevée de lipides dans le sang (haut taux de cholestérol), un taux élevé de leptine (une hormone qu'on trouve dans le gras et qui est associée à la régulation de l'appétit) ainsi que des taux plus élevés de syndrome métabolique. Ce qui compte vraiment, c'est la composition corporelle, pas le poids.

L'APPROVISIONNEMENT EN HORMONES ET LA DEMANDE

Vos hormones sont des messagers chimiques qui contrôlent et coordonnent les activités de l'ensemble de votre corps. L'objectif principal de votre système endocrinien est de maintenir l'homéostasie de manière que le corps dispose de suffisamment – mais pas trop – d'insuline, de cortisol, d'hormones thyroïdiennes et ainsi de suite, et soit dès lors en mesure d'assurer son fonctionnement de façon efficace.

Lorsque les taux de certaines hormones s'abaissent ou que le corps a l'impression d'avoir besoin de plus de ces hormones pour quelque raison que ce soit, les glandes sont stimulées. Les hormones ainsi libérées voyagent alors dans le flux sanguin jusqu'à leurs récepteurs spécifiques dans les tissus et les organes disséminés dans tout le corps. Chaque hormone correspond à son récepteur de la même façon qu'une clé correspond à une serrure donnée. Lorsque l'hormone et le récepteur entrent en contact, ils enclenchent des processus physiologiques tels que la faim, la soif, la digestion, le raffermissement des muscles, le stockage des graisses, la menstruation ou le désir sexuel. Quel que soit le processus auquel vous pensez, les hormones le contrôlent. Une fois que le processus est complété, l'homéostasie est restaurée – encore que de façon temporaire – et le processus global recommence.

Les problèmes débutent lorsque nous avons trop ou trop peu de certaines hormones dans le corps. Peut-être l'une de vos glandes produit-elle trop d'hormones. Peut-être y a-t-il un dysfonctionnement des récepteurs de vos cellules ou peut-être encore la rencontre entre les récepteurs et les hormones n'est-elle pas aussi efficace qu'elle le devrait. Il se peut aussi qu'un organe de votre corps – le foie ou les reins, par exemple – ne fonctionne pas de façon adéquate et que les taux d'hormones circulant dans votre corps deviennent beaucoup trop élevés. Ou peut-être votre système endocrinien reçoit-il des signaux trompeurs – semblables à ceux d'une hormone – de la part de toxines présentes dans les aliments ou dans l'environnement et qu'en guise de réponse, il libère par erreur des hormones inappropriées.

Lorsque des « tempêtes hormonales » de ce type s'attaquent à votre corps, rien ne va plus.

Certaines glandes sont trop stimulées et produisent trop d'hormones ; d'autres s'épuisent et ne fonctionnent plus du tout. Dans le monde d'aujourd'hui, ces problèmes endocriniens surviennent presque toujours en raison de facteurs présents dans notre mode de vie et notre environnement.

Les «aliments» que nous consommons aujourd'hui n'offrent tout simplement pas à nos hormones ce dont elles ont besoin pour demeurer équilibrées. Les produits chimiques et les toxines présents dans l'environnement transmettent à notre corps des signaux qui le poussent à produire plus ou moins d'hormones que normalement. Ces «perturbateurs endocriniens» sont des substances qui agissent comme des hormones en incitant le corps à réagir (souvent de façon excessive), ce qui perturbe le fonctionnement normal et sain du système endocrinien. Au chapitre 3, nous allons évoquer les perturbateurs endocriniens les plus répandus et la façon dont ils s'attaquent à votre métabolisme. Mais pour l'instant, sachez que, lorsque vos hormones sont perturbées, non seulement votre santé peut être sérieusement menacée, mais les fonctions importantes liées au contrôle de votre poids ralentissent ou s'arrêtent complètement.

Voilà pourquoi nous devons nous débarrasser du plus grand nombre possible de ces perturbateurs endocriniens potentiels. Ainsi, votre système de distribution d'hormones redeviendra efficace, et vos glandes et vos récepteurs ne feront plus la grève. Nous allons remettre votre corps au travail pour lequel il est fait: raffermir les muscles, éliminer les graisses, vous maintenir en santé et heureux.

Prenons quelques instants pour en apprendre un peu plus sur les principaux joueurs hormonaux de votre métabolisme et voir ce qui arrive lorsqu'ils deviennent dingues. Une fois que nous en saurons un peu plus sur la façon dont vos hormones doivent travailler, nous allons les remettre en ordre.

LES HORMONES QUI AFFECTENT VOTRE MÉTABOLISME

Nous savons, vous et moi, pourquoi vous êtes en train de lire ce livre: vous voulez perdre du poids. Et je veux aussi que vous y parveniez. Alors, plutôt que de vous proposer un traité de 1000 pages sur le fonctionnement complet du système endocrinien, observons de près les hormones qui ont le plus d'influence sur votre poids. Parce qu'il importe peu que l'on soit une jeune frustrée de 25 ans accro aux régimes ou un individu de 55 ans qui désire perdre sa bedaine: nous avons tous les mêmes hormones métaboliques. Même si nos hormones sont à des taux extrêmement différents, le principe du programme s'applique à chacun de nous.

Nous allons observer le rôle joué par chaque hormone dans la fonction métabolique : la faim, la distribution dans le corps du gras et de la masse musculaire, le niveau d'énergie et d'autres aspects de la santé globale. Nous allons évoquer ce qui survient lorsque chaque hormone fonctionne à son taux optimal et quels types de dommages chacune cause lorsqu'elle est mal en point. Une fois que nous saurons tout ça, nous aurons un meilleur aperçu des causes profondes de plusieurs types de perturbations métaboliques que nous aborderons au chapitre 3. Quand vous saurez ce qui arrive et pourquoi, vous verrez en quoi ce plan peut vous aider à régler ces problèmes.

Tout au long de ce livre, nous allons aussi aborder quelques-uns des facteurs les plus récemment découverts sur la scène métabolique et hormonale, tels que l'adiponectine, la résistine, la cholécystokinine (CCK), le neuropeptide Y (NPY), entre autres. Mais d'abord, concentrons-nous sur les principaux joueurs :

- l'insuline ;
- les hormones thyroïdiennes ;
- les œstrogènes et la progestérone ;
- la testostérone ;
- la DHA et le cortisol ;
- l'adrénaline et la noradrénaline ;
- l'hormone de croissance ;
- la leptine et la ghréline.

HORMONE MÉTABOLIQUE N° 1 : L'INSULINE

Nous avons beaucoup entendu parler de l'insuline à l'époque où les régimes faibles en glucides étaient très en vogue. Et pour cause. Les problèmes d'insuline sont à la source même de certaines des affections les plus dangereuses pour la santé, dans la mesure où l'insuline affecte presque toutes les cellules de notre corps. Si vous pouvez être en mesure de contrôler les hauts et les bas de votre insuline, vous serez alors en bonne voie de restaurer la puissance hormonale de votre corps.

D'où vient l'insuline ? Du pancréas. Perché derrière votre estomac, le pancréas joue un rôle déterminant dans la manière dont le corps réagit aux aliments.

Comment l'insuline affecte-t-elle votre métabolisme? La plus importante fonction de l'insuline est d'abaisser la concentration de glucose dans votre sang. Peu après que vous avez mangé, en particulier des glucides hautement transformés, votre repas est décomposé en sucres et libéré dans le flux sanguin. En quelques minutes, le pancréas pompe toute une série de poussées d'insuline. L'insuline transporte ensuite ces sucres directement dans le foie, où ils sont convertis en glycogène, qui sera utilisé par les muscles. L'insuline contribue également à transformer le glucose en acides gras qu'elle dirige vers les adipocytes, où ils sont stockés comme carburant à être utilisé plus tard. Toutes ces activités réduisent la concentration de sucre dans le sang, ce qui est très important.

Un taux élevé de glucose dans le sang déclenche la libération de l'insuline, alors qu'un faible taux la supprime. En maintenant un faible taux d'insuline – l'un des principaux objectifs d'un régime –, on permet à son corps de recourir plus facilement aux graisses emmagasinées comme carburant. (L'exercice aide aussi vos cellules musculaires à devenir plus sensibles à l'insuline et plus efficaces dans l'utilisation du glucose comme carburant.) Lorsque le mécanisme de libération de l'insuline fonctionne adéquatement, il contribue à un meilleur contrôle du poids. Mais lorsqu'il ne fonctionne pas, prenez garde!

Comment l'insuline se détraque-t-elle? Les problèmes surviennent lorsque votre corps commence à produire trop d'insuline, ce qui peut arriver pour plusieurs raisons. Vous devinez sans doute la plus commune: lorsque vous consommez trop et trop souvent de ces mauvais glucides, en particulier les glucides raffinés tels que le pain blanc ou les pâtes, qui élèvent radicalement votre glycémie. Pour réagir à cet accroissement, votre pancréas transmet aux cellules un volume proportionnel d'insuline.

Par exemple, disons que vous donnez une tablette de chocolat à votre estomac vide. Votre glycémie augmente alors de façon si spectaculaire que l'insuline réagit de manière excessive pour éliminer le sucre du sang. Ce retrait radical du volume de sucre ne laisse pas suffisamment de glucose dans votre flux sanguin. Résultat: votre glycémie baisse, vous avez de nouveau faim, et vous avez une envie folle (et vous y cédez probablement) de consommer encore des glucides. C'est ce qu'on pourrait appeler le cycle post-sucre de l'effondrement suivi de la consommation effrénée, la source de la dépendance au sucre.

Lorsque les muscles sont encore remplis de la dernière collation, où l'insuline va-t-elle mettre ce trop-plein de nouvelles calories ? Directement dans les graisses. Et tant et aussi longtemps que ces forts volumes d'insuline demeurent dans le flux sanguin, votre corps n'aura aucune chance d'utiliser les stocks de gras que vous aviez accumulés comme carburant. C'est donc dire que vous n'éliminerez aucune graisse.

Si vous répétez ce cycle assez souvent, votre pancréas surcompensera et produira plus d'insuline, que vos cellules commenceront éventuellement à ignorer. C'est ce qu'on appelle la « résistance à l'insuline », le précurseur du diabète de type 2, qui est aussi répandu chez les gens souffrant du syndrome métabolique… et d'un excès de poids. Refoulé à la porte des muscles, le sucre n'a plus d'autre option que d'errer dans les avenues de votre sang, sans but et sans domicile fixe.

BON GRAS, MAUVAIS GRAS

La partie « molle » sur vos hanches et vos fesses, cette couche de graisse qui se trouve directement sous votre peau, s'appelle le « gras sous-cutané ». Ce gras n'est pas nécessairement mauvais pour vous ; c'est de là que viennent vos hormones métaboliquement positives telles que la leptine et l'adiponectine. Une étude récente menée par le Joslin Diabetes Center de l'Université Harvard a révélé que le gras sous-cutané peut même améliorer la sensibilité à l'insuline et vous protéger du diabète. Toutefois, la graisse présente dans votre abdomen – c'est-à-dire le gras abdominal – envahit vos organes et provoque une tempête hormonale (et pas du meilleur type). Le Dr Scott Isaacs, auteur de l'ouvrage *The Leptin Boost Diet*, qualifie le gras abdominal de « métaboliquement mauvais » parce que tout ce qu'il fait est malsain : il ralentit le métabolisme, réduit le fonctionnement de l'hormone de croissance, élève le taux de cortisol, crée de la résistance à l'insuline et accroît les risques de toutes sortes de maladies, dont le diabète, les maladies cardiaques, l'hypertension artérielle et la stéatose hépatique.

Si ce sucre errant traîne trop longtemps dans le sang, les médecins appellent cet état de fait « hyperglycémie modérée à jeun » (lorsque mesurée le matin) ou « tolérance abaissée au glucose » (si mesurée deux heures après un repas). Si cet état n'est pas contrôlé, dans les deux cas, il peut mener à un diabète pur et simple.

Plus vous avez de gras corporel, plus vous avez d'insuline au cerveau. Comme notre corps, notre cerveau peut devenir résistant à l'insuline. Une étude longitudinale a révélé que les hommes qui éprouvent des problèmes de résistance à l'insuline à 50 ans sont plus susceptibles de souffrir, 35 ans plus tard, d'un déclin cognitif, de démence vasculaire ou de la maladie d'Alzheimer, comparés aux hommes qui ont une réponse normale à l'insuline.

CE QUI PEUT DÉTRAQUER L'INSULINE	INDICES QUE VOUS N'AVEZ PAS ASSEZ D'INSULINE	INDICES QUE VOUS AVEZ TROP D'INSULINE (ET UNE RÉSISTANCE À L'INSULINE)	PROBLÈMES ASSOCIÉS À UNE INSULINE DÉTRAQUÉE
Certains additifs alimentaires	Troubles de la vue	Obésité abdominale (plus de 100 cm pour les hommes et 90 cm pour les femmes)	Diabète
Certains pesticides	Fatigue	Acné	Maladies cardiovasculaires
Certains plastiques	Pouls accéléré	Taches sombres sous les aisselles et sur le cou, à l'aine ou aux coudes *(Acanthosis nigricans)*	Faible tolérance au glucose
Certains médicaments d'ordonnance	Mictions accrues	Dépression	Syndrome métabolique
Glucides à indice glycémique élevé	Infections (telles que mycose ou irritation génitale)	Troubles du sommeil	Syndrome des ovaires polykystiques (SOPK)
Infections	Respiration rapide	Taux élevés de triglycérides	Prédiabète / faible tolérance au glucose
Manque d'exercice	Douleurs à l'estomac	Taux élevé d'enzymes hépatiques (stéatose hépatique)	Maladie rénale
Dysfonction hépatique ou rénale	Soif inhabituelle	Pilosité faciale (chez les femmes)	Calculs biliaires
Omission du petit déjeuner	Vomissements	Glycémie à jeun à plus de 100 mg/dl	Diabète gestationnel / accumulation élevée de fer (hémochromatose)
Obésité	Perte de poids	Fatigue	Apnée du sommeil
Grossesse		Goutte	
Omission de repas		Hypertension artérielle	
Tabagisme		Infertilité	
Usage chronique de stéroïdes		Cycles menstruels irréguliers	
Stress		Faible appétit sexuel	
Trop faible apport en calories		Faible taux de « bon » cholestérol (HDL)	
Trop grand apport en calories		Obésité	
		Acrochordons	

Même si, comme vous l'avez certainement entendu, l'obésité provoque une résistance à l'insuline et cause le diabète, une autre séquence est possible : la résistance à l'insuline peut se produire en premier, provoquer une augmentation de la production d'insuline et de la glycémie et *rendre les gens obèses*. (Nous allons évoquer, au chapitre 3, quelques autres sources encore plus étonnantes – et terrifiantes – de l'épidémie de résistance à l'insuline.) Voir tableau à la page suivante.

HORMONES MÉTABOLIQUES N° 2 : LES HORMONES THYROÏDIENNES

L'hypothyroïdie est devenue ces derniers temps un enjeu de santé à la mode à la suite des révélations d'Oprah Winfrey, selon laquelle sa glande thyroïde aurait « explosé ». Je peux comprendre : la même chose m'est arrivée. En vérité, les problèmes de thyroïde sont très communs. Aux États-Unis, par exemple, environ 27 millions de personnes souffrent d'un déséquilibre thyroïdien, mais moins de la moitié d'entre elles le savent parce que les symptômes – changement d'humeur, de poids et de niveau d'énergie – sont semblables à ceux de plusieurs autres affections.

D'où viennent les hormones thyroïdiennes ? De votre glande thyroïde, une glande en forme de papillon logée dans votre cou juste au-dessous de la pomme d'Adam et juste au-dessus de votre clavicule. Généralement, elle est minuscule : à peine 5 centimètres avec un lobe de chaque côté de la trachée. Mais si votre thyroïde subit une inflammation, vous pourriez alors développer un goitre là où on peut voir un renflement apparaître au niveau de votre gorge.

Comment les hormones thyroïdiennes affectent-elles le métabolisme ? Les hormones thyroïdiennes exécutent des tas de fonctions dans votre corps. Elles contribuent à contrôler le volume d'oxygène utilisé par chaque cellule, le rythme auquel votre corps élimine les calories, votre rythme cardiaque, votre croissance globale, la température de votre corps, votre fertilité, votre digestion ainsi que votre mémoire et votre humeur. (La totale, quoi !)

Votre hypophyse produit de la thyréostimuline (TSH), une hormone qui stimule la thyroïde. La thyroïde retire alors de l'iode de votre sang et le transforme en hormones thyroïdiennes. Celle qui est produite en plus grand nombre est la T4, la thyroxine, qui est en fait une sorte de ratée métabolique. La magie de la thyroïde survient lorsque la T4 est convertie en T3, la fugace hormone thyroïdienne qui gonfle le métabolisme. Cette conversion est fluctuante et entièrement dépendante de ce qui se passe dans votre corps. Que vous soyez malade, stressé, que vous mangiez bien ou mal, que vous soyez enceinte, que vous preniez des médicaments, que vous ayez un certain âge ou absorbiez des toxines présentes dans l'environnement, tout cela influe sur l'efficacité de cette conversion et, par conséquent, sur le degré d'activité de la T3 dans votre corps à n'importe quel moment. Par exemple, lorsque vous ne consommez pas suffisamment de calories, l'hypophyse cesse de produire la TSH en volume suffisant et la thyroïde ne produit plus assez de T4. Moins de T4, moins de T3. Moins de T3 et votre métabolisme ralentit. Voilà ce qui est responsable en partie de ce cercle vicieux qu'on appelle l'« effet yoyo des régimes ».

Comment les hormones thyroïdiennes deviennent-elles détraquées ? Lorsque les hormones thyroïdiennes sont déséquilibrées – taux trop élevés ou trop faibles –, les réactions chimiques partout dans le corps en sont influencées. Une thyroïde avec un faible niveau d'activité peut abaisser votre degré d'énergie et provoquer un gain de poids. Appelé « hypothyroïdie », ce phénomène se manifeste, entre autres, par un manque d'énergie (vous vous sentez fatigué, léthargique) et par une prise de poids que vous ne pouvez attribuer ni à un régime alimentaire déficient ni à un manque d'exercice. (Voir « Maîtrisez l'hypothyroïdie » à la p. 274.)

La plupart de mes clients qui souffrent d'hypothyroïdie ont tendance à accuser sept ou huit kilos en trop. C'était la même chose pour moi. Depuis que je prends des médicaments pour soigner ma thyroïde – et que je suis ce régime –, j'ai retrouvé mon poids santé et je le maintiens au prix d'efforts modérés. Je continue à faire de l'exercice et je ne mange pas à l'excès, mais je ne m'épuise pas au gymnase et je ne meurs pas de faim non plus.

La cause la plus commune de l'hypothyroïdie est la thyroïdite de Hashimoto, une affection héréditaire qui est sept fois plus répandue chez les femmes que chez les hommes et par laquelle le système immunitaire s'attaque à la thyroïde. Vous pouvez donc constater que les femmes se sont fait royalement avoir dans le département de la thyroïde ! Voilà une raison de plus de faire examiner votre thyroïde si vous avez l'impression d'éprouver un ou plusieurs symptômes figurant dans la liste présentée à la page suivante. La bonne nouvelle, c'est que le régime que je vous propose vous aidera à améliorer le fonctionnement de

CE QUI PEUT DÉTRAQUER VOS TAUX D'HORMONES THYROÏDIENNES	INDICES QUE VOUS N'AVEZ PAS ASSEZ D'HORMONES THYROÏDIENNES	INDICES QUE VOUS AVEZ TROP D'HORMONES THYROÏDIENNES	PROBLÈMES ASSOCIÉS À UN TAUX DÉTRAQUÉ D'HORMONES THYROÏDIENNES
Certains aliments, en particulier ceux qui sont trop iodés	Confusion, cerveau « embrumé »	Diarrhée	Maladie de Graves
Toxines présentes dans l'environnement	Syndrome du canal carpien	Vertiges	Dysfonction thyroïdienne post-partum
Régime amaigrissant extrême	Peau et cheveux secs	Instabilité émotive	Thyroïdite
Génétique	Confusion et perte de mémoire	Chaleur excessive du corps	
Médicaments (lithium et amiodarone)	Constipation	Faim excessive	
Ménopause	Dépression	Pouls rapide	
Grossesse	Difficulté à avaler	Fatigue	
Stress	Paupières tombantes	Intolérance à la chaleur	
Carences en vitamines	Peau sèche ou jaunâtre	Hyperactivité	
	Épuisement	Pilosité accrue	
	Règles abondantes et prolongées	Insomnie	
	Hypertension artérielle	Irritabilité	
	Élocution rauque ou lente	Règles légères ou cycle anormal	
	Intolérance au froid	Hypotension artérielle	
	Léthargie / perte d'ambition / malaises	Bosse sur le cou	
	Perte des cheveux	Nervosité	
	Perte du tiers externe du sourcil	Battements accélérés du cœur	
	Bosse sur le cou	Yeux exorbités	
	Crampes musculaires, raideurs et douleurs	Peau lisse et moite	
	Pouls lent	Transpiration	
	Ronflements	Perte de poids	
	Gain de poids / visage bouffi		

votre thyroïde afin qu'elle puisse travailler pour vous à éliminer un maximum de graisses.

Compte tenu que l'hypothyroïdie peut ralentir l'ensemble de votre système, vous croyez peut-être que l'hyperthyroïdie, son contraire, est une bonne chose. Eh bien, pas tant que ça. Dans le cas de la maladie de Graves, la forme la plus commune d'hyperthyroïdie, votre cœur peut s'emballer, vous pouvez avoir de la difficulté à tolérer des températures élevées et vous pouvez perdre du poids ou ressentir beaucoup de fatigue. Les gens affligés d'une glande thyroïde hyperactive sont parfois soignés avec de l'iode radioactif, ce qui provoque chez eux de l'hypothyroïdie. Vous êtes donc en mesure de constater que l'équilibre thyroïdien est vraiment délicat et comporte des effets désagréables aux deux extrémités du spectre. Voilà pourquoi il est important d'être soigné par un bon endocrinologue afin d'assurer un meilleur équilibre.

HORMONES MÉTABOLIQUES N^OS^ 3 ET 4 : LES ŒSTROGÈNES ET LA PROGESTÉRONE

Les œstrogènes jouent un grand rôle, en particulier chez la femme. En plus de présider au développement complet du corps de la femme, de l'enfance à l'âge adulte, les œstrogènes ont aussi un effet de première importance sur les gras corporels, les enzymes digestives, l'équilibre osmotique, la densité osseuse, le fonctionnement du cœur et la mémoire, entre autres multiples fonctions.

Les œstrogènes et la progestérone sont des hormones stéroïdes. La plupart des gens pensent automatiquement à de grosses brutes musclées lorsqu'ils entendent le mot « stéroïde », mais tout ce que ça veut dire, c'est que votre corps crée ces hormones à partir du cholestérol. Les hommes et les femmes produisent tous deux normalement des œstrogènes et de la progestérone, mais notre environnement envoie aussi un volume considérable d'œstrogènes dans notre corps. Les xénœstrogènes sont des œstrogènes de synthèse comme ceux qu'on trouve dans l'hormonothérapie de substitution, dans les toxines présentes dans l'environnement (pesticides, plastiques, dioxines) et les additifs alimentaires, lesquels peuvent tous affecter profondément l'équilibre de l'œstrogène dans l'ensemble du corps. Les phytœstrogènes sont des œstrogènes provenant de plantes, telles que le soya et la graine de lin, qui ont un effet plus léger sur le corps.

Dans quelles parties du corps de la femme les œstrogènes et la progestérone sont-ils produits ? Dans les ovaires, les glandes surrénales, les tissus adipeux et le placenta. En fait, les œstrogènes sont créés partout dans le corps. Ils peuvent soit se lier à des récepteurs à l'extérieur des cellules, comme d'autres hormones, ou filer directement dans des récepteurs situés dans le noyau des cellules, là où se trouve l'ADN. Ce double pouvoir explique en partie pourquoi les œstrogènes ont une telle influence.

Les femmes possèdent plusieurs types d'hormones œstrogènes, dont les trois principales sont l'œstradiol, l'œstrone, et l'œstriol. Avant qu'elle atteigne la ménopause, le principal œstrogène sécrété naturellement dans le corps d'une femme est l'œstradiol, produit à partir des ovaires. L'œstradiol est ensuite disséminé dans tout le corps quelques secondes à peine après avoir été créé. C'est l'œstradiol qui forme les seins et les hanches des femmes, adoucit notre peau et protège notre cerveau, notre cœur et notre masse osseuse, en plus de régulariser notre cycle menstruel.

L'œstrone est un œstrogène produit dans nos adipocytes (cellules qui stockent les graisses) et nos surrénales, ces glandes de la taille d'une noisette situées juste au-dessus des reins, et exécute dans notre corps moins de choses positives. Heureusement, avant que nous atteignions la ménopause, l'œstrone est aisément convertie en œstradiol. (Après quoi, plus rien : elle demeure de l'œstrone.)

Le troisième œstrogène le plus commun, l'œstriol, est loin d'être aussi répandu dans le corps que les deux premiers. Durant la grossesse, il est produit par le placenta.

La copine des œstrogènes, la progestérone, est produite par le corps jaune lorsque le follicule ovarien éclate et relâche l'ovule chaque mois. La progestérone joue un rôle important dans la protection de la grossesse et la production du lait maternel. Cette hormone est également produite dans les surrénales et sert de précurseur au cortisol, à la testostérone et aux œstrogènes.

Dans quelles parties du corps de l'homme les œstrogènes et la progestérone sont-ils produits ? Dans les testicules et les surrénales. Les hommes possèdent un faible volume d'œstradiol naturel, produit dans les testicules et les surrénales. Lorsque cet œstrogène est à un niveau normal, il peut contribuer à protéger le cerveau, le cœur et la masse osseuse de l'homme, en plus de l'aider à maintenir une saine libido.

Comment les œstrogènes et la progestérone affectent-ils le métabolisme des femmes ? L'œstradiol est l'œstrogène de la jeunesse ; lorsqu'il se maintient à un taux approprié, il aide en particulier les femmes à demeurer sveltes. L'œstradiol abaisse le taux d'insuline et la tension artérielle, élève le taux de HDL (lipoprotéines de haute densité ou « bon cholestérol ») et abaisse celui des LDL (lipoprotéines de basse densité ou « mauvais cholestérol »). Les femmes qui présentent un haut taux d'œstradiol ont tendance à avoir une forte masse musculaire et un faible taux de gras. L'œstradiol contribue à régulariser l'appétit en suscitant la même sensation de satisfaction que la sérotonine. De la même façon, il favorise la stabilité de l'humeur et de hauts niveaux d'énergie, ce qui fait en sorte que l'on est plus motivé à faire de l'exercice. L'œstradiol transmet de la graisse à nos hanches et à nos fesses, mais attention : ce gras favorise la réponse à l'insuline.

Lorsqu'une femme se prépare à affronter la ménopause, ses ovaires ralentissent leur activité et leur production d'œstradiol. L'œstrone devient alors son principal œstrogène, ce qui est vraiment moche. Aussitôt, l'œstrone transfère les graisses de ses fesses et de ses hanches à son ventre. À mesure que ses ovaires réduisent leur activité hormonale, son corps s'accroche désespérément aux autres zones de son corps qui produisent des œstrogènes, y compris le gras, et il devient alors beaucoup plus difficile de perdre le gras abdominal. Et plus on a de gras, plus on produit de l'œstrone, parce que les tissus adipeux transforment les androgènes qui éliminent le gras en œstrone qui accumule le gras.

La plupart des femmes tendent à gagner plusieurs kilos durant cette période de transition en se dirigeant tout droit vers ce qui devient un cercle vicieux : plus d'œstrone, plus de gras dans l'abdomen ; plus de gras dans l'abdomen, plus d'œstrone.

Un autre des cercles vicieux des œstrogènes a trait à l'insuline. L'insuline accroît les taux d'œstrogènes qui circulent dans le corps et l'œstrone provoque une résistance à l'insuline. Selon la Clinique Mayo, les taux d'œstrogènes sont de 50 à 100 fois plus élevés chez les femmes postménopausées qui accusent un surplus de poids que chez celles qui sont plus minces, ce qui pourrait représenter un risque de cancer (du sein, en particulier) de l'ordre de 20 % chez les femmes âgées atteintes de surpoids.

La progestérone contribue à équilibrer le taux d'œstrogènes et peut aider à gérer certains de ces enjeux, mais lorsque le taux de progestérone s'abaisse, d'autres problèmes surgissent. Par exemple, quand le niveau de progestérone diminue juste avant vos règles, ce déséquilibre est probablement ce qui déclenche chez vous une envie folle de manger, en particulier des glucides. Le taux de progestérone baisse également lors de la ménopause, même si c'est de façon moins spectaculaire que les œstrogènes. Parce que la progestérone est également le précurseur de la testostérone et de l'œstradiol, lorsque votre production de progestérone fléchit, vous commencez aussi à perdre la fonction d'élimination du gras de ces hormones métaboliquement positives.

QU'EN EST-IL DES HORMONES BIO-IDENTIQUES ?

Depuis 2002, lorsqu'une étude menée dans le cadre d'un programme sur la santé des femmes a révélé que celles qui avaient pris une hormonothérapie de substitution présentaient un risque plus élevé de cancer du sein, de crise cardiaque et d'accident vasculaire cérébral, l'intérêt à l'endroit des hormones bio-identiques comme option de rechange naturelle a monté en flèche. Les fabricants assurent que ces composés de mélanges hormonaux sont plus sécuritaires et mieux tolérés que les versions commerciales approuvées par la FDA[6].

Tout ça est génial. Je comprends. Chacun voudrait retrouver les hormones de sa jeunesse. Moi aussi ! Mais j'ai quand même de sérieuses réserves à ce propos. D'abord, le traitement personnalisé aux hormones bio-identiques peut être très coûteux. Et le fait de prendre ces médicaments (et ce sont des médicaments, ne nous le cachons pas) constitue une gestion externe du problème et non pas une solution interne. Ce qui est le plus terrifiant dans tout ça, c'est que certains produits hormonaux bio-identiques n'ont pas fait l'objet d'études. La réalité toute simple, c'est que nous ne connaissons pas l'effet de ces substances sur notre corps ; personne n'a encore effectué de recherches sur le sujet. Pour ce que nous en savons, elles pourraient représenter les mêmes risques que les thérapies conventionnelles d'hormones de substitution.

Si la question des hormones bio-identiques vous intéresse, je vous invite à consulter un endocrinologue. Faites vérifier vos taux hormonaux avant de suivre un traitement et assurez-vous de subir un examen approfondi à intervalles réguliers. Les plus grands dangers surviennent lorsque les patients n'ont pas de suivi.

Enfin, de grâce, ne prenez pas de suppléments hormonaux en vente libre qui ne font pas l'objet d'une réglementation. Si vous l'avez déjà fait, veuillez communiquer avec votre médecin. Ces produits ne sont pas sans risques et certains d'entre eux peuvent causer des torts importants à vos glandes et même les détruire. Il faut être prudent !

6. NDT : Food and Drug Administration ; cet organisme a le mandat d'autoriser la commercialisation des médicaments aux États-Unis.

Comment les œstrogènes et la progestérone affectent-ils le métabolisme des hommes ? Lorsque les œstrogènes et la testostérone sont en équilibre dans l'organisme d'un homme, on note peu d'effets négatifs sur son métabolisme. Mais quand les œstrogènes sont en situation de déséquilibre par rapport à d'autres hormones, un homme peut perdre sa masse musculaire et sa capacité d'éliminer les graisses. C'est à ce moment-là qu'il a tendance à développer des « seins d'homme ». Et des poignées d'amour, une caractéristique qu'on trouve aussi fréquemment chez les femmes.

Comment les œstrogènes et la progestérone se détraquent-ils ? Pendant longtemps, on a cru que tous les problèmes d'équilibre hormonal des femmes étaient attribuables à une baisse de leur taux d'œstrogènes, en particulier durant la préménopause et la ménopause, le SPM ou les périodes suivant un accouchement. Mais de plus en plus, les femmes occidentales tendent à avoir trop d'œstrogènes plutôt que trop peu.

Au cours des 50 dernières années, les médecins ont commencé à remarquer que les changements physiques survenant chez les jeunes filles à la puberté – le développement des seins, la pousse des poils pubiens et l'arrivée des premières règles – se produisaient de plus en plus tôt. Le taux du cancer du sein a bondi de 40 % au cours des 35 dernières années. Et plusieurs indices – dont la numération en baisse des spermatozoïdes et le taux croissant du cancer de la prostate – montrent que les hommes font face aussi à un niveau excessif d'œstrogènes.

Une grande partie de ces dérangements hormonaux est liée à l'incroyable explosion de xénœstrogènes dans l'environnement. Nous aborderons ce problème beaucoup plus en détail tout au long de ce livre, dans la mesure où il s'agit de l'une des répercussions les plus troublantes de la dépendance des gens aux produits chimiques toxiques. Notre corps est matraqué par des œstrogènes de synthèse qui bousillent notre système endocrinien, qu'il s'agisse des ingrédients contenus dans nos cosmétiques, des produits d'entretien ménager qui traînent sous nos éviers, des agents de conservation présents dans nos aliments ou des emballages de plastique dans lesquels ils sont enveloppés. Vous verrez ainsi que l'ampleur de leur impact sur notre équilibre hormonal est stupéfiante.

D'autres facteurs peuvent également entraîner des taux malsains d'œstrogènes, par exemple le stress, une carence en bon gras ou en protéines, un excès de céréales et de sucre raffinés et d'aliments transformés. Nous allons évoquer tous ces facteurs parce que l'excès d'œstrogènes constitue l'une des crises les plus importantes qui affectent aujourd'hui notre biochimie.

À mesure que les hommes prennent de l'âge, leur taux d'œstrogènes s'accroît naturellement, mais tout excès supplémentaire peut mener à d'autres problèmes tels que le ralentissement du métabolisme, la perte de masse musculaire et de libido. Chez les hommes plus jeunes, les taux croissants d'œstrogènes sont presque toujours attribuables aux œstrogènes présents dans l'environnement. Ces œstrogènes en trop augmentent pour chacun et chacune d'entre nous les risques de cancer, d'infertilité, de diabète et d'autres affections graves.

Contrairement aux croyances traditionnelles, certains chercheurs sont d'avis que la plupart des symptômes hormonaux liés à la préménopause ou à la ménopause sont causés non par une baisse du taux d'œstrogènes, mais par une chute marquée de la progestérone. Certains croient qu'un taux trop élevé d'œstrogènes et qu'un taux trop faible de progestérone induisent une « dominance des œstrogènes », un problème soulevé par le Dr John R. Lee, l'un des premiers médecins éminents à proposer un traitement à la progestérone bioidentique à ses patientes ménopausées. La théorie du Dr Lee demeure controversée, mais à mesure que se confirme le caractère destructeur des œstrogènes présents dans l'environnement, le sentiment que nous faisons face à une dominance épidémique des œstrogènes continue de s'accroître.

Le stress peut aussi aggraver ce déséquilibre. Le cortisol et la progestérone sont en concurrence pour se loger dans les mêmes récepteurs de vos cellules, de telle manière que, lorsque vous produisez un excès de cortisol, vous menacez l'activité de votre progestérone saine. Le plan que je vous propose vous aidera à rétablir dans votre corps l'équilibre entre les œstrogènes et la progestérone en réglant plusieurs de ces problèmes. Vous commencerez par reconnaître et par retirer de votre alimentation et de votre environnement le plus grand nombre possible d'œstrogènes exogènes. Vous restaurerez aussi dans votre alimentation des aliments complets, en particulier les bons gras qui aideront votre corps à produire les hormones adéquates, rééquilibrant du même coup le niveau de stress qui empêche la production d'hormones appropriées.

CE QUI PEUT DÉTRAQUER LES TAUX D'ŒSTROGÈNES ET DE PROGESTÉRONE	INDICES QUE LES FEMMES PRÉSENTENT UN DÉSÉQUILIBRE ŒSTROGÈNES/ PROGESTÉRONE	INDICES QUE LES HOMMES PRÉSENTENT UN DÉSÉQUILIBRE DE LEUR TAUX D'ŒSTROGÈNES	PROBLÈMES OU PHASES ASSOCIÉS À DES TAUX DÉTRAQUÉS D'ŒSTROGÈNES ET DE PROGESTÉRONE
Âge	Reflux gastriques	Seins développés	Cancer du sein, des ovaires, des testicules ou des glandes surrénales
Pilules contraceptives	Anxiété	Baisse de la libido	Cirrhose
Gras corporel	Gras abdominal	Baisse du tonus musculaire	Puberté précoce
Pesticides	Ballonnements	Dépression	Endométriose
Plastiques	Confusion, cerveau « embrumé »	Hypertrophie de la prostate	Maladie fibrokystique du sein
Pollution	Naissance des seins avant l'âge de 7 ans	Dysfonction érectile	Hypogonadisme
Tabagisme	Kystes aux seins	Accroissement du gras abdominal	Hypopituitarisme
Stress	Fringale de sucres	Accroissement du gras corporel	Infertilité
	Fatigue chronique	Faible numération des spermatozoïdes	Ménopause
	Baisse de la libido	Faible motilité des spermatozoïdes	Périménopause
	Dépression	Réduction des poils faciaux	Syndrome des ovaires polykystiques (SOPK)
	Vertiges		SPM
	Peau sèche		Léiomyome utérin
	Pilosité faciale abondante		
	SPM extrême ou troubles dysphoriques prémenstruels		
	Fatigue		
	Perte de cheveux		
	Règles abondantes ou cycle irrégulier		
	Glycémie élevée		
	Bouffées de chaleur		
	Mémoire défaillante		

CE QUI PEUT DÉTRAQUER LES TAUX D'ŒSTROGÈNES ET DE PROGESTÉRONE	INDICES QUE LES FEMMES PRÉSENTENT UN DÉSÉQUILIBRE ŒSTROGÈNES/ PROGESTÉRONE	INDICES QUE LES HOMMES PRÉSENTENT UN DÉSÉQUILIBRE DE LEUR TAUX D'ŒSTROGÈNES	PROBLÈMES OU PHASES ASSOCIÉS À DES TAUX DÉTRAQUÉS D'ŒSTROGÈNES ET DE PROGESTÉRONE
	Incontinence		
	Symptômes accrus d'asthme ou d'allergies		
	Insomnie		
	Résistance à l'insuline		
	Irritabilité		
	Syndrome du côlon irritable		
	Raideur articulaire		
	Migraines		
	Changements d'humeur		
	Sueurs nocturnes		
	Sommeil agité		
	Gain de poids		

HORMONES MÉTABOLIQUES N^{OS} 5 ET 6 : LA TESTOSTÉRONE ET LA DHA

Les androgènes que sont la testostérone et la déhydroépiandrostérone (DHA; souvent connue sous son abréviation anglaise DHEA) ne touchent pas que les garçons. Ne vous en faites pas, mesdames : le fait d'accroître le taux de ces hormones dans votre organisme ne fera pas de vous un homme du Néandertal dont les bras traînent par terre. En fait, ces hormones peuvent nous aider à accroître notre énergie, nous donner le goût d'aller faire un tour au centre d'entraînement et nous aident à nous bâtir une bonne masse musculaire (qui favorisera l'élimination des calories). Voilà pourquoi nous devons faire tout ce qui est possible pour les maintenir à niveau, parce qu'à mesure que nous vieillissons, elles ont tendance à baisser.

D'où viennent la testostérone et la DHA? Des testicules, des ovaires et des surrénales. Les hommes produisent le gros de leur testostérone à partir de leurs glandes reproductives : les testicules. De la même façon que l'œstradiol le fait pour les femmes, la testostérone aide les hommes à développer leurs caractéristiques sexuelles secondaires, comme les poils corporels et faciaux. Mais la testostérone est aussi utile aux femmes qu'aux hommes : elle stimule la libido, maintient l'énergie à un niveau élevé, protège la masse osseuse et préserve les fonctions mentales au moment de la vieillesse.

Chez les femmes, le gros de la testostérone est produit à partir des surrénales, qui sont aussi la source de leur DHA. Précurseur de la testostérone (et de l'œstradiol), la DHA peut contribuer à prévenir le cancer du sein, les maladies cardiovasculaires, les défaillances de la mémoire et du cerveau ainsi que l'ostéoporose. En fait, la DHA est une hormone tellement géniale qu'elle peut même nous aider à vivre plus longtemps.

Comment la testostérone et la DHA affectent-elles votre métabolisme ? Les androgènes sont, par définition, des hormones anaboliques : ils sont conçus pour bâtir plutôt que pour détruire. Et ce qu'ils bâtissent, Dieu merci, ce sont principalement les muscles. À la fois chez les hommes et chez les femmes, la testostérone contribue à accroître la masse musculaire squelettique et la force, à stimuler la libido et à augmenter l'énergie. Chez les femmes, la testostérone peut également être convertie en œstrogènes. La testostérone et la DHA font partie des « forces du bien » dans la guerre métabolique.

Comment la testostérone et la DHA sont-elles perturbées ? La testostérone et la DHA sont toutes deux des hormones de jeunesse. À mesure que les hommes et les femmes vieillissent, ils produisent de moins en moins de ces hormones. Selon Scott Isaacs, environ le tiers des femmes accusent de faibles taux d'androgène à un moment ou l'autre de leur vie. À partir du début de la trentaine, le taux de testostérone chez les hommes diminue de 1 ou 2 % par année. Chez la plupart des hommes, le déclin lent et constant que constitue « l'andropause » est différent de la perte rapide d'œstrogènes et de progestérone chez les femmes (qui se traduit essentiellement par une dégringolade à la ménopause). Le taux de DHA chute également, et parce que cette dernière représente la pierre d'assise de tellement d'hormones importantes, toutes les hormones en souffrent.

À mesure que nous perdons, en vieillissant, ces puissants androgènes, certains phénomènes se produisent : notre libido diminue, notre masse musculaire est réduite, nous développons du gras abdominal et nos os s'affaiblissent.

Notre motivation à faire de l'exercice diminue, ce qui est absolument tragique parce que l'exercice nous aide à stimuler la production de testostérone. Les hommes qui présentent un taux anormalement bas de testostérone sont presque trois fois plus susceptibles d'être déprimés que les autres.

Et comme si ce n'était pas assez, à mesure que les gens prennent du poids, leur corps convertit une partie croissante de leur testostérone en œstrogènes. Les œstrogènes commencent alors à éclipser les effets de la testostérone en créant un autre cercle vicieux: plus d'œstrogènes, plus de gras; plus de gras, plus d'œstrogènes. Et de plus en plus, la testostérone se perd dans l'équation.

Les suppléments de testostérone représentent une nouvelle option pour les hommes et les femmes, et bien que certaines recherches semblent très prometteuses, les médecins demeurent prudents quant à leur efficacité, du moins jusqu'à ce que des recherches approfondies soient terminées. Ce qui est clairement dangereux à cet égard, c'est le fait que des jeunes gens consomment de tels suppléments androgènes sans consulter un endocrinologue. Lorsque de jeunes hommes et de jeunes femmes prennent des stéroïdes anabolisants synthétiques, ils se trouvent en fait à entraîner leurs glandes à produire moins de leurs propres androgènes. Voilà pourquoi les types qui prennent des stéroïdes ont tendance à avoir de petits testicules et un son de voix aiguë: leur corps pense qu'il a plein d'hormones mâles, alors il cesse d'en produire. (Pas mal le contraire de ce qu'ils souhaitent, non?)

Un autre risque se pose lorsque certaines personnes se déclarent atteintes de fatigue surrénale – un terme très à la mode en cette époque de stress élevé – et entreprennent de se soigner à l'aide de suppléments de DHA sans consulter un endocrinologue. Lorsque ces produits ne sont pas consommés de façon appropriée, deux choses peuvent survenir:

- La production d'hormones surrénales est entravée (parce que les surrénales croient, dès lors, qu'il y a suffisamment d'hormones en circulation dans l'organisme et cessent d'en produire);
- Le corps cesse de convertir le trop-plein de DHA en œstrogènes (ce qui peut aggraver les problèmes de gras corporel et accroître les risques de cancer).

La vérité, c'est qu'il ne faut pas déconner avec les suppléments sans le conseil d'un médecin. Il vaut beaucoup mieux pour chacun de nous d'optimiser la production naturelle d'androgènes dans notre corps. On peut le faire en protégeant ses surrénales – la source de plus de 50 % de la production d'androgènes chez les femmes – et en s'assurant d'un apport important de bons gras et de protéines ainsi que de vitamines et de minéraux (tels que les vitamines du groupe B et le zinc) afin d'offrir à son corps ces stéroïdes naturels si importants.

CE QUI PEUT DÉTRAQUER LES TAUX DE TESTOSTÉRONE OU DE DHA	INDICES QUE VOUS N'AVEZ PAS ASSEZ DE TESTOSTÉRONE OU DE DHA	INDICES QUE VOUS AVEZ TROP DE TESTOSTÉRONE OU DE DHA	PROBLÈMES OU PHASE ASSOCIÉS À DES TAUX DÉTRAQUÉS DE TESTOSTÉRONE OU DE DHA
Âge	Anxiété	Acné	Andropause (« ménopause » chez l'homme)
Gras corporel	Bedaine de bière	Agressivité	Infertilité
Diabète	Changements dans la composition du corps	Calvitie	Syndrome des ovaires polykystiques
Résistance à l'insuline	Libido réduite	Pousse excessive de poils corporels	
Manque d'exercice	Dépression	Hypertension artérielle	
Tumeur pituitaire	Dysfonction érectile	Règles irrégulières	
Stress	Fatigue	Voix plus basse	
Consommation de stéroïdes	Manque de motivation	Appétit sexuel accru	
Trop faible niveau de progestérone	Perte de masse musculaire		
Niveau trop élevé d'œstrogènes	Seins développés chez l'homme		
Trauma testiculaire	Densité osseuse réduite		
	Testicules plus petits		
	Hanches plus fortes		

À l'autre extrémité du spectre, certaines femmes développent le syndrome des ovaires polykystiques (SOPK), associé à un excès d'androgènes. (Voir « Maîtrisez le syndrome des ovaires polykystiques (SOPK) » à la page 280.) Le SOPK est étroitement lié à la résistance à l'insuline, mais les chercheurs ne sont pas encore complètement certains de sa cause exacte. Les femmes souffrant de ce syndrome ont souvent des règles irrégulières, une pilosité excessive et de la difficulté à devenir enceintes. Malheureusement, l'excès d'androgènes et la résistance à l'insuline entraînent aussi la rétention de gras dans leur ventre, imitant ainsi le processus de gain de poids chez les hommes. Parce que nous ne connaissons pas encore précisément ces causes, la meilleure façon d'échapper au SOPK est de bien gérer notre taux d'insuline, ce qui est l'objectif numéro un de ce régime.

HORMONES MÉTABOLIQUES N^OS^ 7, 8 ET 9 : LA NORADRÉNALINE, L'ADRÉNALINE ET LE CORTISOL

Nos hormones du type « Bats-toi ou fuis » peuvent nous mettre dans des situations très inconfortables. Sur le plan positif, elles nous aident à respecter les échéances, à empêcher les enfants de trébucher dans les escaliers et à courir pour attraper un autobus. Mais alors que les effets de l'adrénaline et de la noradrénaline – des hormones qui accélèrent le rythme cardiaque – sont fugaces, l'héritage laissé par le cortisol – un accumulateur de gras – est plus durable… et mortel.

Dans quelles parties du corps la noradrénaline, l'adrénaline et le cortisol sont-ils produits ? Dans les glandes surrénales. Le cortisol, appelé aussi « hydrocortisone », est produit dans le cortex surrénal, la partie extérieure de chaque glande surrénale. La partie interne de la glande surrénale, ou médullosurrénale, produit les autres principales hormones du stress, soit la noradrénaline (qui limite la taille des vaisseaux sanguins, provoquant ainsi une augmentation de la pression sanguine) et l'adrénaline (qui accroît le rythme cardiaque et l'afflux du sang aux muscles). Chacune de ces hormones du stress est libérée en proportions variables selon le défi qui se présente à vous. Si vous faites face à un défi que vous croyez pouvoir relever, vos surrénales libèrent davantage de noradrénaline. (Et après avoir réussi, vous libérez davantage de testostérone en savourant votre victoire.) Mais si vous devez relever un défi qui paraît plus difficile et que vous n'êtes pas certain de pouvoir réussir, vous libérez alors davantage d'adrénaline, « l'hormone de l'anxiété ». Lorsque vous vous sentez submergé, que vous êtes complètement découragé et convaincu que le combat est perdu d'avance, vous libérez davantage de cortisol. Cette distinction a incité un certain nombre de chercheurs à qualifier le cortisol d'« hormone de la défaite ».

Comment la noradrénaline, l'adrénaline et le cortisol affectent-ils le métabolisme ? Lorsque vous commencez à devenir stressé, la noradrénaline ordonne à votre corps de cesser de produire de l'insuline de manière que vous puissiez disposer aussitôt d'une glycémie prête à agir. De la même manière, l'adrénaline détend les muscles de l'estomac et des intestins, en plus de réduire l'afflux sanguin vers ces organes. (Votre corps estime alors qu'il est plus important de sauver votre vie que de digérer votre nourriture.) Ces deux actions simultanées causent certains problèmes d'hyperglycémie et d'estomac associés au stress.

Une fois que la cause du stress est disparue, le cortisol ordonne au corps de cesser de produire ces hormones et de reprendre la digestion. Mais le cortisol continue d'exercer un impact énorme sur votre glycémie, et en particulier sur la façon dont votre corps fait usage de son carburant. Cette hormone catabolique dit en effet à votre corps quels types de gras, de protéines ou de glucides il doit éliminer et à quel moment, selon le genre de défi auquel vous faites face. Le cortisol peut soit transporter votre gras, sous forme de triglycérides, jusqu'à vos muscles, soit détruire du tissu musculaire pour le convertir en glycogène afin de disposer de plus d'énergie. (Ce n'est pas la seule chose qu'il détruit. L'excès de cortisol déconstruit également les os et la peau, ce qui mène à l'ostéoporose, à l'apparition d'ecchymoses et – ouach ! – de vergetures.)

Alors que la poussée d'adrénaline qui survient lors d'un stress aigu supprime l'appétit – qui a vraiment envie de bouffer quand une grosse brute est sur le point de lui casser la figure ? –, le cortisol qui sera présent par la suite dans son organisme le stimulera. Si vous n'avez pas libéré cet excès de cortisol dans votre sang en rendant la pareille à votre agresseur ou en fuyant, le cortisol augmentera votre appétit pour des aliments à haute teneur en gras et en glucides. Il abaisse aussi le taux de leptine et accroît le taux de neuropeptide Y (NPY), ce qui stimule l'appétit.

Lorsque vous mangez, votre corps provoque dans le cerveau toute une cascade de réactions chimiques associées à la gratification, qui établit une relation de dépendance à la nourriture. Vous vous sentez stressé, vous mangez. Votre corps libère alors des opioïdes naturels et vous vous sentez mieux. Si vous n'évitez pas de façon consciente ce modèle, vous pouvez alors devenir physiquement et psychologiquement dépendant de lui pour gérer le stress. Ce n'est pas un hasard si les personnes qui soignent leur stress en mangeant ont tendance à présenter des réactions instables à l'adrénaline et un taux chroniquement élevé de cortisol.

Lorsque le stress se poursuit pendant un long moment et que le taux de cortisol demeure élevé, le corps résiste à la perte de poids. Votre corps estime alors que les temps sont durs et que vous pourriez mourir de faim, alors il s'empare avec avidité de n'importe quel aliment que vous mangez et de toute graisse déjà présente dans votre organisme. Le cortisol transforme également les adipocytes, ces jeunes cellules graisseuses, en cellules graisseuses matures qui s'y installeront pour de bon.

Le cortisol tend à aller chercher le gras dans les zones les plus saines, comme vos fesses et vos hanches, pour le déplacer dans votre abdomen, où le cortisol possède davantage de récepteurs. Du même coup, il transforme un gras périphérique jadis sain en un gras viscéral malsain qui accroît dans le corps l'inflammation et la résistance à l'insuline. Ce gras abdominal entraîne alors une élévation du taux de cortisol parce qu'il présente des concentrations plus fortes d'une enzyme spécifique qui convertit la cortisone inactive en cortisol actif. Plus vous avez de gras abdominal, plus le cortisol actif sera converti par ces enzymes : un autre cercle vicieux causé par le gras viscéral.

Comment la noradrénaline, l'adrénaline et le cortisol se détraquent-ils ?

Selon leur bagage génétique et les expériences vécues dans leur petite enfance, certaines personnes ont la chance de présenter des réactions surrénales très modérées aux situations de stress. Plusieurs autres, toutefois, tendent à répondre de façon exacerbée à des menaces même légères, parce que la rétroaction au stress devient toujours plus forte après chaque expérience négative. Lorsque ces gens deviennent adultes, leur corps a développé un système de réponse très sensible au stress.

La stimulation excessive chronique de nos glandes surrénales a pris des proportions épidémiques aux États-Unis. Nous sommes à la fois victimes et dépendants de notre stress. Et notre corps en paie le prix. L'activation à long terme de notre système de réaction au stress a un effet mortel sur notre corps. Lorsqu'on abuse de ses glandes surrénales autant que nous le faisons, on met la table pour les maladies cardiovasculaires, le diabète, les accidents vasculaires cérébraux et d'autres affections potentiellement fatales. Mais avant

CE QUI PEUT DÉTRAQUER LES TAUX DE CORTISOL	INDICES QUE VOUS N'AVEZ PAS ASSEZ DE CORTISOL	INDICES QUE VOUS AVEZ TROP DE CORTISOL	CERTAINS PROBLÈMES ASSOCIÉS À DES TAUX DÉTRAQUÉS DE CORTISOL
Agressivité	Changements dans la pression sanguine ou le rythme cardiaque	Gras abdominal	Maladie d'Addison
Colère	Diarrhées chroniques	Dépression	Insuffisance surrénale
Conflits	Assombrissement ou coloration inégale de la peau	Diabète	Syndrome de Cushing
Dépression	Faiblesse extrême	Ecchymoses	Diabète
Diabète	Fatigue	Infections ou rhumes fréquents	Hirsutisme
Régimes amaigrissants	Lésions dans la bouche	Hypertension artérielle	Hypoglycémie
Excès de caféine	Perte d'appétit	Glycémie élevée	Résistance à l'insuline
Excès de sucre	Pression sanguine à la baisse	Taux élevés de cholestérol et de triglycérides	
Peur	Nausées et vomissements	Insomnie	
Repas irréguliers	Pâleur	Résistance à l'insuline	
Manque de sommeil	Fringale d'aliments salés	Règles irrégulières	
Suppléments de « thérapie surrénale » en vente libre	Mouvements lents et léthargiques	Obésité	
Stress prolongé	Taches sombres anormales sur la peau	Libido à la baisse	
Omission du petit déjeuner	Perte de poids involontaire	Gain de poids	
Habitudes psychologiques malsaines			

même d'en arriver là, nous pouvons aller jusqu'à brûler complètement nos glandes surrénales.

La « fatigue surrénale » est un terme à la mode qu'on entend beaucoup de nos jours. La médecine traditionnelle n'a pas officiellement reconnu ce syndrome (qui se caractérise apparemment par l'insomnie, le gain de poids, la dépression, l'acné, la perte des cheveux, les fringales d'aliments sucrés et une fonction immunitaire altérée), mais certains endocrinologues ont bâti leur clientèle en aidant leurs patients à renverser ces symptômes.

Si vous craignez de présenter un taux de cortisol anormalement élevé ou anormalement bas, ce plan est une option parfaite pour offrir à votre corps les meilleures stratégies alimentaires et un mode de vie pouvant vous soutenir dans les moments de stress. Lorsque vous limitez votre consommation de caféine à 200 milligrammes par jour, que vous évitez les glucides simples, les aliments traités et les céréales raffinées, que vous consommez des protéines de haute qualité, en plus de suivre les stratégies de gestion du stress que je partagerai avec vous au chapitre 8, vous aidez automatiquement votre corps à maintenir vos hormones du stress, en particulier le cortisol, à un niveau relativement bas.

Si vous avez encore besoin d'aide, consultez un endocrinologue afin d'évaluer vos taux hormonaux avant de prendre quelque forme de supplément que ce soit. **De grâce, ne prenez aucun supplément dit de « thérapie surrénale » en vente libre. Vous pourriez alors précipiter votre corps vers l'insuffisance surrénale pure et simple, un problème de santé très sérieux et potentiellement fatal.**

HORMONE MÉTABOLIQUE Nº 10 : L'HORMONE DE CROISSANCE

L'hormone de croissance (GH) est l'une de ces hormones dont nous n'avons jamais assez. Elle semble améliorer tout ce qu'elle touche : elle raffermit les muscles, élimine les gras, aide à prévenir les maladies cardiovasculaires, protège les os et accroît la santé générale. Certains affirment même qu'elle rend plus heureux. Les gens qui présentent un taux élevé d'hormone de croissance vivent plus longtemps et mieux. Mais n'allez pas pour autant vous procurer des injections de GH : ce type de supplément demeure controversé et risqué ; il peut aussi provoquer une résistance à l'insuline. L'un des principaux objectifs de ce programme est précisément de préserver et même d'accroître votre production naturelle d'hormone de croissance.

Dans quelle partie du corps l'hormone de croissance est-elle produite ? Dans la glande pituitaire (ou hypophyse), une toute petite glande nichée sous l'hypothalamus, dans le cerveau. L'hormone de croissance est l'une des hormones anaboliques les plus influentes. Elle joue un rôle considérable dans la croissance des os et des autres tissus de l'organisme, tout en améliorant le système immunitaire.

Comment l'hormone de croissance affecte-t-elle le métabolisme ? L'hormone de croissance augmente notre masse musculaire de plusieurs façons :

elle aide notre corps à absorber les acides aminés et à les synthétiser en muscles, et empêche ceux-ci de se briser. Toutes ces opérations élèvent notre métabolisme de base et nous donnent davantage d'énergie lorsque nous faisons de l'exercice.

L'hormone de croissance joue également un rôle extraordinaire en nous aidant à accéder à nos réserves de gras. Les adipocytes possèdent des récepteurs d'hormone de croissance qui commandent à nos cellules de se décomposer et d'éliminer nos triglycérides. L'hormone de croissance décourage aussi nos adipocytes d'absorber tout type de gras qui se trouve dans notre flux sanguin ou de s'y accrocher.

Ajoutons à ces prouesses le fait que l'hormone de croissance peut également s'avérer le meilleur ami de notre foie. Elle contribue en effet à maintenir et à protéger les îlots de Langerhans (une portion du pancréas) qui produisent l'insuline et aide le foie à synthétiser le glucose. L'hormone de croissance stimule la gluconéogenèse, un processus vraiment génial par lequel le corps est en mesure de créer des glucides à partir de protéines. La gluconéogenèse nous aide à éliminer nos graisses plus rapidement, tout en fournissant à notre cerveau et aux autres tissus l'énergie dont ils ont besoin, sans avoir à recourir à un volume excessif de glucides alimentaires.

L'hormone de croissance, en fait, neutralise la capacité de l'insuline de transporter le glucose jusque dans les cellules, le poussant plutôt vers le foie. Malheureusement, cette caractéristique est précisément l'une des raisons pour lesquelles la consommation excessive de suppléments d'hormone de croissance peut causer la résistance à l'insuline. Voilà pourquoi vous devez faire preuve d'une grande prudence avant de prendre cette voie.

Comment l'hormone de croissance se détraque-t-elle? La carence d'hormone de croissance est une affection très réelle, particulièrement néfaste durant l'enfance. Les enfants qui ne produisent pas suffisamment d'hormone de croissance ne grandissent pas autant que les autres et leur développement sexuel est retardé. Et ce déficit hormonal peut persister jusqu'à l'âge adulte. Ce type de carence peut également débuter à l'âge adulte, mais il est alors plus difficile à diagnostiquer dans la mesure où certains de ses symptômes sont aussi des caractéristiques du vieillissement, comme la réduction de la masse osseuse, du niveau d'énergie et de la force.

Le fait que cette affection soit médicalement reconnue a fourni à certaines cliniques antivieillissement la latitude nécessaire pour offrir des suppléments alimentaires à leurs patients intéressés par les caractéristiques de l'hormone de croissance liées à l'élimination des graisses et au raffermissement des muscles. La triste réalité, c'est que la production de l'hormone de croissance commence à décliner naturellement peu après le début de la trentaine. Mais plusieurs de nos comportements précipitent ce déclin de façon prématurée et nous devrions d'abord envisager de modifier ces comportements avant même de songer à consommer des suppléments.

Parmi toutes ces choses pas très brillantes que nous faisons pour détraquer notre équilibre hormonal, le fait de nous priver d'un sommeil de qualité est sans doute la plus ravageuse. Chez les adultes, l'hormone de croissance est libérée à raison de cinq poussées par jour. Les plus importantes surviennent durant notre sommeil le plus profond, celui de stade 4, environ une heure après nous être endormis. Selon une étude de l'Université de Chicago, lorsque les gens sont privés de cette phase du sommeil (en raison de perturbations mineures qui ne les réveillent pas tout à fait, mais nuisent à la qualité de leur sommeil), leurs taux quotidiens d'hormone de croissance décline de 23 %.

Une autre manière d'abaisser notre taux d'hormone de croissance est de consommer trop de glucides de mauvaise qualité et de maintenir une glycémie élevée et un taux d'insuline élevé. Les protéines, par ailleurs, peuvent contribuer à libérer plus d'hormone de croissance dans notre organisme. C'est donc dire que si vous diminuez votre consommation de protéines au profit des glucides, vous réduisez doublement votre production d'hormone de croissance. Selon de nouvelles recherches, les hormones provenant de pesticides et d'autres contaminants présents dans l'environnement et l'alimentation pourraient affecter notre taux d'hormone de croissance.

L'un des moyens les plus sûrs d'amener notre corps à produire l'hormone de croissance, c'est de faire de l'activité physique. Lorsque nous faisons un exercice physique à intensité élevée, et en particulier un exercice à intervalles, l'hormone de croissance évite le glucose et incite plutôt le corps à utiliser ses graisses comme carburant. Non seulement cela nous aide à éliminer les graisses durant l'activité physique, mais notre glycémie est alors stable, si bien que nous disposons de l'énergie nécessaire pour continuer. Lorsque vous ne faites pas d'activité physique et que vos muscles deviennent résistants à l'insuline,

CE QUI PEUT DÉTRAQUER LE TAUX D'HORMONE DE CROISSANCE	INDICES QUE VOUS N'AVEZ PAS ASSEZ D'HORMONE DE CROISSANCE	INDICES QUE VOUS AVEZ TROP D'HORMONE DE CROISSANCE	PROBLÈME ASSOCIÉ À UN TAUX DÉTRAQUÉ D'HORMONE DE CROISSANCE
Toxines présentes dans l'environnement	Réduction de la densité osseuse	Syndrome du canal carpien	Carence en hormone de croissance
Excès d'œstrogènes	Réduction de la performance lors de l'activité physique	Diabète	
Glycémie élevée	Baisse de la libido	Durcissement des artères	
Taux élevé de cortisol	Réduction de la masse musculaire	Hypertension artérielle	
Se coucher tard (après minuit)	Réduction de la force musculaire	Résistance à l'insuline	
Viandes et produits laitiers non biologiques	Dépression ou changements d'humeur	Seins développés chez l'homme	
Manque d'exercice	Dépôts de gras au visage et à l'abdomen	Dysfonctions sexuelles	
Sommeil insuffisant	Taux d'insuline plus élevé	Épaississement des os au niveau de la mâchoire, des doigts et des orteils	
Sommeil léger (pas de phase de sommeil lent profond, de stades 3 et 4)	Baisse d'énergie		
Stress	Insuffisance staturale		
Excès de gras alimentaire	Problèmes de sommeil		
	Taux de LDL trop élevé		
	Rides		

vous augmentez le taux d'insuline dans votre corps et sécrétez encore moins d'hormone de croissance. Nous devons nous bouger les fesses et mettre à profit cette manière incroyablement saine de renverser le processus de vieillissement, au lieu de nous planter des seringues de GH dans le corps!

Le régime *Maîtrisez votre métabolisme* intègre toutes les méthodes reconnues pour augmenter naturellement l'hormone de croissance: réduction du stress, repos et sommeil de meilleure qualité; glycémie équilibrée et protéines de qualité; et juste assez d'exercice physique intense pour éliminer le gras, améliorer la sensibilité à l'insuline et évacuer les toxines de notre corps.

HORMONE MÉTABOLIQUE N° 11 : LA LEPTINE

À une certaine époque, les scientifiques croyaient que les cellules graisseuses n'étaient que de gros amas dégoûtants qui attendaient que leur volume augmente ou diminue. Aujourd'hui, ils savent que notre gras est en fait une énorme glande endocrine qui produit activement des hormones et entre en réaction avec celles-ci. Alors que les scientifiques continuent de reconnaître de plus en plus d'hormones sécrétées dans les tissus adipeux, la leptine est sans doute celle qui a été le mieux documentée.

Dans quelle partie du corps la leptine est-elle produite ? Dans les adipocytes (ou cellules graisseuses). La leptine est une protéine qui est contrôlée par un gène influent appelé le « gène ob ». La leptine (qu'on appelle aussi « protéine ob ») travaille avec les autres hormones – hormones thyroïdiennes, cortisol et insuline – afin d'aider notre corps à déterminer jusqu'à quel point il a faim, à quel rythme il éliminera les aliments que nous consommons et s'il retiendra (ou diminuera) le poids.

Comment la leptine affecte-t-elle votre métabolisme ? Des récepteurs de leptine sont disséminés partout dans votre corps, mais c'est dans votre cerveau que cette hormone est la plus active. Lorsque vous venez de manger un repas, les cellules adipeuses libèrent cette hormone partout dans votre corps. La leptine voyage jusqu'à l'hypothalamus, la portion du cerveau qui assure la régulation de l'appétit, et se lie alors aux récepteurs de leptine qui s'y trouvent. Ces récepteurs contrôlent la production de neuropeptides, de minuscules protéines de signalisation qui activent ou désactivent l'appétit.

L'une des mieux connues de ces protéines est le neuropeptide Y, le peptide qui active l'appétit et réduit le rythme du métabolisme. La leptine désactive le neuropeptide Y et allume les signaux de suppression de l'appétit ; le corps reçoit alors le message de cesser d'avoir faim et de commencer à éliminer plus de calories.

Lorsqu'elle exécute adéquatement son travail, la leptine aide aussi le corps à accéder à ses réserves de gras à long terme et à réduire leur volume. Mais lorsque le système de messages de la leptine ne fonctionne pas, on continue de manger parce qu'on n'éprouve pas de satiété.

CE QUI PEUT DÉTRAQUER LE TAUX DE LEPTINE	INDICES QUE VOUS N'AVEZ PAS ASSEZ DE LEPTINE	INDICES QUE VOUS AVEZ TROP DE LEPTINE (ET QUE VOTRE CORPS Y EST DEVENU RÉSISTANT)	PROBLÈMES ASSOCIÉS À UN TAUX DÉTRAQUÉ DE LEPTINE
Gras abdominal	Anorexie mentale	Faim constante	Diabète
Vieillissement	Faim constante	Diabète	Stéatose hépatique
Consommation élevée de mauvais glucides	Dépression	Taux élevé d'hormones thyroïdiennes	Calculs biliaires
Consommation élevée de gras trans		Maladies cardiovasculaires	Maladies cardiovasculaires
Infections		Hypertension artérielle	Taux élevé de lipides sanguins (LDL, triglycérides)
Inflammation		Taux élevé de cholestérol	Hypertension artérielle
Ménopause		Inflammation accrue	Résistance à l'insuline
Manque de sommeil paradoxal (ou moins de 7 à 8 heures de sommeil continu)		Obésité	Syndrome des ovaires polykystiques
Obésité			Acrochordons
Douleur			Carence en testostérone
Tabagisme			
Stress			

En plus de la leptine qui est libérée après que l'on a mangé, notre corps reçoit de nouveau une poussée de leptine durant la nuit, pendant notre sommeil. Cette poussée de leptine gonfle nos taux de thyréostimuline (une hormone qui stimule la thyroïde), ce qui aide la thyroïde à libérer la thyroxine.

Comment la leptine se détraque-t-elle? La leptine peut se détraquer de plusieurs façons. Premièrement, on peut naître avec un faible taux de leptine. Des scientifiques ont découvert qu'une mutation du gène ob affecte la production de leptine; cette mutation est responsable d'une obésité grave chez certains enfants. De simples suppléments de leptine aident généralement ces jeunes à maintenir un poids santé. Cette affection est extrêmement rare: si vous en êtes victime, vous le savez déjà, assurément.

Croyez-le ou non, un faible taux de leptine ne représente pas le plus grave problème lié à cette hormone. Des chercheurs ont en effet découvert que plusieurs personnes qui accusent un surpoids ont en fait un très haut taux de leptine. Comment cela est-il possible ? C'est que plus on a de gras, plus on produit de leptine. De la même façon que cela arrive avec l'insuline, lorsque le corps sécrète continuellement un excès de leptine – en réaction à une consommation excessive de nourriture –, les récepteurs de leptine peuvent commencer à s'épuiser et à ne plus la reconnaître. Les gens présentant une résistance à la leptine ont un haut taux de leptine, donc, mais leurs récepteurs ne la reçoivent plus : le neuropeptide Y n'est jamais désactivé ; alors, ils continuent d'avoir faim et leur métabolisme ralentit. (Le taux élevé de neuropeptide Y qui en découle perturbe également l'activité de l'hormone T4, nuisant encore davantage au métabolisme.)

La résistance à la leptine et la résistance à l'insuline vont de pair, mais tout comme c'est le cas avec la résistance à l'insuline, si vous perdez un peu de poids, votre corps deviendra plus sensible à la leptine et recommencera alors à se comporter comme il doit le faire : en vous aidant à vous éloigner de la table en disant : « Assez ! »

L'HORMONE MÉTABOLIQUE N° 12 : LA GHRÉLINE

La leptine et la ghréline agissent dans une sorte d'équilibre de type yin-yang entre la faim et la satiété. Exactement de la même façon que la leptine ordonne au cerveau de désactiver la faim, la ghréline l'informe que vous êtes affamé.

Dans quelles parties du corps la ghréline est-elle produite ? Dans l'estomac, le duodénum et l'intestin grêle. Quand vous avez faim ou que vous êtes sur le point de manger, ou même que vous songez simplement à manger quelque chose de délicieux, vos viscères libèrent de la ghréline. À la manière d'un messager, la ghréline se rend alors jusqu'à l'hypothalamus et active le neuropeptide Y, qui augmente votre appétit et ralentit votre métabolisme. La ghréline a toutefois un bon point en sa faveur : elle aide la glande pituitaire à libérer l'hormone de croissance.

Comment la ghréline affecte-t-elle votre métabolisme ? Chez les personnes normalement constituées, la ghréline se manifeste lorsque l'estomac est vide. Cette hormone est la raison pour laquelle vous avez toujours faim à certains moments particuliers de la journée : votre horloge interne déclenche le relâchement de la ghréline selon un horaire bien défini. Le taux de ghréline demeurera élevé jusqu'à ce que vous ayez fourni à votre corps les nutriments suffisants pour le satisfaire. Parce que ce signal peut prendre quelques minutes à se rendre à destination, le fait de manger lentement peut vous aider, au bout du compte, à manger moins. À mesure que votre estomac se remplit, le taux de ghréline commence à décliner, vous éprouvez de la satiété et vous pouvez alors cesser de manger.

Il est intéressant de noter que ce n'est pas la ghréline en soi qui vous donne l'appétit : cette faim est stimulée en partie par le neuropeptide Y ainsi que par l'hormone de croissance qu'il libère. En fait, le taux de ghréline *doit* s'élever pour permettre à l'hormone de croissance d'être relâchée. Voilà seulement l'une des nombreuses raisons pour lesquelles ce régime n'autorise pas la consommation de nourriture après 21 heures. Je veux que la nourriture soit à peu près éliminée de votre système au moment où vous vous mettez au lit.

QUELQUES AUTRES HORMONES MÉTABOLIQUES

Au cours des dernières décennies, les scientifiques ont découvert des douzaines d'hormones qui affectent le poids, l'accumulation de gras, la faim, la fringale et le métabolisme. Même si nous nous concentrons, dans ce chapitre, sur les 12 hormones principales, notre plan peut contribuer efficacement à l'équilibre des peptides et des hormones suivantes.

Adiponectine : produite par les graisses et distribuée partout dans votre corps – en particulier dans vos fesses ! –, l'adiponectine est un « type bien » dans l'univers des hormones. Cette hormone améliore le fonctionnement de votre foie et de vos vaisseaux sanguins, abaisse votre glycémie et protège votre corps contre la résistance à l'insuline et à la leptine. Un faible taux d'adiponectine est associé à l'inflammation et au syndrome métabolique.

Cholécystokinine (CCK) : le neuropeptide CCK, un suppresseur naturel de l'appétit, est produit près du sommet de votre intestin grêle après les repas – en particulier s'ils contiennent des fibres, du gras ou des protéines – pour informer votre cerveau que vous n'avez plus faim. Le CCK agit rapidement – il a une demi-vie de une à deux minutes – et remet ensuite le compteur à zéro en prévision du prochain repas.

Peptide analogue au glucagon (GLP-1) : également produit dans l'intestin grêle, en particulier lorsque vous consommez des glucides et des gras, le GLP-1 stimule le pancréas en l'intimant de sécréter du glucagon et de commencer à sécréter de l'insuline. Le GLP-1 ralentit aussi votre digestion, maintenant ainsi votre appétit à un bas niveau.

Neuropeptide Y (NPY) : le NPY n'est pas votre ami. Activé par la ghréline, le neuropeptide NPY veut que vous mangiez – beaucoup – et stimule votre corps à emmagasiner les graisses. Les régimes extrêmes ainsi que la surconsommation de nourriture et le gain de poids tendent tous à provoquer une activité accrue du NPY. Produit dans le cerveau et dans les adipocytes du ventre, il stimule la naissance de nouvelles cellules graisseuses. (Comme je viens de le souligner, il n'est pas votre ami.)

Obestatine : Bien qu'elle soit contrôlée par le gène qui régit aussi la ghréline et qu'elle soit produite en grande partie dans l'estomac, le travail de l'obestatine est en fait à l'opposé de celui de la ghréline : elle dit à votre cerveau que vous n'avez pas faim et que vous devriez manger moins.

Peptide YY : le peptide YY est également libéré lorsque votre estomac se gonfle après un repas. Il réduit votre appétit, principalement en bloquant l'action du NPY. Ce sont les gras et les protéines qui semblent élever le plus le taux de YY, mais un jeûne de deux ou trois jours peut réduire ce taux de 50 %. Les effets de YY durent plus longtemps que ceux des autres hormones du système digestif : il entreprend son ascension dans les 30 minutes suivant un repas et demeure élevé pendant une période pouvant aller jusqu'à 2 heures.

Résistine : cette mauvaise hormone joue un rôle important dans la résistance à l'insuline, en bloquant la capacité des muscles de répondre à l'insuline. Certains spécialistes croient même qu'elle pourrait être le lien entre l'obésité et la résistance à l'insuline. Votre gras abdominal produit 15 fois plus de résistine que le gras périphérique. Raison de plus pour perdre cette bedaine !

Votre corps a besoin de ghréline pour vous permettre de suivre toutes les phases du sommeil. Sans une progression adéquate, vous n'arriverez pas au stade 4 du sommeil, durant lequel vous obtenez une forte poussée d'hormones de croissance, ou au sommeil paradoxal qui contribue à protéger le taux de leptine. Durant le reste de la journée, toutefois, l'objectif est de maintenir un faible taux de ghréline. Vous n'avez pas besoin de cette faim supplémentaire qui risque de compromettre votre régime alimentaire et vous n'avez pas besoin non plus des désordres métaboliques que provoqueraient dans votre système les variations glycémiques successives qui en résulteraient.

Comment la ghréline se détraque-t-elle ? Vous devez vous méfier des poussées de ghréline, parce que celle-ci est astucieuse quand vient le temps de vous donner le goût de manger. Une récente étude a démontré que la ghréline active des centres de gratification logés dans le cerveau, qui font en sorte que la nourriture paraît plus appétissante. Depuis des années, on croit que ces zones cérébrales sont liées à la dépendance aux drogues et les chercheurs sont d'avis que la ghréline active ces centres, même lorsque vous n'avez aucune raison d'avoir faim (autre que celle de passer devant une boulangerie juste au moment où le pain sort du four).

CE QUI PEUT DÉTRAQUER LE TAUX DE GHRÉLINE	INDICES QUE VOUS N'AVEZ PAS ASSEZ DE GHRÉLINE	INDICES QUE VOUS AVEZ TROP DE GHRÉLINE (OU UNE SENSIBILITÉ ACCRUE À CETTE HORMONE)	PROBLÈMES ASSOCIÉS À UN TAUX DÉTRAQUÉ DE GHRÉLINE
Crises de boulimie	Troubles alimentaires	Faim constante	Anorexie mentale
Consommation excessive de gras	Manque d'appétit		Crises aiguës de boulimie
Moins de 8 heures de sommeil par nuit	Perte de poids		Hyperphagie
Faibles taux d'hormones thyroïdiennes			Syndrome de Prader-Willi
Carence en protéines et en glucides			
Régimes amaigrissants draconiens			
Omission de repas			
Stress			

Des restrictions caloriques constantes maintiennent un taux de ghréline élevé, ce qui pourrait bien être la raison pour laquelle ceux qui suivent des régimes à répétition ont l'impression que leur faim s'accentue à mesure qu'ils consomment moins de calories. Il s'agit là d'un des moyens que la nature a choisis de nous faire manger, toujours et plus. Pendant que nous évoluons dans un monde où il y a beaucoup trop de pain baguette, cette ghréline est toujours de plus en plus attirée vers les sommets, et c'est sans doute ce qui explique en grande partie pourquoi la perte de poids paraît un défi si ambitieux.

Il est intéressant de noter qu'un groupe restreint de personnes peut se sentir mieux en maintenant un taux élevé de ghréline. Les gens atteints d'anorexie mentale ont en fait un taux de ghréline beaucoup plus élevé que la moyenne, alors que ceux qui souffrent de crises aiguës de boulimie ont un taux plus bas. La production de ghréline chez les boulimiques peut se réduire soudainement après que, de façon répétée, ils ont mangé bien au-delà de la limite où la ghréline a cessé de leur donner de l'appétit. Comme c'est le cas avec d'autres hormones, leur système de réactions hormonales ne fonctionne plus. Par ailleurs, des études menées chez les animaux suggèrent qu'une augmentation du taux de ghréline peut aider certaines personnes à mieux gérer la dépression causée par un stress chronique. Il est possible que chez les personnes atteintes d'anorexie, la ghréline agisse à toutes fins utiles comme un antidépresseur.

Une réduction du taux de ghréline pourrait même être l'un des moyens par lesquels le pontage gastrique réduit efficacement le poids. Lorsqu'on enlève littéralement de votre estomac les cellules qui produisent la ghréline, vous ressentez moins la faim. Mais je ne sais pas : ce type d'intervention me paraît quelque peu extrême. On peut sûrement trouver de meilleurs moyens de gérer sa production de ghréline que de passer sous le bistouri, par exemple en consommant toutes les quatre heures des repas équilibrés et en dormant huit heures par nuit. Pas si mal, non ?

PRÉPAREZ-VOUS À ÊTRE TERRIFIÉ

Chaque choix que vous faites dans la vie affecte cette chimie très complexe qu'est votre corps : l'endroit où vous vivez, la durée de votre sommeil, le fait que vous avez ou non des enfants, l'activité physique que vous faites (ou ne faites pas), les produits chimiques contenus dans votre eau potable. Il est certain qu'on ne peut pas tout changer, mais nous pouvons exercer beaucoup de contrôle sur ce que nous mettons dans notre bouche, sur notre peau et dans notre esprit.

D'abord, jetons un coup d'œil aux causes de tous ces problèmes. Préparez-vous à être terrifié. Lorsque j'ai découvert ces choses, je peux dire que j'ai eu peur aussi. Une fois que vous aurez reconnu vos adversaires, vous apprendrez à restaurer votre métabolisme et à remettre au travail vos hormones chargées de l'élimination des gras.

CHAPITRE 3

COMMENT VOUS EN ÊTES ARRIVÉ LÀ

POURQUOI L'ABONDANCE N'EST PAS UNE SI BONNE CHOSE – ET À PLUS D'UN ÉGARD

Je parie que vous connaissez au moins une personne qui peut bouffer tout ce qu'elle voit et continuer malgré tout à maintenir son poids, une femme qui peut perdre en un mois les 25 kilos qu'elle a pris au cours de sa grossesse ou un type qui peut s'enfiler trois hamburgers à la cantine et entrer encore dans les jeans qu'il portait au collège.

Je ne sais pas si vous faites partie de ces chanceux, mais ce n'est pas mon cas. Mon métabolisme ne me le permettrait pas. Alors, d'où vient mon lambin de métabolisme et qu'est-ce que je peux y changer ? Est-ce que je peux simplement en faire porter le blâme à mes parents et m'en laver les mains ? Est-ce que tout ça n'est pas simplement une affaire de gènes ?

Pas si vite ! Les gènes ne représentent qu'une partie de l'équation. Certains scientifiques estiment que les gènes ne comptent que pour 30 % des risques d'obésité, alors que d'autres les évaluent à 70 %. Mais tous conviennent que la véritable réponse est dans la façon dont nos gènes se comportent et que cette réponse est basée sur ce qui se produit dans notre environnement.

Lorsque nous nous laissons mourir de faim à suivre un régime amaigrissant, à bouffer des aliments traités, à nous entourer de toxines, à travailler jusqu'à l'épuisement, tous ces choix influencent la manière dont notre métabolisme traite les aliments, élimine les calories et régule le poids. Pour apprendre comment ce programme peut nous aider à tirer le meilleur parti de notre biochimie, nous devons d'abord comprendre de quelle manière nos hormones ont déjà été manipulées à notre détriment.

Avertissement : certains des trucs que vous allez lire dans les pages qui suivent ne sont pas très jolis. Mais avant de vous battre, il vous faut savoir qui vous affronterez.

LES PERTURBATEURS ENDOCRINIENS : UNE LUTTE À FINIR

Vous savez maintenant que votre métabolisme est constitué de diverses hormones. Lorsque ces hormones fonctionnent normalement, tout est parfait : vos muscles utilisent les taux appropriés de glucose sanguin, votre insuline demeure stable, votre thyroïde ronronne comme un chat. Tout est en équilibre et l'énergie s'élimine à mesure qu'elle entre dans votre système.

Mais quand des taux d'hormones commencent à s'emballer et que d'autres se mettent à dégringoler, votre organisme se demande : « Qu'est-ce qui se passe ? » Puis il essaie de comprendre comment il en sera affecté. Chaque glande commence alors à produire trop d'hormones, ou elle n'en produit pas assez, dans une tentative désespérée de revenir à l'homéostasie. Et c'est alors que les kilos s'empilent. Tout facteur qui entrave le fonctionnement hormonal de votre corps n'augure rien de bon pour votre métabolisme.

Un perturbateur endocrinien se définit comme toute substance ou tout facteur qui altère le fonctionnement normal des hormones dans le corps. Ces substances et facteurs peuvent provoquer un changement de l'activité normale des hormones de multiples façons, par exemple :

- imiter une hormone, toucher un récepteur et le déclencher exactement comme le ferait cette hormone ;
- empêcher une véritable hormone d'accéder à son récepteur ;
- augmenter ou diminuer le nombre de récepteurs d'hormones dans certaines parties du corps ;
- modifier le taux de certaines hormones données ;
- affecter la vitesse à laquelle les hormones sont traitées dans le corps.

Chacun de ces gestes peut déclencher toute une chaîne de réactions. Par exemple, disons que votre corps absorbe du bisphénol A (BPA), un produit chimique dont il est démontré qu'il s'extrait des bouteilles de polycarbonate pour s'infiltrer dans les liquides qu'ils retiennent. Des études menées chez les animaux ont révélé que ces œstrogènes exogènes foncent dans le corps, en à peine 30 minutes, pour y faire baisser le taux de glycémie et accroître considérablement le taux d'insuline. Après seulement quatre jours d'exposition, ce BPA stimule le pancréas à sécréter plus d'insuline et le corps devient bientôt résistant à l'insuline.

Songeons maintenant au fait que plus d'un millier de ces additifs chimiques figurent dans les processus d'emballage et de traitement des aliments. Pensons simplement à tous ces autres produits en plastique qui entrent en contact avec nos lèvres ou nos aliments en une seule journée : le contenant de café en polystyrène, le flacon souple de vinaigrette, la pellicule dans laquelle nous emballons nos restes, l'enduit à l'intérieur des boîtes de conserve, le contenant de légumes qui va au four à micro-ondes. Songeons encore aux effluves de votre détergent à lessive ou au désinfectant à base de chlore que vous utilisez pour nettoyer la salle de bain. Et que dire du camion de gazonnement stationné devant la maison de votre voisin…

Voyez-vous comment un tout petit problème de rien du tout peut faire boule de neige ? Le régime alimentaire que je vous propose et le mode de vie qui y est associé consistent à stopper dans son élan cette boule de neige qui perturbe le système endocrinien avant qu'elle accumule de nouveaux problèmes, poursuive sa descente effrénée et détruise tout sur son passage.

Comme c'est le cas pour à peu près tout ce qui se passe dans notre société de surabondance, l'une des raisons pour lesquelles nous devenons si gras tient à notre façon de consommer. Nous achetons en grandes quantités parce que nous ne voulons pas payer cher. Et nous voulons que ces produits puissent durer éternellement sur nos étagères. En bout de ligne, tout cela a un prix considérable et c'est de notre santé que nous le payons. Examinons maintenant certains des facteurs susceptibles de déclencher la descente rapide et destructrice de la boule de neige dont je parle.

QUE DE PARESSE !

J'ai perdu le compte des personnes qui ont abandonné l'exercice avec l'âge et en viennent ensuite à blâmer leurs hormones pour leur métabolisme lent. Voilà pourquoi j'aimerais disposer le plus rapidement possible de cette question de l'âge.

La production d'un certain nombre d'hormones augmente avec l'âge ; elle demeure stable pour certaines autres. Mais il faut bien l'avouer : la plupart des hormones se dirigent vers une seule destination : le sud.

Il est vrai qu'au fil des ans, nos hormones se déplacent de telle manière qu'elles favorisent le gain de poids. Par exemple, à mesure que vous vieillissez, les récepteurs de leptine dans votre cerveau commencent à diminuer en nombre, de telle sorte que votre corps n'est plus en mesure de reconnaître que votre estomac est plein, ce qui vous incite à trop manger. Chez les femmes, les hormones femelles diminuent aussi en nombre et les hormones régulatrices de l'insuline sont moins efficaces, ce qui, dans les deux cas, peut mener à un gain de poids. Chez les hommes, le taux de testostérone biodisponible tend à décliner graduellement, d'environ 1,5 % par année après l'âge de 30 ans, et le taux de DHA chute encore plus rapidement, soit de 2 à 3 % chaque année. Ces diminutions sont susceptibles de réduire la masse musculaire et le niveau d'énergie, tout en provoquant un accroissement du gras abdominal et de la résistance à l'insuline. Elles tendent également à vous rendre irritable et déprimé, ce qui est de très mauvais augure pour votre métabolisme.

Ces déclins hormonaux fournissent aux compagnies pharmaceutiques et aux *dealers* d'hormones toutes les munitions dont ils ont besoin. Ils s'en servent pour soutenir leurs arguments de mise en marché, selon lesquels nous aurions besoin de ces suppléments bourrés d'hormones de synthèse et bio-identiques pour compenser les coups durs subis par notre métabolisme et pour prolonger notre vie. Mais en avons-nous vraiment besoin? Une grande étude menée auprès de plus de 1100 hommes âgés de 40 à 70 ans a révélé que s'ils maintiennent un poids santé, boivent de l'alcool de façon modérée et réussissent à se soustraire à des problèmes de santé sérieux tels que le diabète et les maladies cardiovasculaires, ils peuvent augmenter de 10 à 15 % les niveaux de production de plusieurs hormones, en particulier de leurs hormones androgènes.

Chaque jour, de plus en plus d'études soulignent le fait que le déclin de la masse musculaire lié à l'âge est, dans une large mesure, sous notre contrôle. Pendant des années, nous avons attribué au vieillissement le gras abdominal dont nous sommes affligés, mais la réalité est tout simplement que nous n'avons pas su nous occuper de nous-mêmes! Plus nous consommons de produits sains et faisons de l'exercice, plus notre équilibre hormonal est au point et plus notre métabolisme demeure sain.

Je vais être tout à fait sincère avec vous: je n'aime pas faire de l'exercice. Mais la vérité, c'est que nous ne pouvons pas y échapper. Notre corps en a besoin de la même façon qu'il a besoin d'oxygène et d'eau.

D'abord, chaque kilo de muscle élimine trois fois plus de calories qu'un kilo de gras. Les muscles accumulent le sucre du sang et améliorent la sensibilité de votre corps à l'insuline. L'exercice réduit les taux d'hormones responsables du gain de poids – dont le cortisol – en libérant des endorphines qui combattent le stress et augmentent les taux d'hormones chargées d'éliminer les graisses, comme la testostérone, l'hormone de croissance, la DHA et la thyroxine (T4). Vous devez faire de l'exercice. Un point, c'est tout.

(Oui, je sais que cet ouvrage n'en est pas un sur l'exercice physique, mais on ne peut passer sous silence les avantages et la nécessité de l'activité physique. Si vous souhaitez que le régime que je vous propose soit *vraiment* efficace, il faudra que vous l'accompagniez d'un certain niveau d'exercice. Je ne vous demande pas de vous engager dans un programme de mise en forme exténuant. Je dis simplement que vous devez bouger vos fesses et intégrer, le plus rapidement possible, l'activité physique à votre vie quotidienne. J'évoquerai au chapitre 8 comment obtenir le plus d'effets possible tout en consacrant le moins de temps possible à l'activité physique.)

Si, malgré tout, vous décidez de prendre la voie des suppléments hormonaux, il s'agit là d'une question que vous devez régler avec votre médecin. Lisez un peu sur la question (mon ouvrage favori à ce sujet est *Ageless* de Suzanne Somers), et parlez à quelques endocrinologues spécialisés dans la lutte contre le vieillissement. Il est clair dans mon esprit que vous devez consulter un spécialiste. Pour être tout à fait franche, les recherches publiées il y a quelques années dans le cadre d'une étude sur la santé des femmes concernant les risques plus élevés de maladies cardiovasculaires et de cancer chez celles qui suivaient une hormonothérapie de substitution m'a proprement terrifiée ! Mais il y a présentement plein de recherches en cours, lesquelles devraient laisser entrevoir de grandes possibilités dans l'avenir.

Entre-temps, j'ai conçu ce régime dans le but d'explorer d'autres avenues permettant de protéger et d'optimiser de façon *naturelle* l'équilibre hormonal de façon qu'il s'inscrive dans le grand dessein de la nature. La nature nous a fourni le remède ; le problème, c'est que nous sommes en train de le détraquer ! Nous disposons d'aliments extraordinaires – que j'évoquerai au chapitre 6 – qui nous aident non seulement à assurer notre équilibre hormonal, mais aussi à lutter contre le cancer, le diabète, les accidents vasculaires cérébraux, les maladies cardiovasculaires et la maladie d'Alzheimer. Mais que faisons-nous ?

Nous les aspergeons de pesticides et de gaz toxiques, empoisonnant ainsi nos médicaments naturels. Nous devons reprendre possession de ces produits qui assurent de façon naturelle notre équilibre hormonal et nous défendent contre les divers assauts dont nos hormones sont victimes chaque jour. J'entends vous proposer des stratégies simples, sûres, naturelles et efficaces qui vous aideront à vous sentir mieux et permettront à votre corps de se défendre sans l'aide de ces affreux produits pharmaceutiques.

TROP DE RÉGIMES À RÉPÉTITION = EFFET YOYO

Je suis prête à parier que, si vous prenez la peine de lire ce livre, c'est que vous avez déjà essayé de perdre du poids au moins une fois ou deux dans votre vie. Environ 75 % des Américains se soucient de leur poids, mais la plupart d'entre eux ne s'y prennent pas de la bonne manière pour régler le problème. Une enquête de l'International Food Information Council a révélé que seulement 15 % des gens étaient en mesure d'évaluer de façon exacte le nombre de calories qu'ils devaient consommer en fonction de leur taille et de leur poids.

Cette ignorance nous mène tout droit à l'échec. Le désir de perdre du poids pousse les gens vers des extrêmes qui tiennent parfois de la démence. Ils se privent complètement de macronutriments tels que les glucides ou les gras. Tout cela est très très très mauvais. Ce genre de régime dérègle directement votre équilibre hormonal, en transmettant à votre corps des messages de survie qui l'incitent à emmagasiner des graisses et à ralentir votre métabolisme au cas où cette situation de famine persisterait.

La plupart des personnes qui suivent des régimes à répétition – des régimes qui ont un effet yoyo – ont passé leur vie « à la diète ». Ce genre d'alimentation commence souvent à l'adolescence. Dans le cadre d'une étude menée à l'Université du Minnesota, on a suivi pendant cinq ans 2500 adolescents – des garçons et des filles – pour découvrir que ceux qui suivaient un régime amaigrissant étaient trois fois plus susceptibles de souffrir d'un excès de poids et six fois plus susceptibles d'être boulimiques que ceux qui n'en avaient jamais suivi. Selon la Nurses' Health Study, les femmes qui suivent intensément des régimes à répétition – celles qui ont perdu au moins neuf kilos à trois reprises au cours des quatre dernières années – avaient gagné en moyenne environ cinq kilos de plus que celles qui avaient maintenu un poids plus stable. Habituellement, la préoccupation des personnes qui suivent des régimes à répétition est de perdre du poids, et non de consommer des portions convenables d'aliments appropriés. Lorsqu'elle n'est pas associée à l'exercice, cette attitude mène à des problèmes encore plus considérables.

Non seulement ce modèle de hauts et de bas successifs est frustrant, mais il rend aussi chaque nouvelle tentative de perdre du poids plus décevante que la précédente, en particulier si on perd du poids en se laissant littéralement mourir de faim. Lorsqu'on suit un régime amaigrissant, il faut faire de l'exercice afin de maintenir sa masse musculaire. Ce « partage des calories » fait en sorte que les calories que vous consommez sont affectées à la reconstruction de vos muscles et au maintien de leur santé.

Si vous ne faites pas d'exercice, il deviendra rapidement assez clair, une fois le régime terminé, que vous vous êtes berné vous-même. Les régimes qui vous affament sont cataboliques ; ils incitent votre corps à cannibaliser vos muscles pour en tirer du carburant. Votre corps, dans sa sagesse, songe à sa survie à long terme et entend plutôt garder ses calories en réserve en cas de famine prolongée. Or, plus vous perdez de la masse musculaire, plus votre métabolisme ralentit et plus vos puissantes hormones thyroïdiennes diminuent. C'est lorsque les gens réduisent radicalement leur apport calorique que les changements les plus importants se produisent dans le fonctionnement de leur thyroïde et dans leur métabolisme au repos.

Je connais tellement de gens qui se sont engagés dans ce cycle jeûne/intervalle/boulimie. Vous souhaitez désespérément perdre quelques kilos en prévision du grand jour et vous vous imaginez que le fait de consommer 800 calories par jour pendant deux semaines ne peut que vous faire du bien ? Mais qu'arrive-t-il, au juste ? D'abord, votre métabolisme s'abaisse à la vitesse de l'éclair durant vos jours de privation. Ensuite, vous revenez à ce que vous avez toujours considéré comme des habitudes alimentaires normales, soit de 1600 à 2000 calories par jour. Et le problème est là : en agissant comme vous l'avez fait, votre taux de T3 a fondu comme neige au soleil, votre sensibilité à la leptine et à l'insuline en a pris pour son rhume, votre taux de ghréline est monté au plafond. Et ainsi de suite.

TROP DES MÊMES ALIMENTS, TOUS TRANSFORMÉS

Certains aliments, en particulier ceux qui sont transformés, sont mortels pour notre équilibre hormonal. Pourquoi ? Parce que notre corps ne les reconnaît pas comme étant des aliments.

Les aliments transformés ne proviennent pas de la nature ; ils sont fabriqués en usine. Plus ces usines sont productives, plus les compagnies empochent de fric. Et moins les compagnies investissent dans la matière première, plus leur marge de profit est élevée. Qui pourrait les en blâmer ? Profits élevés, productivité élevée : n'est-ce pas le modèle américain ? Investissez des sous, empochez des dollars. Cette équation peut créer une forme de dépendance. Un peu comme les « aliments » qu'on produit dans ces usines.

Notre régime alimentaire du XXIe siècle est principalement composé de maïs, de soya et de blé ; ce qui ne veut pas dire que nous les reconnaissions comme tels dans nos assiettes. Ces produits sont subventionnés depuis si longtemps et coûtent si peu à l'industrie alimentaire que celle-ci est constamment à la recherche de nouvelles façons d'utiliser ces ingrédients bon marché. Et grâce au miracle de la chimie moderne, c'est exactement ce qu'elle réussit à faire. Vous croyez peut-être que vous êtes sur le point de déguster une viande froide, un bol de soupe ou un verre de jus de fruits, mais, essentiellement, il s'agit de blé, de soja ou de maïs. Farine de blé. Protéines de soja hydrolysées. Huile de maïs partiellement hydrogénée. Sirop de maïs à haute teneur en fructose. Avec un peu de sel jeté sur tout ça (un autre additif bon marché).

Comment font-ils ça ? Comment réussissent-ils à intégrer ces trois aliments dans tout ce que nous mangeons ? Eh bien, les entreprises alimentaires prennent ces trois ingrédients incroyablement bon marché et incroyablement fades, et y ajoutent ensuite tout un mélange de produits chimiques pour leur donner de la saveur. Envisageons le maïs, le soja et le blé comme la toile vierge sur laquelle la diététique peint une *illusion* de nourriture. Et pour que l'illusion dure, elle recourt même à quelques sales tours.

Les aliments à teneur élevée en gras et en sucres incitent le cerveau à

ÊTES-VOUS ACCRO À LA BOUFFE ?

Lorsque vous apercevez votre mets favori, le neurotransmetteur associé au plaisir, la dopamine, est libéré dans la zone de votre cerveau liée à la motivation et à la gratification. Exactement comme les drogués, les gens obèses possèdent moins de récepteurs de dopamine dans cette zone ; et plus ils sont obèses, moins ils ont de ces récepteurs. Les scientifiques ne sont pas certains si les récepteurs finissent par s'épuiser à force de baigner de façon répétée dans la dopamine amenée par les drogues ou la boulimie ou si, dès le départ, ces accros sont nés avec moins de récepteurs. Mais au bout du compte, l'effet est le même : ils en veulent toujours plus. Les stratégies qui aident à augmenter naturellement la dopamine – comme l'exercice ou la consommation de protéines en quantité suffisante – peut s'avérer bénéfique.

libérer des « opioïdes endogènes » c'est-à-dire de la morphine biologique. Si vous considérez un biscuit Oreo, constitué de près de 60 % de sucre et de gras, comme une drogue qui vous branche, vous êtes en plein dans le mille. De la même façon qu'une drogue revient hanter celui qui y est accro, le cortex orbitofrontal de votre cerveau, le centre de la motivation et de l'appétence, est stimulé lorsque vous voyez, sentez ou goûtez les aliments qui vous font envie.

Oui, bonnes gens, on peut se défoncer en mangeant un dessert et on peut même en devenir accro. « Mais tu n'as qu'à dire non ! » affirment les tenants de la « responsabilité personnelle ». Or, voici un exemple qui illustre à quel point la question peut devenir épineuse. Dans le cadre d'une série de reportages publiés en 2005, le *Chicago Tribune* révélait que Kraft, la compagnie qui fabrique les biscuits Oreo, avait partagé les résultats de recherches sur le cerveau avec des scientifiques de la compagnie Philip Morris, le fabricant de tabac, et de Miller Brewing, le brasseur de bière, qui étaient tous ses partenaires d'affaires à l'époque. (Hum, cigarettes, alcool et Oreo : qu'est-ce que tous ces produits peuvent bien avoir en commun ?) Lorsque le *Tribune* a publié cette information, le porte-parole de Kraft a déclaré que c'était simplement une bonne pratique d'affaires pour l'entreprise que d'inciter ses scientifiques à « trouver des moyens d'échanger de l'information, de partager les m*eilleures pratiques* [les italiques sont de moi] et de trouver des moyens de réduire les coûts ».

Intéressant, non ?

Résultats ? Plus un aliment est transformé, plus grandes sont les chances que quelque biochimiste sans scrupule ait bricolé quelque mélange pour vous donner envie de manger davantage et encore et toujours plus. Nous allons nous pencher, au chapitre 5, sur la manière dont les aliments transformés affectent vos hormones et votre santé globale. Mais pour l'instant, songez seulement qu'aussi longtemps que l'équation « féculent + sucre + gras + sel + produits chimiques entraînant une dépendance » sera aussi bon marché et générera autant de profits pour les multinationales de l'alimentation, elles se battront bec et ongles pour la maintenir sur les étagères des supermarchés et dans nos corps. Jusqu'à ce que nos gouvernements apprennent à bien lire les résultats des récentes recherches et à se tenir debout face au lobby de l'alimentation et fassent payer à l'industrie le coût de cette vaste entreprise d'empoisonnement public, nous devrons trouver des moyens de nous protéger nous-mêmes. Et c'est précisément l'objectif de ce livre.

TROP DE PESTICIDES DANS NOS ASSIETTES

La plupart des produits dont l'industrie alimentaire tire ses « principaux » ingrédients sont génétiquement modifiés ou aspergés de douzaines de types de pesticides qui détraquent notre système endocrinien. Notre copain le maïs est l'un des grands délinquants : l'Organic Consumers Organization a révélé que, chaque année, le maïs dont on nourrit les animaux et qui est transformé en d'autres produits est saupoudré de 73 millions de kilos de pesticides chimiques. Nous n'avons aucune idée de ce qui se glisse jusque dans nos corps et ça se voit.

Une récente étude épidémiologique à grande échelle réalisée par les National Institutes of Health s'est penchée sur ce qui est arrivé à 30 000 personnes, des hommes pour la plupart, qui ont utilisé des pesticides dans le cadre de leurs travaux de ferme. Ces « utilisateurs accrédités » de produits chimiques portaient sans doute de l'équipement de protection : masques, gants, bottes, combinaisons, toute la panoplie, quoi ! Les chercheurs n'en ont pas moins découvert que si ces hommes avaient utilisé n'importe lequel de sept pesticides particuliers – même s'ils ne l'avaient fait qu'une seule fois – ils couraient un plus grand risque d'être atteints de diabète. Les résultats indiquent que le fait d'être exposé aux pesticides pourrait bien être un facteur important de diabète, au même titre que l'obésité, le manque d'exercice ou la génétique.

L'un de ces pesticides, le trichlorfon, est un produit très populaire, souvent répandu sur les pelouses et les terrains de golf. Cette étude a montré que les gens qui avaient employé ce produit chimique seulement 10 fois ou plus couraient *250 %* plus de risques d'avoir le diabète. Alors, dites-moi : combien de rondes de golf avez-vous jouées dans votre vie ? Combien de fois le camion de gazonnement s'est-il garé devant la maison de votre voisin ? Ou la vôtre ?

Pensons maintenant à nos habitudes alimentaires. Comme consommateurs, nous ne touchons pas seulement des plantes qui ont été aspergées de pesticides, nous les *mangeons*. Dans certaines parties du monde, le trichlorfon est même déversé sur le bétail pour le protéger de la vermine.

Certains pesticides qui ont été interdits aux États-Unis depuis plus de 20 ans traînent encore dans la chaîne alimentaire. Ils s'accumulent dans les tissus adipeux de notre corps et ne nous lâchent pas pendant des décennies. On les trouve dans les poissons, les oiseaux, d'autres mammifères et même dans le lait maternel humain. Les Centers for Disease Control (CDC) affirment que nous sommes exposés aux composés organochlorés, une famille de produits chimiques toxiques trouvés dans les pesticides, de diverses manières :

- par la consommation d'aliments gras, tels que le lait et les produits laitiers, ou de poissons contaminés par ces pesticides ;
- par l'ingestion d'aliments importés de pays qui permettent encore l'usage de ces pesticides ;
- par l'allaitement maternel ou par le placenta (pour les fœtus) ;
- par le contact direct avec notre peau.

Certains chercheurs affirment que les pesticides sont davantage responsables de la résistance à l'insuline, du syndrome métabolique et du diabète que l'obésité ! Une étude menée auprès de plus de 2000 adultes a conclu qu'au moins 80 % d'entre eux présentaient des niveaux discernables de 6 polluants organiques persistants (POP), des composés chimiques qui demeurent dans nos tissus pendant des périodes de temps allant jusqu'à 10 ans, peut-être plus. Ces personnes dont les organismes présentent de hauts taux de POP tels que la dioxine, les BPC et le chlordane étaient *38 fois plus susceptibles* de développer une résistance à l'insuline que les gens présentant de faibles taux de ces produits. Même les gens qui étaient plus gras mais ne montraient aucune trace de POP dans leur organisme présentaient de plus bas taux de diabète.

Je ne dis pas que les pesticides sont la seule cause du diabète, mais il est clair que les POP qui se trouvent dans notre gras corporel continuent d'interagir avec nos kilos en trop pour augmenter encore plus les risques de diabète. Et je n'ai pas encore évoqué les autres effets indésirables bizarres des composés organochlorés : frissons, maux de tête, irritations cutanées, problèmes respiratoires, vertiges, nausées, crises cardiaques. Oh, et j'allais oublier le cancer, les lésions cérébrales, la maladie de Parkinson, les malformations congénitales, le fonctionnement anormal du système immunitaire… Dois-je continuer ?

Et songez seulement que les composés organochlorés ne représentent qu'une seule catégorie de pesticides chimiques, un mince échantillon du potentiel de perturbation du système endocrinien qui rôde dans la chaîne alimentaire. Il y a aussi les hormones de grossesse et de lactation qu'on donne aux vaches laitières pour « améliorer leur productivité ». Ou les hormones de croissance qu'on donne au bétail pour produire plus de viande. Ou les antibiotiques injectés dans des volailles coincées dans des cages de la taille d'une boîte à chaussures pour empêcher la propagation des maladies. Aussi terrifiants que puissent paraître certains résultats de recherche, les scientifiques n'en continuent pas moins de considérer chacun de ces produits chimiques, pesticides et autres perturbateurs endocriniens un à la fois, isolément. Les recherches récentes indiquent que l'effet combiné, synergique, de toutes ces substances pourrait être bien pire que tout ce que nous pourrions imaginer.

Chaque fois que je plaide en faveur d'une alimentation biologique, certaines personnes se demandent toujours quelle mouche m'a piquée. «Allons, Jillian, est-ce que ça vaut vraiment la peine de payer plus cher? Les temps sont durs!»

À combien évaluez-vous le coût de votre santé? Comment se fait-il que des femmes souffrent du cancer du sein au début de la trentaine? Comment se fait-il qu'on prescrive de la statine[7] à des enfants de huit ans? Comment se fait-il que les cas de maladies mystérieuses comme la fibromyalgie se soient multipliés au cours des 10 dernières années, apparemment sans raison? N'avez-vous pas la trouille autant que moi?

Lorsque les gens me parlent du coût supplémentaire qu'il faut payer pour les produits biologiques, ont-ils songé au coût des médicaments prescrits pour soigner les maladies liées à l'obésité? Ou à celui d'une chimiothérapie? Je parie que c'est énorme. Je connais des personnes qui ont perdu leur maison à cause de la maladie.

Songez à ceci: c'est dans les aliments que se trouve la plus forte concentration de polluants organiques pour les enfants âgés de un à cinq ans, juste au moment où leurs gènes de l'obésité sont activés ou désactivés, juste au moment où leur modèle métabolique est en train de se former. Nous avons subi ce massacre toxique pendant des années sans connaître ses effets sur le corps. Maintenant que nous le savons, nous *devons* commencer à prêter attention à l'origine des aliments que nous consommons. Je ne suis pas alarmiste quand j'affirme que chaque bouchée pourrait avoir, toute notre vie durant, des conséquences sur notre santé, nos hormones et notre métabolisme.

7. NDT: produit employé pour contrôler le taux de cholestérol.

TROP DE TOXINES DANS NOTRE ENVIRONNEMENT

Il n'y a pas que nos assiettes qui soient envahies par des toxines attaquant notre système endocrinien. Plus de 100 000 produits chimiques synthétiques ont été enregistrés pour un usage commercial – 2000 s'ajoutent à ce nombre chaque année –, mais on a adéquatement mesuré la toxicité de très peu d'entre eux, sans parler des risques potentiels qu'ils font courir à l'activité hormonale. Les autorités ont plutôt banalisé leurs effets. « Tel produit n'est dangereux qu'à certains niveaux très élevés », disent-ils, négligeant de mentionner qu'ils ne les ont pas testés à des niveaux très bas. Les chercheurs commencent aujourd'hui à se rendre compte que plusieurs de ces produits chimiques affectent notre système endocrinien à des niveaux modérés et même en très faibles quantités. Et ces substances s'accumulent dans notre corps. Une étude menée auprès d'un échantillon de Suédoises a montré que la concentration de polybromodiphényléther (c'est-à-dire l'agent ignifuge qu'on retrouve dans les pyjamas de bébé, les taies d'oreiller, les produits électroniques et certains meubles) dans leur lait maternel avait doublé tous les cinq ans de 1972 à 1998.

Et ce produit fout vraiment le bordel dans nos hormones. Prenons l'exemple de ces femmes qui pêchent dans le lac Ontario, connu pour contenir un haut taux de biphényles polychlorés (BPC). Les résultats d'une étude publiée dans l'*American Journal of Epidemiology* a démontré que ces pêcheuses qui avaient consommé plus d'un repas de poisson par mois pendant plusieurs années avaient un cycle menstruel plus court que les autres. D'autres études menées auprès de femmes consommant du poisson provenant de lacs contenant des BPC indiquent que celles-ci avaient plus de difficulté à devenir enceintes.

Il n'y a pas que les organes reproducteurs féminins qui sont affectés. De jeunes rats mâles ayant été exposés à une seule dose de dioxine dans le ventre de leur mère ont produit 74 % moins de sperme que ceux qui n'y avaient pas été exposés. Le taux de testostérone des premiers était plus bas que la normale et la taille de leurs organes génitaux était réduite de façon importante. Selon les chercheurs, il est clair que l'exposition prénatale à la dioxine « démasculinise et féminise les rats mâles ». (Je ne connais pas beaucoup de gars qui ont envie que leur machin rapetisse. Et vous ?)

Certaines études ont également démontré que lorsque des animaux sont exposés à des BPC ou à des dioxines, leur glande thyroïde se modifie de façon

LES PERTURBATEURS ENDOCRINIENS : UNE VÉRITABLE PLAIE

Cette liste très succincte ne représente que la pointe de l'iceberg.

PRODUITS CHIMIQUES	AUTRES NOMS	USAGES
Biphényles polychlorés	BPC	Interdits depuis 1977 et utilisés à l'origine dans les refroidisseurs, l'équipement électrique, les huiles pour couper le métal, les fluides pour lentilles de microscopes ainsi que dans les encres, les teintures et les papiers de reproduction sans carbone ; pourraient également se trouver dans de vieilles lampes fluorescentes.
Phtalates	DEHP, DINP	Ajoutés aux plastiques pour les rendre souples.
Dioxines		Sous-produits de l'incinération et de procédés industriels.
Bisphénol A	BPA	Ajouté aux plastiques pour augmenter leur durabilité.
Composés organiques volatils	COV	Les COV sont des sous-produits sans usage pratique.
Chlore	Agent de blanchiment	Désinfectant, ingrédient de fabrication industrielle.
Éthoxylates de nonylphénol	NP	Agents tensioactifs ou « surfactants », agents nettoyants.

LES PERTURBATEURS ENDOCRINIENS : *suite*

OÙ ON PEUT LES TROUVER	EFFETS POTENTIELS OU DÉMONTRÉS SUR LA SANTÉ
Saumon d'élevage, poissons d'eau douce (bien qu'interdits depuis plus de 30 ans).	Formes graves d'acné (chloracné), gonflement des paupières supérieures, décoloration des ongles et de la peau, engourdissement dans les bras ou les jambes, faiblesse, spasmes musculaires, bronchite chronique, troubles du système nerveux, fréquence accrue de cancer (en particulier du foie et des reins).
Tubes médicaux, anneaux de dentition, tétines, rideaux de douche, emballages de plastique, contenants alimentaires en plastique ; également utilisés pour prolonger la durée des parfums.	Numération réduite des spermatozoïdes et diminution de la fertilité chez les animaux.
Produits animaux non biologiques (la dioxine s'accumule dans les tissus adipeux).	Taux réduit de naissance d'enfants mâles chez les humains, réduction de la numération des spermatozoïdes, de la production de la testostérone et de la taille des organes génitaux masculins chez les rats, cancer des organes reproducteurs, troubles du développement, éruptions cutanées, dommages au foie, pilosité excessive.
Biberons, gourdes contenant du polycarbonate (Nalgene), enduit intérieur de cannettes de boissons et de boîtes de conserve.	Risques accrus de cancer du sein et de la prostate, infertilité, syndrome des ovaires polykystiques, résistance à l'insuline, diabète.
Gaz résiduels issus de peinture, vinyles, plastiques, produits nettoyants, solvants, désodorisants pour la maison, assouplissants de tissus, moquette, désodorisants, vêtements nettoyés à sec, cosmétiques.	Nausées, maux de tête, somnolence, maux de gorge, vertiges et troubles de la mémoire. L'exposition à long terme peut causer le cancer. Plusieurs produits comprenant des COV contiennent également des phtalates.
Eau potable, déchets industriels, produits nettoyants domestiques, chlore pour piscine, papier blanchi (serviettes de papier, filtres à café), nylon.	Problèmes respiratoires (respiration sifflante, toux, compression des voies respiratoires), douleurs aux poumons ou évanouissement, irritation des yeux et de la peau, maux de gorge. Chauffé, le chlore produit de la dioxine.
Détergents et lessives domestiques, autres agents nettoyants.	Selon le Sierra Club, ces produits potentiellement androgènes provoquent dans l'organisme le développement simultané d'organes génitaux masculins et féminins, accroissent les risques de mortalité et d'affection au foie et aux reins, limitent la croissance des testicules et la numération de spermatozoïdes chez les poissons mâles et perturbent le taux comparé de mâles et de femelles, le métabolisme, le développement, la croissance et la reproduction. Ces effets s'intensifient à mesure que les NP se décomposent dans l'environnement.

assez semblable à la manière dont les gens réagissent à la maladie de Hashimoto. Lorsque des rates enceintes sont exposées à des niveaux accrus de BPC, leurs bébés ont moins d'hormones thyroïdiennes et des taux déréglés de neurotransmetteurs. On a aussi établi un lien entre le tétrachlorure de carbone, un composé chimique parfois utilisé dans des tests sur la qualité de l'eau potable, et un mauvais fonctionnement de la thyroïde. Des chercheurs ont également commencé à constater que des poissons de nos lacs et de nos rivières subissent des changements de sexe – les gars deviennent des filles – en raison d'une forte densité d'œstrogènes artificiels dans l'eau !

Ces xénœstrogènes nous mettent en danger sur tous les plans. En avril 2008, le Canada est devenu le premier pays à interdire le bisphénol A, ou BPA, un composé chimique présent dans les biberons de bébé et dont il a été démontré qu'il imite l'action des œstrogènes dans le corps. Après que les autorités canadiennes eurent analysé les résultats de recherches, elles ont décidé que les risques étaient trop grands pour qu'on permette aux bébés de les ingérer. Par la suite, un article paru dans le *Journal of the American Medical Association* a révélé que des concentrations élevées de BPA dans l'urine étaient associées à un risque accru de 300 % de maladies cardiovasculaires et à un risque accru de 240 % de diabète, en plus d'anomalies aux enzymes du foie. Les femmes atteintes du syndrome des ovaires polykystiques présentent un taux plus élevé de BPA dans leur sang, en comparaison avec celles qui ne souffrent pas de ce syndrome. On a prouvé que même de faibles doses de BPA créent de nouvelles cellules graisseuses en plus d'augmenter leur taille. En tout, plus de 130 études menées sur les animaux ont relié des doses, même très faibles, de BPA au cancer du sein et de la prostate, à une puberté précoce, à des lésions cérébrales, à l'obésité, au diabète, à une faible numération de spermatozoïdes, à l'hyperactivité, à des dommages causés au système immunitaire et à d'autres affections graves.

Le problème, c'est que le BPA est partout : plus de 2,7 milliards de kilos de BPA sont produits chaque année dans le monde, dont le tiers aux États-Unis. Une étude des CDC a révélé que 95 % des Américains ont du BPA dans leur urine. Les fabricants ajoutent du BPA aux plastiques contenant du polycarbonate ainsi qu'à l'intérieur des cannettes, des bouteilles et d'autres contenants alimentaires.

Ces produits toxiques qui perturbent notre système endocrinien et qui sont présents dans notre environnement, font beaucoup plus que de détraquer notre métabolisme : ils sont susceptibles de causer divers types de cancer liés aux hormones. Une étude récente de l'Université Harvard a révélé que pas moins de 50 % de tous les cancers de la prostate étaient liés à un surplus d'œstrogènes dans le corps. Selon l'organisme Médecins pour une responsabilité sociale, certains des polluants les plus communs qui se trouvent dans les plastiques, les carburants, les médicaments et les pesticides provoquent le cancer chez les animaux (et sans doute aussi chez les humains) précisément en perturbant l'activité hormonale.

Ceux d'entre nous qui font partie des générations X et Y, plus jeunes que les baby-boomers, se sont ainsi fait doublement avoir : nous n'avons pas vécu une enfance exempte de ces perturbateurs endocriniens, nous privant ainsi d'une base de protection – ou qui, tout au moins, aurait pu nous offrir un minimum de résistance – contre certains d'entre eux. Nous avons plutôt grandi dans un environnement qui provoquait de toutes parts des dérèglements hormonaux, ce qui a fait de plusieurs d'entre nous des gens obèses et mal en point !

Et c'est la combinaison de tous ces facteurs qui me fout complètement la trouille. Une étude s'est penchée sur l'impact des BPC et de la dioxine, deux produits largement détectés dans l'organisme humain. La combinaison de ces deux composés chimiques inflige au foie *400 fois plus* de dommages que la dioxine à elle seule. Il ne reste plus maintenant qu'à multiplier cela par le nombre de composés chimiques présents aujourd'hui dans l'environnement.

Nous devons commencer à nous protéger dès maintenant !

TROP DE BESTIOLES… ET PAS DU MEILLEUR GENRE

L'une des raisons qui nous ont entraînés dans cet enfer truffé de pesticides a été notre désir de nous débarrasser de cette « vermine » qui vivait autour de nous, mais qui nous dérangeait et nous paraissait parfois menaçante. Nous, les membres de l'espèce supérieure, avions sûrement le droit de faire ça, non ? Nous avons tenté de nous débarrasser de chaque bestiole, grande et petite, en particulier de celles qui nous effrayaient, telles que les staphylocoques, la salmonelle et la bactérie *E. coli* avec toute une batterie de produits antibactériens. Nous avons gonflé notre bétail d'antibiotiques. Et nous nous sommes nous-mêmes gavés d'antibiotiques.

Voici la vérité : tenter de se débarrasser de la plupart des bactéries est non seulement inutile, c'est presque dangereux. Selon un article du *New York*

Times, sur les billions de cellules qui se trouvent dans notre corps, *seulement 1 sur 10 est humaine*. Le reste, ce sont des bactéries, des champignons et des protozoaires : en tout, plus de 500 autres espèces de microbes, dont la majorité traîne dans notre estomac.

La plupart de ces bestioles sont en fait bénéfiques à notre organisme : ces « probiotiques » qui vivent dans notre abdomen font partie intégrante du sain fonctionnement de nos systèmes immunitaire et digestif. Mais lorsqu'elles subissent un déséquilibre et que les « mauvaises » bestioles prennent le pas sur les bonnes, les malheurs commencent : mycoses, diarrhées et autres symptômes de troubles intestinaux. Vous pouvez également présenter des allergies alimentaires ou encore succomber à des bestioles vraiment méchantes, comme le *Staphylococcus aureus* (ou staphylocoque doré) résistant à la méthicilline (SARM), une infection qui peut être fatale et qu'on contracte à l'hôpital ou dans d'autres lieux publics.

Vous pouvez même devenir obèse.

Le Dr Nikhil Dhurandhar a inventé le terme « infectobésité » pour décrire le phénomène de l'infection comme une cause d'obésité. Au cours des 20 dernières années, on a rapporté qu'au moins 10 agents pathogènes – virus, bactéries et germes de la flore intestinale – provoquent un gain de poids chez les humains et les animaux.

Les chercheurs de l'Université de Washington ont découvert que lorsque les gens perdaient du poids, la proportion de deux types de germes de la flore intestinale – les *Bacteroidetes* et les *Firmicutes*, qui composent 90 % de la flore intestinale – se modifie. Ces chercheurs croient que notre « écologie microbienne intestinale » pourrait en fait être responsable du nombre de calories que notre corps absorbe à partir des aliments et envoie ensuite aux adipocytes. Ils ont d'abord réalisé une étude sur des souris et découvert que les souris obèses possédaient la moitié moins de *Bacteroidetes* et la moitié plus de *Firmicutes*. Puis ils ont mené une autre étude sur des humains et ont constaté qu'à mesure que les gens perdaient du poids, dans le cadre d'un régime à faible teneur en gras ou d'une diète à faible teneur en glucides, leurs maigres *Bacteroidetes* commençaient à se multiplier et leur gras *Firmicutes*, à diminuer en nombre. Les chercheurs sont d'avis que les bactéries *Firmicutes* aident le corps à absorber davantage de calories, en particulier celles provenant des glucides, et à les envoyer plus directement dans les cellules adipeuses. Mais lorsque les gens perdent du poids, c'est comme s'ils se débarrassaient de ces bactéries en faveur des *Bacteroidetes*, des bactéries plus minces. Ces chercheurs se sont même demandé si certaines personnes n'étaient pas prédisposées à l'obésité parce que, au départ, leurs intestins contenaient une plus forte proportion de *Firmicutes*.

L'ironie de tout ça, c'est que, lorsque vous prenez des antibiotiques pour éliminer une « mauvaise » bactérie, vous vous débarrassez du même coup de « bonnes » bactéries, votre meilleure défense. Il vous faut donc ensuite commencer à rebâtir vos défenses bactériennes, un défi presque impossible à relever lorsque vous vous nourrissez uniquement de ces aliments transformés que les « mauvaises » bactéries adorent. La seule chose à faire est de maintenir un système immunitaire fort et de préserver notre flore intestinale en consommant les aliments qui régénèrent et nourrissent nos bonnes bactéries de manière à contrer l'activité des bactéries négatives. Ce programme vous aidera en vous orientant vers des viandes et des produits laitiers biologiques provenant d'animaux qui ont été élevés sans antibiotiques et en vous évitant, dans la mesure du possible, de médicamenter votre corps à l'excès avec des antibiotiques.

TROP D'HEURES AU TRAVAIL… ET PAS ASSEZ AU LIT

Le stress est à nos hormones ce que la kryptonite est à Superman : même une portion minime peut les dérégler complètement. Si vous demeurez stressé pendant longtemps, vous pouvez faire beaucoup de tort à plusieurs parties de votre organisme, y compris vos glandes. (Pensez seulement à la façon dont j'ai bousillé ma thyroïde par l'excès de cortisol, la privation de calories et un abus général de mon corps, et ce, pendant de longues années.)

Selon le Dr Scott Isaacs, auteur du livre *The Leptin Boost Diet* et gourou reconnu en matière d'hormones, le stress peut causer :

- une résistance à la leptine ;
- une résistance à l'insuline ;
- une baisse des taux d'œstrogènes (en particulier l'œstradiol) chez les femmes ;
- une baisse du taux de testostérone chez les hommes ;
- une réduction de l'hormone de croissance ;
- une augmentation du cortisol ;
- une conversion altérée des hormones thyroïdiennes.

Chacun de ces changements hormonaux ralentira votre métabolisme et vous fera prendre du poids. Combinez-les tous et ajoutez-y tous les problèmes de comportement liés au stress – manger sur le pouce, grignoter de façon compulsive, manger tard le soir, ne pas faire d'exercice, boire trop de café ou d'alcool, même fumer ne serait-ce qu'une cigarette ou deux – et vous verrez que le stress est une source considérable de dérèglement du système endocrinien.

La réduction de ses heures de sommeil est sans doute l'un des symptômes les plus importants – et l'une des principales causes – de dérèglement hormonal. La proportion de jeunes adultes qui dorment de 8 à 9 heures par nuit a diminué presque de moitié au cours des 50 dernières années, passant de 40 % en 1960 à 23 % en 2002. Durant la même période, l'incidence de l'obésité a presque doublé. Coïncidence?

TROP DE SOMMEIL ?

Si vous dormez 10 heures par nuit, vous pourriez être exposé aux mêmes risques hormonaux que les gens qui dorment trop peu. Une étude récente réalisée au Canada a révélé que les gens qui dorment moins de 7 heures ou plus de 9 heures par nuit accusent en moyenne 2 kilos de plus (et sont plus forts de la taille) que ceux qui dorment 8 heures par nuit. Les chercheurs sont d'avis qu'un surplus ou un manque de sommeil altère notre capacité de contrôler notre appétit parce que les deux accroissent le taux de ghréline – l'hormone de la faim – tout en réduisant le taux de leptine, l'hormone de la satiété.

Une étude réalisée à l'Université de Chicago a révélé que lorsqu'un groupe de jeunes hommes réduisaient leurs heures de sommeil pendant deux nuits consécutives, leur taux de leptine – l'hormone de la satiété – chutait de presque 20 % et leur taux de ghréline – l'hormone de la faim – montait en flèche de presque 30 %. Bref, ils sont aussitôt devenus voraces. Leur appétit pour des aliments sucrés (bonbons, biscuits et crème glacée) et des féculents (pâtes et pains) a grimpé de 33 %, alors que leur fringale pour des aliments salés (chips et noix salées) est montée de 45 %. Laissés à eux-mêmes, ces jeunes gens auraient englouti presque deux fois plus de glucides qu'avant le début de l'étude. D'autres travaux de recherche menés à la même institution ont aussi révélé que, lorsque des gens en bonne santé étaient privés de leur capacité de profiter d'un sommeil lent – le moment où le gros de notre hormone de croissance est libéré – pendant seulement trois jours, la capacité de leur organisme à traiter le sucre diminuait de 23 %. En fait, ils étaient devenus résistants à l'insuline en 72 heures à peine.

Nous avons vraiment besoin de repos!

TROP DE PRODUITS PHARMACEUTIQUES... MÊME DANS NOTRE EAU

Les médicaments, c'est un immense marché. Et les compagnies pharmaceutiques sont devenues très créatives dans leurs façons de nous « rendre malades » en prétendant nous guérir de nouvelles maladies liées à notre mode de vie. Que vous soyez triste, anxieux, agressif, surexcité ou que vous soyez en proie à n'importe quelle autre émotion humaine, ils ont un médicament pour vous en débarrasser. Voici mon préféré : le syndrome des jambes sans repos. Franchement ! Et malgré le fait que les femmes ont traversé la ménopause pendant des milliers et des milliers d'années, nous aurions maintenant besoin de médicaments pour franchir cette étape ?

Je peux vous parler d'un médicament que j'ai connu de près et j'en ai payé le prix : l'Accutane. J'ai souffert d'acné lorsque j'étais dans la vingtaine. J'ai fait alors ce que ferait toute jeune fille vaniteuse d'une vingtaine d'années : je suis allée voir un dermatologue pour lui demander de me prescrire de l'Accutane. Je ne connaissais pas les effets que ce produit aurait sur moi ; je voulais seulement me débarrasser de ces éruptions cutanées. Personne ne m'a jamais expliqué à quel point ses effets indésirables pouvaient être graves. Je suis convaincue – bien que ce soit, encore aujourd'hui, l'objet de vives discussions entre mon dermatologue et moi – que si mon taux d'œstrogènes est trop élevé, c'est parce que ce produit a réduit considérablement ma production de testostérone. Et mon endocrinologue est aussi de cet avis ! Pour ajouter l'insulte à l'injure, après avoir pris de l'Accutane, mon visage a été marqué de taches brunes (mélasme). Même s'il est possible que ce problème ait été causé en partie par une sensibilité accrue au soleil, une pigmentation anormale du visage est également un signe incontestable de la prédominance des œstrogènes.

Lorsque vous prenez des contraceptifs ou que vous suivez une hormonothérapie de substitution, vous vous attendez à ce que vos hormones en subissent quelques conséquences, mais qu'en est-il des médicaments pour la peau ? Et ce n'est que le début. Même en oubliant leurs effets hormonaux évidents, il a été démontré que beaucoup de produits pharmaceutiques contiennent aussi des composés chimiques qui dérèglent le système endocrinien. Des antidépresseurs couramment prescrits, les inhibiteurs sélectifs de la recapture de la sérotonine (ISRS), ont été reliés à des taux plus élevés de syndrome métabolique. Une étude menée en France a également indiqué qu'après seulement quatre à six semaines de consommation d'olanzapine, un antipsychotique, des animaux présentaient une augmentation de la glycémie et du gras abdominal.

Une vaste analyse a également révélé que plusieurs types de produits pharmaceutiques causent un gain de poids, dont les suivants :

- anticonvulsivants ;
- antidiabétiques ;
- antihistaminiques ;
- antihypertenseurs ;
- contraceptifs ;
- antirétroviraux du VIH et inhibiteurs de protéase ;
- psychotropes (antipsychotiques, antidépresseurs, stabilisateurs d'humeur) ;
- hormones stéroïdes (telle la prednisone).

Tous ces produits pharmaceutiques pourraient avoir un grave impact sur votre santé hormonale. Parce que notre système de santé ne pense pas de façon holistique, votre médecin peut vous prescrire un médicament pour vous aider à obtenir un résultat donné dans une partie de votre organisme, pendant que dans une autre, il provoque des taux hormonaux totalement dingues. Certaines herbes médicinales, des vitamines et plusieurs suppléments peuvent avoir de puissants effets sur nos hormones. Si votre médecin n'est pas au courant que vous prenez des suppléments et scribouille une autre ordonnance à la sauvette, vous pourriez endommager sérieusement votre système endocrinien.

Vous dites que vous ne prenez jamais de produits pharmaceutiques ni d'autres types de comprimés et que ces perturbateurs du système endocrinien ne vous concernent pas ? Pas si sûr ! Il y a quelques années, l'Associated Press a mené une étude d'envergure sur les systèmes d'alimentation en eau potable de 50 grandes agglomérations métropolitaines aux États-Unis. Elle a découvert que 24 d'entre elles – qui représentaient la consommation en eau potable de 41 millions d'Américains – renfermaient des niveaux discernables de produits pharmaceutiques. Au moins une de ces agglomérations, celle de Philadelphie, avait dans son système d'aqueducs *56 médicaments différents*, dont des antibiotiques, des anticonvulsivants, des stabilisateurs d'humeur et des hormones sexuelles.

Comment tous ces produits ont-ils échoué là ? De plusieurs façons, mais surtout par nos chasses d'eau. Vraiment dégoûtant !

Cette eau de consommation pourrie de médicaments ne provient pas seulement de nos déchets. Le bétail bourré d'hormones ou d'antibiotiques y urine ou y défèque et ces saloperies se retrouvent aussi dans la nappe phréatique. Certaines hormones que l'on donne au bétail peuvent déployer un niveau d'activité biologique de 100 à 1000 fois supérieur à beaucoup d'autres perturbateurs d'hormones présents dans l'environnement.

Les eaux résiduelles sont traitées à plusieurs reprises, mais beaucoup de ces médicaments y demeurent parce qu'aucun système de traitement des eaux usées n'a été conçu pour les éliminer. Seule l'osmose inverse (ou hyperfiltration) peut réussir à éliminer presque tous les résidus pharmaceutiques, mais ne vous imaginez pas que les autorités en place vont bientôt utiliser cette technique : elle est beaucoup trop dispendieuse à grande échelle. (Voilà pourquoi je vous recommande, au chapitre 8, d'installer un filtre à osmose inverse dans votre foyer.)

Personne ne sait exactement comment notre organisme réagira à ces décennies de consommation d'eau médicamentée, mais des tendances inquiétantes se manifestent partout dans la nature. Une étude a notamment révélé que les poissons de rivière qui nagent en aval d'une ferme d'exploitation bovine présentent une activité hormonale quatre fois supérieure à celle des poissons qui nagent en amont.

TROP DE TABAC

Une revue de plus d'une centaine d'études sur les effets hormonaux de la cigarette, réalisée par le *Journal of Endocrinology*, a conclu qu'il s'agissait vraiment d'un ennemi public !

Le tabagisme affecte plusieurs glandes endocrines – votre hypophyse, votre thyroïde, vos surrénales, vos testicules et vos ovaires – en plus de vos poumons, de votre cœur, de votre cerveau et, bien sûr, de toutes les autres cellules de votre corps. Le tabagisme favorise la résistance à l'insuline et le diabète, fait monter vos taux de cortisol et de gras abdominal. Il peut vous rendre infertile et précipiter votre corps dans la ménopause bien avant l'heure. La cigarette représente aussi un énorme facteur de risque pour votre thyroïde : elle peut mener à l'hypothyroïdie parce qu'elle accroît dans votre organisme le taux de thiocyanate,

LES CALORIES : DES CHIFFRES

- Nombre de calories disponibles quotidiennement pour chaque Américain en 1982 : 3200.
- Nombre de calories disponibles quotidiennement pour chaque Américain en 2004 : 3900.
- Nombre moyen de calories consommées quotidiennement par les hommes en 1974 : 2450.
- Nombre moyen de calories consommées quotidiennement par les hommes en 2000 : 2618.
- Rythme auquel une consommation accrue de calories provoque un excès de poids chez les hommes : 0,45 kg tous les 20 jours (env. 8 kg par année).
- Nombre moyen de calories consommées quotidiennement par les femmes en 1974 : 1542.
- Nombre moyen de calories consommées quotidiennement par les femmes en 2000 : 1877.
- Rythme auquel une consommation accrue de calories provoque un excès de poids chez les femmes : 0,45 kg tous les 10,5 jours (env. 16 kg par année).

reconnu comme goitrogène (une substance qui provoque une croissance du goitre). Si vous souffrez déjà d'hypothyroïdie, la cigarette réduit encore davantage les sécrétions de votre thyroïde.

Même si chacun d'entre nous connaît les effets de la cigarette, je rencontre encore des jeunes de 20 ans qui fument comme des cheminées et me disent : « Je ne peux pas cesser de fumer ; je ne veux pas devenir gros ! » (En fait, une enquête menée auprès de 4000 femmes pour le compte du magazine *Self* a révélé que 13 % d'entre elles fument pour perdre du poids.)

J'ai des petites nouvelles pour vous : la cigarette *vous fait engraisser.* Et vous fait vieillir prématurément. Et vous enlaidit. Oh, et peut-être aussi… cause votre mort. Quand même pas le secret de la beauté éternelle !

Est-ce qu'il faut vraiment tout recommencer ? Pour la dernière fois, mes amis, cessez de fumer. Ce n'est pas parce qu'on voit une star de cinéma fumer comme une défoncée à une terrasse que le tabagisme est le secret de son régime minceur. La cigarette fait entrer dans votre corps un nombre incroyable de produits polluants qui non seulement ne vous aident pas à perdre du poids, mais au contraire vous font engraisser.

Arrêtez !

TROP, UN POINT C'EST TOUT !

La dernière raison pour laquelle nos hormones sont résolument en voie d'effondrement est souvent citée comme l'une des causes de notre excès de poids : « l'environnement obésitogène ». Oui, il est indéniable que nous nous débattons dans un environnement conçu pour que nous devenions gros et le demeurions. Les portions dans les restaurants ont augmenté dans une proportion allant jusqu'à 500 % depuis les années 1970. En moyenne, nous consommons chacun 10,5 kilos de sucreries et buvons 132 litres de boissons gazeuses chaque année. Ajoutons à cela les télécommandes, l'absence d'exercice, les 5 millions de chaînes télévisées, la dépendance à Internet, les services au volant, les longs trajets pour se rendre au boulot et en revenir, les semaines de travail prolongées, un univers où tout est surdimensionné… D'accord, je vous vois déjà commencer à vous assoupir.

Vous avez déjà entendu ça.

Vous êtes au courant de tout ça.

Vous avez tout lu sur les portions démesurées et tous les pièges que nous tend l'industrie alimentaire depuis des années.

Mais nous ne devons pas considérer cette épidémie de « toujours trop » simplement comme les symptômes inoffensifs de nos appétits supposément insatiables. Je veux que vous envisagiez ces excès caloriques comme autant de perturbateurs endocriniens sanctionnés par la grande entreprise qui en tire des profits considérables et comme un phénomène aussi dangereux et aussi terrifiant que le sont les pesticides et les produits pharmaceutiques que j'ai évoqués plus haut. Je veux que vous considériez la malbouffe surdimensionnée et hypergonflée comme une chose qui confine au grotesque, tout comme le serait l'idée d'avaler un plein verre d'œstrogène qui aurait coulé de votre robinet. Nous devons voir ces énormes portions comme le poison qu'elles sont afin de prendre conscience qu'en les réduisant, nous ne nous privons pas ; nous évitons simplement un grand trou noir plein de toxines dans notre environnement.

Car nous *pouvons* nous défendre. Partout, il y a des indices encourageants de la façon dont nous pouvons changer cette marche de zombies vers la friteuse pleine de gras. Une étude a révélé que si, dans les écoles, on offrait aux jeunes de la quatrième à la sixième année une alimentation plus saine (et qu'on les récompensait pour cela), qu'on limitait la disponibilité des boissons gazeuses et de la malbouffe et qu'on offrait chaque année 50 heures de cours de nutrition (qui figureraient au programme), on réduirait de 50 % le nombre de jeunes atteints de surpoids, par rapport à une école qui ne prendrait aucune de ces mesures.

Si on peut le faire à l'école, vous pouvez le faire chez vous. Éliminez les boissons gazeuses, informez-vous sur la saine alimentation – par exemple, en lisant ce livre! – et portez ce plan jusqu'à l'étape où votre métabolisme et vos hormones commenceront à travailler pour vous plutôt que pour ces marchands de poison de l'industrie alimentaire.

OK, LES GARS, PAS DE PANIQUE

Quand on considère tous ces facteurs mis ensemble, il est quand même incroyable que tout le monde ne soit pas atteint d'obésité morbide. Nous sommes engagés dans un véritable combat, il n'y a pas à en douter. Mais une fois que nos yeux se seront dessillés, alors nous commencerons à voir les choses différemment. Chaque changement que vous adopterez aura une influence positive sur le fonctionnement de votre système endocrinien et entraînera à son tour d'autres changements positifs. Bientôt, votre système endocrinien sera beaucoup plus sain et mieux équilibré. La preuve, c'est d'abord que vous perdrez du poids. Voyons maintenant comment nous pouvons réaliser cela.

CHAPITRE 4

COMMENT FONCTIONNE LE RÉGIME

UN APERÇU DU PROGRAMME RETIRER / RESTAURER / RÉÉQUILIBRER QUI REMETTRA À NEUF VOTRE MÉTABOLISME

Maintenant que vous connaissez l'ennemi, vous avez peut-être envie de jeter la serviette en disant: «Je laisse tomber. Les dés sont pipés. Je n'ai aucune chance!»

Tenez bon, vous pouvez réussir.

Ce qu'il vous faut, c'est un plan, un moyen systématique de repousser les assauts portés à votre système endocrinien, peu importe d'où ils viennent. Une approche scientifique qui vous aidera à remettre vos hormones à un niveau optimal, qui vous permettra de recouvrer la santé et de réorienter votre métabolisme vers la tâche pour laquelle il a été conçu: éliminer les calories et évacuer les graisses.

Comment allons-nous faire ça? Très simplement, en fait. Nous allons y arriver en trois étapes. Vous allez retirer les toxines de votre alimentation et de votre environnement, restaurer les nutriments dans votre régime alimentaire et rééquilibrer l'énergie qui entre et sort de votre corps. À elles seules, ces trois étapes constituent ce dont la plupart des gens ont besoin pour activer les hormones qui éliminent les gras, assagir celles qui les accumulent et transformer votre corps en une machine dégraissée et efficace.

ÉTAPE 1 : RETIRER

Au chapitre 3, nous avons évoqué les quantités absolument terrifiantes de produits toxiques présents dans nos aliments et notre environnement. Nous avons vu comment certaines de ces toxines ont détraqué notre système endocrinien, endommagé notre métabolisme, nous ont rendus malades, nous ont fait paraître plus vieux et sentir moins énergiques et, surtout, comment elles nous ont fait prendre du poids. Nous devons nous éloigner le plus possible de ces saloperies ! Quand on songe aux dizaines de milliers de produits chimiques qui se trouvent déjà sur les étagères de nos marchés d'alimentation et aux 2000 autres qui s'y ajoutent chaque année, il nous faut dès maintenant en éliminer le plus possible de notre régime alimentaire et de notre vie, et ne jamais dévier de cette résolution.

Cette première étape vous mènera à votre cuisine et à votre garde-manger afin de vous aider à vous débarrasser des principaux coupables. Vous avez sûrement déjà entendu parler de certains d'entre eux. Sirop de maïs (ou sirop de glucose) à haute teneur en fructose ? Dehors ! Huiles hydrogénées ? Dehors ! Mais nous allons aussi mentionner certains autres aliments qui nous paraissent sympathiques, mais qui font bel et bien du tort à nos hormones. (Qui croirait que les « épices » puissent être mauvaises ?)

Une fois que nous aurons éliminé toutes ces saletés de votre alimentation – tous ces aliments qui incitent vos hormones à accumuler le gras –, nous pourrons alors recommencer à neuf avec des aliments qui activeront vos hormones éliminatrices de gras. Et c'est là que nous en arrivons à l'étape 2.

ÉTAPE 2 : RESTAURER

Avant que vous commenciez à penser que ce régime est avant tout composé de choses que vous ne pouvez pas manger, voici une bonne nouvelle. Je veux que vous mangiez, ainsi que la nature a toujours voulu que nous mangions. Mais surtout, je veux que vous mangiez des aliments qui vont activer votre métabolisme. Vous allez consommer des aliments qui vont ranimer, nourrir et soutenir chaque cellule de votre organisme de manière que votre corps puisse travailler pour vous et non contre vous. Traitez bien votre corps et il vous traitera bien à son tour. Et je vous promets une chose : après deux semaines de ce régime, vous ne voudrez plus jamais revenir à ces horreurs transformées et chargées de produits chimiques.

Pour utiliser les mots de Michael Pollan, l'auteur du livre *The Omnivore's Dilemma*, ce qui est important, c'est de « manger des aliments ». C'est tout ! Des aliments simples, vrais, produits de façon naturelle. Des aliments qui existent sur cette planète depuis des dizaines de milliers d'années. Autrement dit, pas des aliments dont l'étiquette dit : « Nouvelles saveurs incroyables ! » À part ces minuscules et agaçants timbres qui restent constamment collés aux fruits et aux légumes, vous ne verrez pas beaucoup d'étiquettes dans ce régime.

Si je devais résumer cette deuxième étape en une seule phrase, ce serait la suivante : « Si ça n'a pas de mère et que ça ne pousse pas dans la terre, n'y touchez pas. » Les Cheetos n'ont pas de mère et je ne sais pas si c'est votre cas, mais je ne me souviens pas d'avoir vu dans mon enfance un arbre à Cheetos dans ma cour.

Comment on fait ça ? L'essentiel de la deuxième étape est très simple, en fait, et vous en avez sûrement déjà beaucoup entendu parler : MANGEZ BIOLOGIQUE. Bien que même les aliments biologiques ne soient pas purs à 100 %, ils sont de loin notre meilleure défense contre les perturbateurs endocriniens qu'on trouve couramment dans notre chaîne alimentaire.

J'entends déjà certains d'entre vous ronchonner. « Bien sûr Jillian, c'est facile à dire pour toi ! Tu as l'argent pour le faire. J'aimerais bien pouvoir me permettre de manger biologique. » Je vais vous dire une chose : vous avez l'argent. Si vous consacrez 100 $ par semaine à votre alimentation, vous avez ce qu'il faut. Cessez de dilapider votre pécule dans les petits magazines à potins et la camelote dont vous n'avez pas besoin et investissez dans votre santé. Ce que nous cherchons, ce n'est pas la perfection mais l'effet maximal. Voilà pourquoi je vais partager avec vous des tas de trucs sur la façon dont on peut manger bio avec un budget limité, vous indiquer quels sont les délinquants chimiques les plus importants de notre chaîne alimentaire et vous montrer comment, en les retirant de votre régime alimentaire, vous allez dans les faits économiser beaucoup d'argent, des dollars que vous allez réinvestir directement dans l'achat de produits biologiques.

Vous consommerez des aliments simples, véritables et naturels. Des fruits et des légumes cultivés de façon biologique. Du bœuf nourri avec de l'herbe. Du poulet biologique. Du poisson pêché dans la mer. Des céréales à grains entiers. Des noix, des haricots, des graines. Ce sont là des aliments que votre corps reconnaîtra comme si vous en aviez toujours mangé. En fait, votre corps sait ce qu'il doit faire avec la moindre particule de ces aliments, quels nutriments il doit envoyer dans telle ou telle partie du corps et, surtout, quels aliments activent (ou désactivent) quelles hormones. Ces aliments sont faits pour votre corps.

Imaginez que vous avez passé toute votre vie à parler une langue. Elle vous permet de lire, de raconter des blagues, de chanter des chansons. Vous la parlez couramment. Puis un jour, vous vous réveillez : tout le monde parle une autre langue et personne ne comprend plus un mot de ce que vous dites. Vous ne pouvez tout simplement plus communiquer.

Manger de faux aliments, c'est comme gaver votre corps d'un charabia sans queue ni tête en espérant qu'il vous comprenne. Votre corps veut comprendre les aliments que vous lui donnez. Il le voudrait bien, mais il ne le peut pas. Alors il est forcé de « faire avec », de créer des voies de contournement, d'omettre quelques phrases, de faire des signaux désespérés avec la main. Et bien qu'il fasse de son mieux, votre corps ne parlera jamais couramment le langage des faux aliments. Toutes ces voies de contournement finiront donc par s'entremêler jusqu'à faire de votre biochimie un immense bordel. Et ce qui en restera, c'est une incapacité à communiquer. Et cette incapacité se manifeste par le vieillissement prématuré, la maladie, l'obésité, la dépression et bien d'autres choses encore.

En restaurant ce qui doit l'être, on simplifie la conversation. On devient compétent dans le langage du corps et on comprend véritablement les signaux qu'il nous envoie. Votre corps dira : « Oh, je comprends ! Je dois maintenant cesser de manger ! » Ou : « D'accord. Maintenant, je dois éliminer ces calories, pas les emmagasiner. » Lorsque vous restaurez de véritables aliments dans votre régime alimentaire, vous parlez directement à vos gènes et à vos hormones et vous les incitez à faire ce pour quoi ils ont été conçus : maintenir votre poids et votre santé globale, et ajouter à votre vie des années de qualité.

ÉTAPE 3 : RÉÉQUILIBRER

Comme je l'ai déjà souligné, je veux que vous mangiez. Vraiment. Trois repas complets et une collation. C'est seulement de cette façon que vous allez convaincre vos hormones qu'elles n'ont pas à s'accrocher à leurs réserves de gras au cas où il y aurait une famine.

Une fois que vous consommez des aliments que votre corps reconnaît et qu'aucun de ces malheureux perturbateurs endocriniens ne vient duper vos hormones pour les inciter à empiler des réserves de gras, votre corps doit savoir qu'il continuera à être nourri abondamment. Qu'il n'y a pas de pénurie à l'horizon. Qu'en aucune façon il ne va manquer de nourriture.

Mais avant d'aller vous empiffrer, rappelez-vous une chose. Je l'ai dite un million de fois et je la répète : comptez vos calories.

Cela dit, vous êtes-vous déjà arrêté deux secondes pour songer au nombre incroyablement bas de calories qu'il y a dans les vrais aliments ? Pomme : 76 calories environ. Poitrine de poulet : 142 calories environ. Tête de brocoli (oui, une tête complète) : 135 calories environ.

Comparons maintenant ces 90 grammes de poulet avec, disons, 90 grammes de Cheetos : 480 calories. Cette « collation » comprend 30 grammes de gras, 45 grammes de glucides et plus du tiers de votre consommation quotidienne de sel ainsi qu'une bonne demi-douzaine de perturbateurs endocriniens confirmés.

Faut-il vraiment se surprendre que le corps humain soit incapable de reconnaître ce genre de « nourriture » ? Il n'y a pratiquement rien là-dedans que notre corps puisse reconnaître. C'est donc dire qu'avec les faux aliments, non seulement nous emplissons notre corps de calories en trop, mais nous envoyons aussi à nos hormones toutes sortes de signaux contradictoires qui multiplieront de façon exponentielle les effets caloriques de ces produits.

Lorsque vous aurez rééquilibré votre régime alimentaire, vous constaterez que de manger toutes les quatre heures durant une journée est ce qu'il y a de mieux pour votre corps. Nous allons même aborder dans cet ouvrage à quels moments vous devriez prévoir votre premier et votre dernier repas de la journée afin d'obtenir le potentiel optimal d'élimination des graisses en tenant compte des fluctuations hormonales qui se produisent tôt le matin et tard en soirée. Et vous apprendrez aussi que le fait de manger avant d'avoir faim fera en sorte que votre métabolisme ronronnera comme une machine bien huilée. Écouter son corps et cesser de manger avant que son estomac soit rempli deviendront de plus en plus faciles avec le temps. Et, au bout du compte, vous découvrirez que le fait d'être « plein » n'est ni confortable ni agréable. Et qu'un régime alimentaire composé de véritables aliments n'exclut aucun nutriment – glucides, gras ou protéines – parce que l'équilibre hormonal (sans parler d'une perte de poids efficace, sécuritaire et permanente) n'est possible que lorsque *tous* les nutriments sont présents et pris en compte.

Voilà qui couvre la portion « énergie entrante » de l'étape du rééquilibrage. Mais qu'en est-il de la portion « énergie sortante » ? Vous savez à quel point je crois à l'exercice. Je suis une vendeuse entêtée, c'est vrai ; je plaide coupable.

Mais l'énergie sortante dont je parle est une énergie différente. Je pourrais l'appeler « énergie métaphysique », mais je ne veux pas paraître trop nouvel âge. Alors décrivons-la simplement comme l'énergie dont vous disposez pour faire les choses que vous avez envie de faire dans la vie. Comment utilisez-vous cette énergie ? Comment protégez-vous cette énergie ? Comment cette énergie affecte-t-elle votre famille et vos amis ? votre boulot ou votre vie amoureuse ? Comment faites-vous pour recharger et rééquilibrer cette énergie ? Vous seriez sans doute étonné d'apprendre à quel point l'utilisation de votre énergie personnelle affecte vos hormones et votre métabolisme. Le temps que vous passez à dormir, celui que vous passez à vous stresser, à paniquer et à vous arracher les cheveux, le temps que vous passez à être écrasé sur vos fesses à ne rien faire ; tous ces choix que vous faites quant à la façon de rééquilibrer vos réserves d'énergie affectent directement votre équilibre hormonal, votre poids et votre vie entière.

Je sais que vous voulez réussir à rééquilibrer tout cela. Nous le voulons tous. Et grâce à l'information contenue dans ce livre, vous le pourrez.

DEUXIÈME PARTIE

LE MAÎTRE-PLAN

CHAPITRE 5

ÉTAPE 1 : RETIRER

ÉLIMINEZ LES ANTINUTRIMENTS QUI STIMULENT VOS HORMONES ACCUMULATRICES DE GRAS

Votre pauvre corps erre au hasard à la recherche de produits nutritifs dans cet environnement rempli d'aliments toxiques. Si votre volonté ne suffit pas à soutenir vos efforts afin de perdre du poids, c'est parce qu'il y a trop de brouillage : le trop grand nombre d'additifs et d'aliments transformés a détraqué la chaîne alimentaire et embrouillé le métabolisme normal de votre corps.

Voilà pourquoi je me permets de résumer à nouveau ce régime complet en une seule phrase : « Si ça n'a pas de mère et que ça ne pousse pas dans la terre, n'y touchez pas. »

Je suis sûre que les gens de la PETA[8] vont me courir après à ce sujet-là. Mais je ne blague pas. Je parle d'aliments entiers. D'aliments qui se présentent tels que la nature l'a voulu, avant qu'on les envoie dans un laboratoire de chimie et qu'ils deviennent impossibles à déchiffrer pour notre corps.

Auparavant, mon régime alimentaire ressemblait à peu près à ceci :

- Petit déjeuner : barre protéinée à faible teneur en glucides, café avec NutraSweet.
- Collation : Coca-Cola diète.
- Repas du midi : Coca-Cola diète, deux tranches de « pain » blanc à faible teneur en glucides avec trois tranches de dinde pressée.

---

8. NDT : PETA : People for the Ethical Treatment of Animals ; cette association de défense des droits des animaux possède des sections dans plusieurs pays du monde.

- Collation : Coca-Cola diète, fromage fondu sans gras avec craquelins « minceur ».
- Repas du soir : poulet non biologique bourré d'antibiotiques et légumes non biologiques.

Après avoir pris connaissance de ce menu à vous mettre l'eau à la bouche, croyez-vous que mon corps me disait : « Oh, génial ! Je viens tout juste d'absorber des tonnes de gras trans, de polyols, de sirop de maïs à haute teneur en fructose, de nitrates, d'antibiotiques, de pesticides et d'édulcorants artificiels. Je sais exactement ce qu'il faut faire avec tout ça. Je vais m'en servir pour bâtir des muscles sains et adoucir ma peau ! » ?

Non, bien sûr. Quand je consommais cette constellation apparemment comestible de produits chimiques, mon corps était dans le brouillard. Cette « nourriture » était carrément une matière étrangère. Vérifiez seulement la liste des ingrédients de la barre protéinée :

MÉLANGE PROTÉINÉ : (pépites de protéines de soja [extraits de protéines de soja, fécule de riz, farine de riz brun], extraits de protéines de lactosérum, caséinate de calcium), enrobage de yogourt (maltitol, lactitol, huile de palmiste, caséinate de calcium, poudre de yogourt sans gras, huile de palme, lécithine de soja, colorant de dioxyde de titane, oligofructose, fructose, acésulfame K), maltitol, morceaux de citron (inuline, huile de palmiste fractionnée, fibres d'avoine, huile d'agrumes, acide citrique, lécithine de soja, acésulfame K), extraits de curcuma (colorant), glycérine, beurre de cacao, saveur naturelle et artificielle, vitamines et minéraux (phosphate dicalcique, oxyde de magnésium, acide ascorbique, acétate d'alpha tocophérol, niacinamide, oxyde de zinc, dextrose, gluconate de cuivre, D-pantothénate de calcium, palmitate de vitamine A, hydrochloride de pyridoxine, mononitrate de thiamine, riboflavine, acide folique, biotine, iodide de potassium, sélénite de sodium, cyanocobalanine), huile de tournesol à haute teneur en acide oléique, gomme, matière sèche de sirop de maïs, acide citrique, lécithine de soja, sorbate de potassium, sucralose, peut contenir des traces d'arachides et/ou de noix.

Impressionnant, non ? Toute une prouesse de la chimie moderne. (Il est amusant de constater que l'avertissement allergène au sujet des arachides et des noix concerne deux des quelques rares aliments entiers figurant dans cette liste.)

Votre corps ne bondit pas de joie à l'idée d'ingérer cette petite bombe de composés chimiques toxiques. Il se gratte la tête en se disant : « Mais qu'est-ce que c'est que cette m… ? Bon, je pense que je vais faire… *ceci.* »

Et « ceci », la réaction spontanée de votre corps, finit *toujours, toujours* par être une mauvaise nouvelle pour vos hormones.

La barre protéinée en est un bon exemple. Mais on retrouve le même nombre de produits transformés et d'ingrédients chimiques – et parfois bien plus – dans d'autres aliments dits « santé » tels que céréales, pains, soupes, gaufres et autres substituts de viande à base de soja. Combien de fois vos yeux se sont-ils épuisés à tenter de déchiffrer une liste d'ingrédients comprenant des douzaines de syllabes ?

Quelques fabricants font de leur mieux pour tenter de briser ce cycle en utilisant moins d'ingrédients et plus de produits naturels. Mais dans l'ensemble, pour échapper à l'infestation chimique et à la dévastation hormonale de notre chaîne alimentaire, nous devons simplement dire : « NON ! »

C'est pourquoi la première partie de ce régime doit porter sur ce que nous devons retirer de notre régime alimentaire. Si vous ne sortez pas certaines de ces saloperies de votre système, aucun aliment sain et entier ne réussira à y provoquer un effet bénéfique.

Et que faut-il retirer, au juste ? Il faut d'abord dire non aux aliments transformés. Pas de composés chimiques ni de glutamate monosodique (MSG). Pas de gras trans. Pas d'édulcorants artificiels. Pas d'additifs qui « épaississent » ou « stabilisent » ou altèrent de quelque façon la texture ou la fraîcheur des aliments. Vous allez apprendre à vous débarrasser des aliments qui empêchent l'activation des hormones favorisant la perte de poids. Vous allez aussi apprendre quels aliments provoquent une activation rapide des hormones responsables du gain de poids. Nous allons retirer, ou tout au moins réduire, quelques aliments entiers qui tendent à malmener nos hormones, même s'ils poussent dans la terre.

Jetons un coup d'œil à certains des antinutriments les plus communs de la chaîne alimentaire, ceux qui perturbent le plus violemment la biochimie naturelle de votre corps. Les grandes entreprises alimentaires ont carrément créé une véritable dépendance à quelques-uns de ces antinutriments. Voilà pourquoi je veux vous donner autant de raisons que possible d'y résister.

LES ALIMENTS TRANSFORMÉS : UN NON RETENTISSANT !

Nous sommes des gens occupés. Nous n'avons pas le temps de cuisiner, encore moins d'aller tous les jours au marché. Nous avons tant de choses à faire ! Alors nous nous disons : « Il faut faire des réserves, acheter en grosses quantités, faire les courses seulement une fois par semaine. »

C'est ainsi que les aliments transformés se sont emparés de la chaîne alimentaire : les grandes entreprises ont trouvé un moyen hautement rentable de profiter de notre manque de temps. Et Dieu sait que nous en payons le prix !

Un aliment traité est un aliment – n'importe lequel – qui a été mis en conserve, congelé, déshydraté ou auquel on a ajouté des composés chimiques pour le faire durer plus longtemps, lui conserver sa texture, l'assouplir et lui permettre de traîner sur les rayons des magasins jusqu'à la fin des temps, ou presque. Certains aliments traités – comme les légumes congelés ou coupés au préalable – peuvent être une vraie bénédiction. Bien sûr, la solution idéale serait d'acheter des fruits et des légumes de saison directement du producteur à un marché local, mais je suis réaliste et ces aliments entiers, même traités, nous aident à suivre la bonne voie.

Ce dont je parle ici, c'est des aliments transformés faits de céréales raffinées, d'huiles végétales et de sucres ajoutés qui composent presque 60 % de notre régime alimentaire. Nous allons nous débarrasser de ces produits qui contiennent des composés chimiques bon marché et qui diluent l'apport nutritionnel des aliments entiers, moins rentables pour l'industrie. Et ça, c'est la plupart des aliments traités que nous mangeons !

En lisant cette section, je veux que vous vous munissiez d'un sac à ordures, que vous fassiez le tour de votre cuisine, dont votre réfrigérateur, et que vous jetiez ces produits. Vous avez peut-être lu dans certains articles de magazines : « Débarrassez-vous de tel type d'aliments et donnez-les à une soupe populaire ou à un refuge de sans-abri. » Oubliez ça ! *Personne* ne devrait avoir à manger ces produits.

Je veux qu'un lien mental se fasse dans votre esprit selon lequel ces produits sont empoisonnés et ont un effet épouvantable sur votre corps ou sur celui de n'importe qui. Oui, vous les avez payés, mais pourrez rattraper ces pertes, alors empêchez quiconque de s'empoisonner. JETEZ-LES.

ANTINUTRIMENTS N^{O} 1 : LES GRAS HYDROGÉNÉS

S'il existe une catégorie alimentaire malsaine dans le monde, c'est bien celle des gras hydrogénés ! Conçus pour le bénéfice de l'industrie des aliments transformés, les gras hydrogénés permettent à des « aliments » tels que les chips, les craquelins, les biscuits, les tartes et le pain de demeurer éternellement sur les tablettes et de conserver ainsi leur « fraîcheur ». Je ne sais pas, mais n'y aurait-il pas quelque chose de tordu dans le fait qu'un biscuit puisse être mangé des années après qu'il a été produit ? *Le simple bon sens nous amène à répondre OUI à cette question.*

Les gras hydrogénés sont produits lorsqu'un gras naturel, par exemple de l'huile de maïs ou de l'huile de palme, est exposé à de l'hydrogène pour ainsi transformer le liquide en solide à la température ambiante. Plus que tout autre type de gras – y compris les gras saturés –, les gras hydrogénés font augmenter vos taux de LDL (le « mauvais » cholestérol) et de triglycérides et diminuer votre taux de HDL (le « bon » cholestérol). Ils réduisent également la taille de vos particules de LDL, ce qui les rend plus susceptibles de coaguler, augmentant ainsi de façon radicale les risques d'infarctus. *Une simple augmentation de 2 % d'acides gras trans dans votre régime alimentaire accroît de 23 % les risques de maladies cardiovasculaires.* Une consommation excessive d'aliments frits – qui comprennent aussi des gras trans – peut accroître de 25 % les risques de syndrome métabolique.

Les gras trans augmentent également les risques d'inflammation. Les gens qui consomment plus de gras trans présentent dans leur sang un taux plus élevé d'interleukine 6, une substance semblable à une hormone qui a été liée au durcissement des artères, à l'ostéoporose, au diabète de type 2 et à la maladie d'Alzheimer. Des recherches menées sur des animaux ont également indiqué que les inflammations attribuables à l'interleukine 6 incitent le foie à cesser de répondre à l'hormone de croissance et les muscles à s'amollir, affectant du même coup le métabolisme. Clairement pas l'effet que nous recherchons.

Si vous consommez régulièrement des gras trans, il est presque certain que vous aurez des problèmes cardiaques. Une revue de plus de 80 études réalisée par le *New England Journal of Medicine* a conclu que les gras trans sont plus dangereux pour la santé que n'importe quel agent de contamination alimentaire, même lorsqu'ils ne représentent que de 1 à 3 % de votre apport calorique. Les auteurs ont conclu qu'il suffit de **20 à 60 calories quotidiennes provenant de gras trans artificiels pour nuire à votre santé**. Et vous savez comment il se fait que l'industrie des chips et des craquelins réussit à annoncer sur ses emballages que ses produits ne contiennent pas de gras trans ? C'est que les fabricants ont le droit d'affirmer cette prétention si une portion contient moins de 500 milligrammes de gras trans. Quelques portions supplémentaires de votre margarine ou de vos biscuits « sans gras trans » et vous franchirez très rapidement la limite de 20 calories !

Conseil hormonal : *Il n'y a pas de limite sécuritaire à la consommation de ces produits. Jetez absolument les aliments qui portent sur l'étiquette la mention « shortening » ou « huile partiellement hydrogénée », peu importe leur provenance – palme, maïs, soja –, car ils contiennent toujours des gras trans.*

On trouve également dans certaines viandes de faibles quantités de gras trans créés dans le ventre des vaches, des moutons et des chèvres. Mais ne vous en faites pas avec ça : ce sont généralement des amis. Ces gras trans provenant de ruminants sont loin d'être aussi dangereux que ceux qui sont produits de façon industrielle et ils peuvent même être bénéfiques pour la santé. Certaines recherches donnent à penser que l'un d'entre eux, l'acide linoléique conjugué (ALC), peut même réduire les risques de cancer du sein, de la prostate, de l'intestin, du poumon et de la peau, en plus de réduire le gras corporel et de favoriser la croissance des muscles. (Il est toutefois important de noter que les avantages de l'ALC sous forme de supplément alimentaire n'ont pas été démontrés. En fait, plusieurs études ont établi un lien entre les suppléments d'ALC et un accroissement des risques de résistance à l'insuline. Alors, de grâce, ne consommez pas de tels suppléments.)

Conseil hormonal : *Choisissez toujours des viandes et des produits laitiers biologiques provenant d'animaux nourris au fourrage. Les vaches nourries exclusivement au fourrage produisent du lait et de la viande contenant 500 % plus d'ALC que celles nourries au grain. (Nous allons aborder abondamment cette question au chapitre 6 et évoquer beaucoup d'autres raisons d'opter pour des produits biologiques.)*

ANTINUTRIMENTS Nº 2 : LES CÉRÉALES RAFFINÉES

Vous vous rappelez mon exhortation à ne manger que des aliments qui ont une mère ou qui poussent dans le sol ? Les céréales entrent dans cette définition… sauf si elles ont été raffinées. En raffinant les céréales, on prolonge leur vie sur les tablettes des marchés d'alimentation en en retirant le son et les germes et, du même coup, presque tous les fibres, vitamines et minéraux qu'elles contiennent à l'origine. Les vitamines du groupe B – thiamine, riboflavine, niacine et acide folique, entre autres – et le fer qui disparaissent dans l'opération doivent être restaurés, ce qui donne des produits « enrichis ». Les seules bénéficiaires de ce procédé sont les grandes entreprises, qui peuvent ainsi prolonger la durée de ces céréales raffinées en y ajoutant des sucres, du sel, des gras et des produits chimiques, pour ensuite empocher les économies ainsi réalisées.

Les céréales raffinées, qu'on trouve dans les pâtes ordinaires, les tortillas faites de farine blanchie, le riz blanc et le pain blanc, sont dépourvues de beaucoup des nutriments sains et présentent un inconvénient de première importance : parce qu'elles sont si faciles à digérer, elles provoquent une hausse en flèche du taux de sucre dans le sang et des poussées d'insuline extrêmement élevées. Avec le temps, ces poussées répétées mènent à la résistance à l'insuline, voire au diabète. Les gens qui ne consomment jamais de grains entiers présentent 30 % plus de risques de souffrir du diabète que ceux qui mangent seulement trois portions de grains entiers par jour.

Une étude, parue dans le *Journal of Clinical Nutrition*, a démontré que, par rapport à ceux qui consomment des grains entiers, les gens qui mangent des céréales raffinées présentent un taux plus élevé de presque 40 % de protéine C réactive, un indice d'inflammation chronique et profonde des vaisseaux sanguins, associée à l'infarctus et à l'AVC. Et il ne fait pas de doute que ces céréales raffinées vous font prendre du poids. Ces glucides à digestion rapide sont tellement faciles à avaler et si peu bourratifs qu'on est souvent incapable de s'arrêter avant d'avoir atteint le fond du sac.

Le maïs et le blé figurent parmi les pires coupables des problèmes liés à l'insuline. La disponibilité des farines de maïs et d'autres produits céréaliers a presque doublé au cours des 30 dernières années et celle des produits issus du blé a augmenté de plus de 20 %. Par ailleurs, la disponibilité de l'orge, une pure merveille sur le plan nutritionnel, a diminué du tiers. Loin des maigres atouts nutritionnels du maïs, l'orge contient plus de 13 grammes de fibres pour

LE GUIDE DES GRAS

Vous voulez vous débarrasser de votre graisse corporelle ? Consommez un peu plus de gras. C'est vrai : les vieux dogmes à propos de la réduction des gras alimentaires ont peu à peu perdu de leur crédibilité. Ce n'est pas trop tôt. Les régimes à faible teneur en gras et riches en glucides ont semé la pagaille dans notre système hormonal.

TYPES	ACTION / AVANTAGES	BONS OU MAUVAIS
Acides gras monoinsaturés	Ces gras élèvent votre taux de HDL (lipoprotéines de haute densité), le « bon » cholestérol. À mesure que votre HDL augmente, les risques de maladies cardiaques diminuent. Les gras insaturés font aussi baisser votre taux de LDL (lipoprotéines de basse densité), le « mauvais » cholestérol qui augmente les risques de maladies cardiaques.	Généralement bons.
Acides gras polyinsaturés : oméga-6	Ces gras abaissent à la fois vos taux de HDL et de LDL. Bien qu'ils aient été considérés pendant longtemps comme sains pour le cœur, plusieurs sources de ces gras (comme le maïs) présentent de fortes teneurs en acides gras oméga-6, lesquels sont susceptibles de créer des éicosanoïdes, des composés chimiques semblables à des hormones qui peuvent causer une inflammation et du tort aux vaisseaux sanguins.	Certains bons, d'autres mauvais.
Acides gras polyinsaturés : oméga-3	Ces gras abaissent à la fois vos taux de HDL et de LDL. Les acides gras oméga-3 sont extrêmement bénéfiques et il est démontré qu'ils réduisent les risques d'inflammation, de maladies cardiaques et d'infarctus, en plus d'être prometteurs pour le traitement d'autres problèmes de santé tels que le diabète et le trouble bipolaire.	Génial ! Les meilleurs gras qui soient !
Gras saturés	Ces gras élèvent votre taux de LDL, mais aussi celui du HDL. Certains chercheurs croient que les gras saturés sont loin d'être aussi dangereux qu'on l'a déjà pensé parce que leurs effets sur le LDL et le HDL s'annulent.	Bons lorsque consommés modérément.
Gras trans de production industrielle	Parmi plusieurs effets indésirables, ces gras élèvent le taux de LDL, abaissent le taux de HDL et augmentent les risques d'inflammation.	Mauvais en toutes circonstances.
Gras trans de source animale	Le jury délibère toujours. Ces gras peuvent réduire le gras corporel, le taux de LDL, le cholestérol total et les triglycérides. Mais ils peuvent également accroître la résistance à l'insuline et les risques de stéatose hépatique. Ce qui est clair, c'est que ce type de gras trans provenant de ruminants est loin d'être aussi dangereux que celui qui est produit de façon industrielle.	Certains bons, d'autres mauvais.

LE GUIDE DES GRAS *suite*

Nous avons besoin de gras pour penser, grandir et absorber des vitamines et des antioxydants essentiels. Le gras donne de la saveur aux aliments et nous aide à atteindre la satiété. Les gras sains sont bons pour notre cœur et nourrissent notre cerveau. Voici les meilleurs choix ainsi qu'une liste des produits à éviter.

FORMES	SOURCES
Les gras monoinsaturés sont mous à la température ambiante mais durcissent au frigo.	**Meilleur choix :** huile d'olive extravierge *Autres sources* : amandes, arachides, avocats, huile d'arachide, huile de canola, huile de sésame, huile d'olive, noix de cajou, noix de macadamia, pacanes, pistaches
Les gras polyinsaturés demeurent liquides à la température ambiante.	**Meilleur choix :** noix *Autres sources* : graines de citrouille, graines de lin, graines de tournesol, huile de carthame, huile de maïs, margarine, mayonnaise
Les gras polyinsaturés demeurent liquides à la température ambiante.	**Meilleur choix :** suppléments d'huile de poisson* *Autres sources* : anchois, brocoli vapeur, chou, chou-fleur, girofle, graines de lin, huile de canola, huile de soja, maquereau, noix, origan, saumon sauvage du Pacifique, tofu
Les gras saturés sont solides à la température ambiante.	**Meilleur choix :** huile de noix de coco *Autres sources* : bacon, beurre, beurre de cacao, crème, crème glacée, crème sure, dinde, fromage, fromage à tartiner, huile de palmiste, lait entier, porc, poulet, shortening
Les gras trans sont solides à la température ambiante, mais fondent lorsqu'ils sont chauffés.	**Meilleur choix :** aucun ! *Autres sources* : biscuits, céréales du petit déjeuner, chips, confiseries, craquelins, fritures, garniture à dessert, gâteaux, maïs soufflé, margarine, pain, pâtisseries, sauce, shortening, tartes, vinaigrette
Les gras trans provenant de ruminants sont solides à la température ambiante.	**Meilleur choix :** bœuf biologique élevé en pâturage *Autres sources* : agneau, beurre, fromage, gibier, lait entier

* Voir au chapitre 12 une liste de marques de produits purs et à bas prix.

une portion de 250 millilitres, contribue à stabiliser la glycémie et constitue une formidable source de sélénium, un minéral essentiel au fonctionnement de la thyroïde. Il est aussi riche en magnésium, ce qui aide les diabétiques à réduire les triglycérides et les dangereux lipides sanguins. Pensons aussi à l'avoine : en plus de ses miraculeux effets sur le cholestérol, l'avoine réduit la glycémie de façon importante et améliore le fonctionnement du système immunitaire.

REDRESSER L'ÉQUILIBRE OMÉGA

Nous consommons environ 10 fois plus de gras oméga-6 (provenant par exemple du maïs, de graines de soja et d'huile de tournesol), qui causent de l'inflammation, que de gras oméga-3, qui réduisent l'inflammation. Par conséquent, le rapport optimal entre les oméga-3 et les oméga-6 – de 2:1 à 4:1 – a été complètement chaviré. Nous en sommes aujourd'hui à un rapport de 14:1 allant jusqu'à 25:1 ! Le régime que je vous propose vous aidera à réduire l'inflammation et à redresser l'équilibre en retirant des oméga-6 et en restaurant des oméga-3.

Quelqu'un peut-il m'expliquer comment il se fait que l'Américain moyen a accès chaque année à 14 kilos de maïs et à 60 kilos de blé, mais seulement à 2 kilos d'avoine et à moins de 500 grammes d'orge ? Pourquoi donc ne pouvons-nous pas disposer de céréales saines ?

Conseil hormonal : *Faites le tour de vos placards et de votre frigo et débarrassez-vous de tous les produits constitués de céréales raffinées où ne figure pas sur l'étiquette « _____ entier à 100 % » comme premier ingrédient de la liste. J'aimerais que vous jetiez toutes les céréales transformées qui se trouvent dans votre foyer, mais si vous tenez absolument à les conserver, assurez-vous qu'elles contiennent au moins 2 grammes de fibres par portion. Attention : pour être étiquetés comme « grains entiers », un produit ne doit contenir que 51 % de grains entiers ! (Est-ce qu'on ne devrait pas plutôt les étiqueter comme des « grains à moitié entiers » ?)*

ANTINUTRIMENT N^O 3 : LE SIROP DE MAÏS (OU DE GLUCOSE) À HAUTE TENEUR EN FRUCTOSE

À la fin des années 1970, l'establishment médical s'était abondamment moqué du Dr Atkins lorsqu'il avait déclaré que ce n'était pas le gras mais les glucides qui rendaient les gens obèses. Et les gens pensaient qu'il était fou à lier. Il avait même été convoqué devant le Congrès américain pour se défendre et pour expliquer les bases de son régime. À cette époque, moins de 15 % des Américains étaient obèses.

Puis le dogme des régimes sans gras s'est véritablement imposé et, dans la décennie qui a suivi, le taux d'obésité a augmenté de 8 %. Aujourd'hui, une trentaine d'années plus tard, ce taux a atteint 32 %. La progression a été exponentielle. Et trois décennies après qu'Atkins eut soutenu sa thèse si controversée, ô surprise, il est aujourd'hui de notoriété publique que les glucides nous font engraisser. Admettons notre erreur.

Malheureusement, ce renversement de nos croyances ne fera pas disparaître toutes ces années de dépendance au sucre. Le mal est fait. Mais nous pouvons amener nos hormones à apprendre à notre corps à réagir comme il le faisait avant que nous perturbions sa réponse à l'insuline.

La seule façon de le faire est de jeter par-dessus bord le pire produit de céréale raffinée, c'est-à-dire le sirop de maïs à haute teneur en fructose (HFCS). Tenez-vous bien : la production américaine de ce sirop est passée de 2720 tonnes en 1967 à *8 371 000 tonnes* en 2005 ! Depuis 1980, elle a augmenté de 350 %. Alors qu'au cours des 40 dernières années notre consommation moyenne de sucre raffiné a lentement décliné, notre consommation de ce sirop de glucose a été multipliée par 20 ! Des chercheurs de l'Université Tufts ont révélé que les Américains consomment plus de calories provenant de cette source que de n'importe quelle autre.

Comme il s'agit de l'un des édulcorants les moins chers, le sirop de maïs à haute teneur en fructose aide les entreprises de transformation alimentaire à gonfler leurs profits à peu de frais, mais la seule chose qu'il fait pour nous est d'activer nos hormones accumulatrices de gras. Une étude récente de l'Université de la Floride a révélé qu'une alimentation riche en fructose provoque la résistance à la leptine chez les rats de laboratoire. Selon une autre étude, réalisée cette fois à l'Université de la Pennsylvanie, le fructose ne supprime pas les taux de ghréline (l'hormone de la faim) comme le fait le glucose sous forme de sucre de table. Les femmes qui consomment du fructose plutôt que du glucose présentent des taux plus élevés de ghréline tout au long de la journée et même jusqu'au lendemain.

Pourquoi notre corps réagit-il ainsi ? Eh bien, en premier lieu parce que le glucose est métabolisé par l'ensemble de nos cellules, alors que c'est dans le foie que le fructose est métabolisé. Le sirop de maïs à haute teneur en fructose joue en quelque sorte un tour au corps en l'incitant à ne pas libérer d'insuline et de leptine, deux hormones sécrétées par l'organisme après que l'on a fini de manger. Et, contrairement au sucre ordinaire, ce sirop ne fait rien pour atténuer la production de ghréline, dont les taux croissants incitent le corps à manger encore plus. Donc, si vous mangez ou buvez des produits contenant de ce sirop, vous continuez en fait à consommer plus de calories, même 24 heures plus tard, que si vous vous étiez contenté de simple sucre de table. Le sirop de maïs à haute teneur en fructose provoque également un accroissement du taux de triglycérides, ce qui empêche la leptine de signaler au cerveau que vous avez assez mangé et qu'il est temps d'arrêter.

NON AUX BOISSONS GAZEUSES !

La consommation de boissons gazeuses a augmenté de 500 % en 50 ans. Chaque boisson gazeuse – qui contient du sirop de maïs ou du sucre – qu'un enfant boit chaque jour accroît de 60 % ses risques de devenir obèse.

OÙ SE CACHE LE SIROP DE MAÏS À HAUTE TENEUR EN FRUCTOSE ?

À titre de plus abondante source de calories et d'un des ingrédients les moins chers de notre chaîne alimentaire, le HFCS s'y est frayé un chemin sur tous les plans. Surveillez les étiquettes ! La chasse aux HFCS est une nécessité. (Après avoir lu la liste ci-dessous, vous vous demanderez sans doute ce que diable vous pouvez bien manger. Pas de panique : beaucoup de ces aliments sont aussi offerts sous des formes plus saines, par exemple les pains à hot-dog et à hamburger de grains entiers, le yogourt biologique sans HFCS et beaucoup de viandes biologiques. Il s'agit simplement pour vous de savoir où les trouver et ce qu'il faut chercher. C'est ce dont traite le chapitre 6.)

LES ALIMENTS QUI CONTIENNENT GÉNÉRALEMENT DU HFCS (VERSIONS TRANSFORMÉES, NON BIOLOGIQUES DES ALIMENTS SUIVANTS) :

- Barres de céréales
- Barres protéinées
- Beurre d'arachide
- Biscuits
- Boissons aux fruits
- Céréales du petit déjeuner
- Chapelure
- Charcuterie
- Cola et autres boissons gazeuses
- Compote de pomme
- Confiseries
- Confitures et gelées
- Cornichons
- Crème glacée
- Craquelins
- Fruits en conserves
- Haricots blancs sauce tomate
- Ketchup
- Lait au chocolat
- Mayonnaise
- Mélanges à pâte
- Mélanges de jus de fruits
- Muffins anglais
- Pain
- Pains à hot-dog et à hamburger
- Relish
- Sauce barbecue
- Sauce pour hors-d'œuvre (« sauce cocktail »)
- Sauce pour les pâtes
- Sirop pour la toux
- Vinaigrette

Conseil hormonal: *J'observe une politique de tolérance zéro à l'égard de cette saloperie. Habituez-vous à considérer l'abréviation HFCS comme un synonyme du mot «poison» et dites simplement NON!*

ANTINUTRIMENTS Nº 4 : LES ÉDULCORANTS ARTIFICIELS

La bonne nouvelle, c'est que la consommation *per capita* de boissons gazeuses a maintenant commencé à diminuer d'un peu moins de deux litres par année. Les Américains n'en demeurent pas moins à une stupéfiante moyenne de 132 litres par année, après avoir atteint en 1998 un record de tous les temps avec 151 litres.

Et la mauvaise nouvelle, c'est que nous les avons remplacées par des boissons diètes, dont la consommation est en croissance et augmente maintenant de près de deux litres chaque année.

Nous nous disons: «Si le sucre est mauvais pour moi, les édulcorants artificiels doivent être la solution.» Oh que non! L'ironie de tout ça, c'est que les édulcorants artificiels peuvent entraîner de plus grands risques métaboliques que le sucre ou le sirop de glucose à haute teneur en fructose. Une étude rétrospective menée auprès de 9500 personnes sur une période de 9 ans a en effet révélé que la viande, la friture et les boissons gazeuses diètes représentaient les trois plus importants facteurs de risque dans le développement du syndrome métabolique. L'étude a notamment indiqué que les personnes qui buvaient une seule cannette de boisson gazeuse diète par jour présentaient 34 % plus de risques de souffrir du syndrome métabolique par rapport à celles qui n'en consommaient pas.

Comment cela est-il possible? Le sucre n'est-il pas absent des boissons diètes?

Certaines études effectuées sur des animaux nous donnent un bon indice de ce qui se passe. Des chercheurs de l'Université Purdue ont découvert que des animaux nourris de yogourt contenant de la saccharine ont par la suite consommé plus de calories, pris plus de poids et accumulé plus de gras corporel que ceux à qui on avait donné du yogourt contenant du glucose, un sucre naturel contenant le même nombre de calories – 15 par cuillérée à café – que le sucre de table. Il existe une théorie selon laquelle de la même façon que nous établissons des associations mentales et émotionnelles avec certains goûts, notre corps établit lui aussi des associations semblables avec le goût sucré.

En général, lorsque nous consommons du sucre, notre corps enregistre le goût sucré et en vient à comprendre que les aliments très sucrés sont chargés de beaucoup de calories. Cependant, lorsque nous buvons constamment des boissons gazeuses diètes, cette compréhension s'amenuise jusqu'à disparaître. Votre appétit déclare: « D'accord, ceci a un goût sucré, mais ça ne contient pas beaucoup de calories. Ça veut donc dire que je dois manger beaucoup d'aliments sucrés pour obtenir les calories dont j'ai besoin. » Et la prochaine fois qu'on vous donnera quelque chose de sucré à manger, votre corps ne reconnaîtra pas le nombre de calories qu'il contient et vous en consommerez trop. Et alors, contrairement à ces gens qui ont toujours consommé du sucre, vous ne compenserez pas l'ingestion de calories en trop en mangeant moins aux repas suivants.

ATTENTION À TOUS LES SUCRES !

Ce n'est pas parce que le sirop de maïs à haute teneur en fructose est mauvais qu'on doive nécessairement placer une auréole sur les autres sucres. Non, notre régime alimentaire contient aussi beaucoup de sucres qui ne proviennent pas du maïs. En moyenne, les Américains consomment plus de 30 cuillérées à café de sucre par jour. C'est plus de 50 kilos de sucre par année ! Pour mettre les choses en perspective, disons simplement que c'est à peu près mon poids.

Le sucre est partout et vous devez vous assurer d'en consommer de façon très modérée. L'Organisation mondiale de la santé recommande de ne pas en manger plus de 12 à 15 cuillérées à café par jour, soit de 48 à 60 grammes. Je vous suggère d'en consommer le moins possible. Dans la liste ci-dessous, vous aurez une bonne idée des différentes formes sous lesquelles le sucre se présente. (Je vous donne un indice : tout produit dont le nom se termine par le suffixe « -ose » est un sucre.)

AUTRES NOMS DU SUCRE

Concentré de jus de fruit
Dextrose
Édulcorant au maïs
Fructose
Galactose
Glucose
Jus de canne évaporé
Lactose
Malt
Maltose
Mélasse
Miel
Sirop
Sirop de maïs
Sirop de maïs (ou de glucose) à haute teneur en fructose
Sirop de maïs inverti
Sirop de malt
Sirop d'érable
Sirop de riz
Sucre
Sucre brun
Sucre brut
Sucre de betterave
Sucre de raisin
Sucre inverti
Sucrose

Mais il y a encore plus terrifiant. L'étude de l'Université Purdue a aussi montré qu'à mesure que les animaux continuaient à consommer des édulcorants artificiels, leur *métabolisme* commençait à « oublier » que les produits les plus sucrés avaient un nombre élevé de calories. Proprement terrifiant ! Lorsque vous cédez finalement à la tentation et mangez ce beigne glacé au chocolat qui vous fait envie, il y a donc de grands risques que votre corps pense « Pas grave » et ne se soucie pas d'éliminer les calories parce que *la saveur sucrée ne veut plus rien dire* pour lui.

Les édulcorants artificiels engendrent un problème de surpoids pour une autre raison également : l'aspartame, également connu sous le nom de NutraSweet, est une excitotoxine, un composé chimique qui peut causer des dommages permanents au centre de l'appétit situé dans le cerveau. (Voir « Antinutriments nº 6 : les glutamates », p. 141, pour obtenir une explication sur le lien entre l'excitotoxine et l'obésité.) Et plus ces changements neuronaux commencent tôt, pire c'est. Une étude de l'Université de l'Alberta a prouvé que les bébés rats qui consommaient plus d'aliments diètes couraient un plus grand risque de devenir obèses plus tard dans leur vie. Les chercheurs appellent ce phénomène « processus de conditionnement du goût ». On pourrait tout aussi bien l'appeler « réaction aux boissons diètes. »

Conseil hormonal : *En tant qu'accro au Coke diète en voie de guérison et qui consommait du Splenda à la tonne, je me sens un peu hypocrite de vous dire : « Ne prenez aucun édulcorant artificiel. » Il s'agit vraiment d'un cas de : « Faites ce que je dis, pas ce que j'ai fait. »*

ANTINUTRIMENTS Nº 5 : LES AGENTS DE CONSERVATION ET LES COLORANTS ARTIFICIELS

En plus des risques posés par le sirop de glucose à haute teneur en fructose et les édulcorants artificiels, il y a une autre bonne raison d'éviter les boissons gazeuses. Il y a quelques années, une grande société de mise en bouteille a conclu une entente hors cours avec un groupe de parents qui l'avait poursuivie en justice en affirmant que plusieurs produits de cette entreprise contenaient des niveaux élevés de benzène, un agent cancérigène aussi connu pour ses effets néfastes sur la thyroïde. On ajoute aussi des sels de benzoate aux boissons gazeuses pour prévenir la moisissure. Un test mené par le magazine *Consumer Reports* a révélé que lorsque les boissons contenant ces sels sont dans des bouteilles de plastique exposées directement au soleil ou à la chaleur, le benzène peut alors atteindre des niveaux dangereux pour la santé. Coca-Cola a retiré ces additifs de plusieurs de ses produits, mais ces agents de conservation – et beaucoup d'autres qui n'ont pas fait l'objet de tests adéquats – se trouvent toujours dans des bouteilles de plusieurs autres marques présentes sur les étagères des magasins.

Conseil hormonal : *Ne courez aucun risque : évitez toute boisson gazeuse contenant du benzoate de sodium ou du benzoate de potassium et de la vitamine C (acide ascorbique), car la combinaison de ces deux additifs peut entraîner la création de benzène. Si vous tenez absolument à en boire, assurez-vous de remiser vos bouteilles dans un endroit frais et sombre.*

Comment se fait-il qu'une idée si bonne – éviter que les aliments se gâtent et deviennent empoisonnés – soit allée aussi incroyablement de travers ? Les agents de conservation artificiels qui se trouvent dans notre chaîne alimentaire nous font vieillir avant l'âge et provoquent toutes sortes de maladies auto-immunes allant de multiples formes de cancer à la sclérose en plaques. Les chercheurs découvrent de plus en plus que ces agents de conservation sont aussi susceptibles d'altérer la biochimie de notre organisme, donc d'entraver son fonctionnement, de gêner notre capacité de perdre du poids.

Voici un exemple : un agent de conservation assez commun, l'hydroxyanisol butylé, ou B.H.A., a été « généralement reconnu comme sécuritaire » par la FDA, qui n'en a pas moins ajouté du même souffle qu'il présentait par ailleurs « des risques relatifs de causer le cancer chez les humains ». (Où est la logique là-dedans ?) Cet antioxydant chimique contribue à empêcher les aliments de se gâter, mais il est aussi un perturbateur endocrinien. Une étude a démontré que plus un rat mâle recevait de B.H.A., moins il avait de testostérone et de T4 dans le corps. Ces petites bêtes cessaient d'éprouver du désir sexuel, avaient moins de spermatozoïdes et possédaient des testicules plus petits que la normale. En plus, leur foie et leurs glandes surrénales s'hypertrophiaient, et leur thyroïde était complètement détraquée.

Songez seulement que le B.H.A. se trouve dans des centaines d'aliments de consommation courante, dont le beurre, le saindoux, les céréales, les pâtisseries, les confiseries, la bière, les huiles végétales, les chips, les grignotines, les noix, les pommes de terre déshydratées, les aromatisants, la saucisse et les charcuteries, la volaille, les poudres pour boissons et desserts, les fruits confits, la gomme à mâcher, la levure sèche active, les produits antimousse pour le sucre de betterave et la levure et les stabilisateurs d'émulsion contenus dans le shortening. On trouve également du B.H.A. dans les emballages d'aliments, le rouge à lèvres, le brillant à lèvres, le mascara, les ombres à paupières et les crèmes pour le visage. Même si les niveaux individuels de B.H.A. sont «généralement reconnus comme sécuritaires», qu'arrive-t-il quand on utilise plusieurs produits qui en contiennent tous ou qu'on mange plusieurs portions? Et songez seulement à ceci: le B.H.A. pourrait être remplacé par la vitamine E ou entièrement retiré de certains aliments. Alors pourquoi courir le risque?

Conseil hormonal: *Vérifiez bien les emballages afin de trouver des indices de la présence de B.H.A., qui porte aussi plusieurs autres noms: anisole; hydroxyanisol butylé; antioxyne B; antrancine 12; butylhydroxyanisol; hydroxyanisol de tert-butylique; embanox; népantiox 1-F; phénol,(1,1-diméthyléthylique)-4-méthoxy; sustane 1-F; tenox BHA. (Après avoir lu cette liste, vous vous dites sans doute: «Tu veux rire? Comment vais-je me souvenir de tout ça?» C'est exactement là où je veux en venir: voyez comme il serait tellement plus facile de ne plus consommer du tout d'aliments transformés?)*

Nous pourrions parler dans les mêmes termes de tant d'autres additifs chimiques qui posent d'autres risques foudroyants pour votre santé. Depuis des décennies, un débat animé a cours sur les liens qui existent entre, d'une part, les problèmes de comportements de certains enfants et, d'autre part, les colorants et les agents de conservation dans certains aliments. Les pédiatres ont souvent chassé du revers de la main les inquiétudes des parents au sujet de ces composés chimiques en citant les avis gouvernementaux sur les produits «généralement considérés comme sécuritaires» et en affirmant que les parents sont simplement à la recherche de boucs émissaires pour expliquer la mauvaise conduite de leurs enfants. Mais une étude récente, en double aveugle contre placebo et répartie au hasard – autrement dit, fondée sur une solide recherche – publiée dans *The Lancet* a démontré le contraire. Après que des enfants de la maternelle et du primaire eurent suivi un régime sans additifs pensant six semaines, puis que des additifs eurent été réintroduits dans leur régime, on a constaté que leur hyperactivité avait augmenté radicalement.

Compte tenu que la prévalence de trouble déficitaire de l'attention avec hyperactivité touche maintenant presque 1 enfant sur 10 en sol américain – et qu'un grand nombre d'entre eux sont traités avec des médicaments dès l'âge de quatre ans –, il serait peut-être temps de s'occuper de ce problème !

Conseil hormonal : *Choisissez toujours pour vos enfants les aliments qui contiennent le moins possible de composés chimiques artificiels et prêtez une attention particulière aux colorants artificiels, car plusieurs ont été associés au cancer de la thyroïde, des surrénales, de la vessie, des reins et du cerveau. Les plus grands coupables sont les bleus 1 et 2, le vert 3, le rouge 3 et le jaune 6. Franchement, pourquoi soumettre nos enfants à de tels produits ? Choisissez aussi des médicaments non colorés. Lorsque vous voulez leur offrir une petite gâterie, assurez-vous que ce soit une petite portion d'un vrai produit. Par exemple, donnez-leur de la vraie crème glacée plutôt que ces sucettes congelées aux couleurs de l'arc-en-ciel.*

LIMITEZ LES RISQUES POSÉS PAR LES ADDITIFS ALIMENTAIRES

Les additifs alimentaires sont mauvais. Mais parfois, ils sont un mal nécessaire. (Vraiment, qui a envie de devenir un joli cas de botulisme ?) Le truc, c'est de savoir choisir le moindre de deux maux.

SÛR	MAL (PARFOIS) NÉCESSAIRE	VRAIMENT MAUVAIS
Sûr ou peut même présenter des avantages pour la santé	*Les risques sont mineurs, mais maintenez la consommation au minimum*	*Évitez à tout prix*
Acide ascorbique (vitamine C)	Acide sorbique, sorbate de potassium	Aspartame, saccharine, sucralose
Acide citrique, citrate de sodium	Caraghénane	Benzoate de sodium, acide benzoïque
Acide lactique	Fibre d'avoine, fibre de blé	Bromate de potassium
Alpha tocophérol (vitamine E)	Gélatine	Glutamate de sodium (ou glutamate monosodique) (MSG)
Bêta-carotène (précurseur de la vitamine A)	Lécithine	Huile végétale partiellement hydrogénée
Inuline	Maltodextrine	Hydroxyanisol butylé (B.H.A.)
Mononitrates de thiamine (vitamine B_1)	Monoglycérides et diglycérides	Olestra
Oligofructose	Phosphates, acides phosphoriques	Nitrate de sodium, nitrite de sodium
Phytostérols ou phytostanols	Vanilline, vanilline d'éthyle	Sulfites (bisulfite de sodium, dioxyde de sodium)

Source : Center for Science in the Public Interest (www.cspinet.org/reports/chemcuisine.htm).

Certains des agents de conservation les plus mauvais pour votre métabolisme se trouvent dans les viandes transformées. Selon une étude qui a fait époque, menée par les National Institutes of Health auprès de plus de 9000 personnes, l'indice le plus significatif qu'une personne risque d'être atteinte d'un syndrome métabolique est un régime alimentaire composé en grande partie de hamburgers, de hot-dogs et de viandes transformées. Le nitrate de sodium et les nitrites contenus dans le bacon, le jambon, les charcuteries et les hot-dogs donnent à ces viandes leur couleur rosée et préviennent la propagation de bactéries. Mais une grande part de cette protection préventive pourrait facilement être obtenue au moyen d'une réfrigération adéquate et sans risque pour la santé. Après avoir analysé plus de 7000 études sur les relations entre le régime alimentaire et les risques de cancer, l'American Institute for Cancer Research a estimé que, pour chaque portion de 100 grammes de viande transformée consommée chaque jour – l'équivalent d'un hot-dog et de deux tranches de poitrine de dinde fumée –, les risques de cancer du côlon bondissent de 42 %.

Conseil hormonal : *Évitez toute viande transformée, en particulier celles qui contiennent des nitrates ou des nitrites. (Demandez au commis de vous laisser lire l'étiquette avant qu'il commence à trancher la viande.) Choisissez des viandes fraîches, de préférence biologiques ou, à défaut, des viandes sans nitrites. De plus en plus de chaînes d'alimentation offrent leurs propres marques à bas prix.*

ANTINUTRIMENTS Nº 6 : LES GLUTAMATES

Tournons-nous maintenant vers nos copains les glutamates, plus fréquemment appelés« glutamate monosodique », « glutamate de sodium » ou « MSG ». Beaucoup de gens pensent à tort que le glutamate monosodique est un agent de conservation. Si c'était le cas, il aurait une sorte de prétexte à peu près acceptable pour figurer dans la liste d'ingrédients d'un aliment. Mais non, le glutamate est là pour « rehausser la saveur » des produits.

Les glutamates existent dans certains aliments naturels tels que le fromage et la viande. Mais les faibles niveaux de glutamates « originaux » qu'on trouve dans les aliments naturels n'ont rien à voir avec ceux des glutamates ajoutés qui sont couramment exploités par l'industrie des aliments transformés. Vous vous êtes sûrement déjà mis du MSG sous la dent, qu'il s'agisse de raviolis en conserve, de soupe, de thon en boîte ou de bouillon, de crème glacée ou de vinaigrette style ranch. Un récent article du *New York Times* nous a même appris qu'on trouve pas moins de *cinq types* de glutamates dans les croustilles Doritos.

Les glutamates sont produits par l'hydrolyse des protéines, un procédé qui « libère » les glutamates de la protéine. Lorsqu'ils sont ajoutés aux aliments, les glutamates rehaussent leur saveur. Bien sûr, nous avons sans doute des récepteurs de glutamates de la même façon que nous avons des récepteurs du goût pour les saveurs salées, sucrées, amères et aigres. Intéressant, non ? Mais il se trouve que les hauts niveaux de glutamates « libérés » dans notre organisme jettent aussi le désordre dans la chimie de notre cerveau, et pas qu'un peu !

Les glutamates sont une forme d'excitotoxine, dont des études remontant aussi loin qu'aux années 1950 ont démontré qu'elle était dommageable pour le système nerveux. Les excitotoxines plongent dans le cerveau avec une relative facilité, excitent les cellules et peuvent y causer rapidement des dommages permanents et, éventuellement, la mort de ces cellules. Une zone du cerveau qui est particulièrement vulnérable aux excès de glutamates est l'hypothalamus, le point de départ des hormones de la faim comme le neuropeptide Y.

Bien que le débat entourant le glutamate monosodique demeure animé, certains chercheurs affirment que les animaux à qui on donne du MSG subissent des lésions à l'hypothalamus, ce qui mène à des problèmes d'obésité et d'endocrine plus tard dans leur vie. L'une des raisons possibles qui expliqueraient ce fait est que le MSG abîme nos récepteurs de leptine, ce qui entraîne notre corps à en produire davantage, tout en suscitant du même coup de la résistance à la leptine dans le cerveau.

Le pire, c'est que certains aliments transformés possèdent non pas une forme de glutamate, mais bien deux, trois et parfois même *quatre*. (Voir l'encadré « Où sont les glutamates ? », page suivante.) Comme c'est le cas pour tous ces composés chimiques qui font peur, qui peut vraiment dire quels effets synergiques ils peuvent avoir ? En gonflant leurs produits de diverses variétés de glutamate, les entreprises alimentaires veulent que vous adoriez leurs aliments afin que vous en redemandiez. Imaginez à quoi ressemblerait votre cerveau avec un régime de chips au maïs ! Dites non, un point c'est tout !

OÙ SONT LES GLUTAMATES ?

Le gouvernement américain a décrété que tout produit contenant du glutamate monosodique doit afficher sur l'étiquette la mention « contient du MSG ». Est-ce que ça veut dire que, s'il n'y a pas une telle mention, le produit ne contient pas de glutamate ? Absolument pas : cela signifie simplement qu'il ne contient pas cette forme particulière de glutamate. Ne vous laissez pas duper non plus par des mots et des expressions comme « saveur naturelle » ou « épices ». Les aliments contenant des saveurs naturelles ou des épices peuvent, en fait, être bourrés de glutamates sans que vous le sachiez. Lisez cette liste de mots codés qui indiquent que vos aliments transformés contiennent de tels additifs.

SOURCES PROBABLES DE GLUTAMATES

Acide glutamique
Aliment de levure
Caséinate de calcium
Caséinate de sodium
Extrait de levure
Gélatine
Glutamate
Glutamate de monopotassium
Glutamate de natrium (*natrium* est le mot latin pour sodium)
Glutamate de sodium
Gluten de maïs hydrolysé
Levure alimentaire
Levure autolysée
Protéines hydrolysées (blé, lait, soja, lactosérum ; toute protéine hydrolysée)
Protéine texturée

Conseil hormonal : À *mesure que vous éliminez autant de glutamates que possible de votre alimentation, explorez aussi différents moyens d'accentuer la saveur naturelle des aliments. Les aliments fermentés, le vin, la sauce soja, le fromage parmesan, les anchois et le ketchup ont tous des saveurs naturelles puissantes. Les aliments rôtis, fumés ou cuits lentement sur le gril offrent également un goût riche et savoureux. Recherchez aussi les versions biologiques de ces produits et donnez-vous-en à cœur joie !*

DES ALIMENTS MOINS RELUISANTS

Même s'il est clair qu'on ne doit pas consommer certains de ces produits – par exemple, il ne faut *jamais* qu'un seul gramme de gras hydrogéné franchisse nos lèvres –, il peut être acceptable de manger certains autres aliments en petites quantités. Examinons certaines de ces options moins reluisantes de notre chaîne alimentaire et fixons une limite au-delà de laquelle vous ne devez plus en consommer. Vos taux d'hormones devraient demeurer corrects si vous en consommez en petites quantités, mais pourraient se détraquer rapidement si vous en mangez davantage.

OPTION MOINS RELUISANTE Nº 1 : LES LÉGUMES RACINES CONTENANT DE L'AMIDON

Au chapitre 6, vous découvrirez à quel point j'aime les légumes. Mais il y a une catégorie qui ne figure sûrement pas au sommet de ma liste : il s'agit des légumes qui contiennent de l'amidon.

ALLEZ-Y MOLLO AVEC LES LÉGUMES CONTENANT DE L'AMIDON !

Je ne suis pas du genre à décourager la consommation de légumes, mais allez-y quand même mollo avec ceux-ci : courge musquée, courge poivrée, petits pois, plantain, pomme de terre, maïs, topinambour.

Exactement de la même manière que nous emmagasinons notre énergie sous forme de glycogène, les plantes emmagasinent la leur sous forme d'amidon. Ainsi, les légumes contenant de l'amidon sont plus caloriques que ceux qui n'en contiennent pas. Les légumes sans amidon – comme le brocoli, les épinards et le poivron vert – contiennent 25 calories et 5 grammes de glucides par portion cuite (125 ml) ; ils ont donc un effet négligeable sur votre glycémie. Les légumes qui renferment de l'amidon contiennent 80 calories et 15 grammes de glucides par portion cuite (125 ml). La plupart d'entre eux ont un effet immédiat et radical sur votre glycémie et votre taux d'insuline. Quel est le légume qui, d'après vous, devrait faire partie de vos favoris : la pomme de terre ou l'épinard ?

Les légumes-racines et les autres légumes qui contiennent de l'amidon (tels que les pommes de terre, les betteraves, le maïs et les petits pois) sont dotés de certaines qualités nutritionnelles qui rachètent quelque peu leurs défauts – ainsi, les pommes de terre sont une source extraordinaire de potassium –, mais il leur manque beaucoup d'antioxydants puissants et d'autres composés phytochimiques qui sont plus répandus dans les légumes sans amidon. Si vous faites l'équation – plus caloriques et moins nutritifs –, je pense que vous savez où je loge sur cette question.

Conseil hormonal : *Tenez-vous-en à moins de deux portions par jour de légumes contenant de l'amidon. Si vous tenez absolument à en manger, essayez certaines catégories intéressantes comme le panais, dont il est démontré qu'il combat le* *cancer, ou la betterave, remplie d'acide folique (vitamine B_9), une vitamine qui réduit le taux d'homocystéine dans l'organisme et ainsi les risques d'infarctus. Je suis aussi une grande adepte de patate douce, un légume chargé de vitamine C et de bêta-carotène, un adversaire des radicaux libres. Tout sauf les suspects habituels que sont le maïs, les pois et les pommes de terre. Dieu sait que vous n'avez pas besoin de manger plus de maïs!*

OPTION MOINS RELUISANTE Nº 2 : LES FRUITS TROPICAUX, SÉCHÉS ET EN CONSERVE

Le melon d'eau, l'ananas, la banane et la mangue – tous essentiellement des fruits tropicaux – renferment une grande quantité de sucre, de sorte que leur consommation doit être limitée. Mais quand je dis « consommation limitée », je pense à cinq portions par *semaine* (une par jour ferait l'affaire). Les fruits séchés et autrement traités devraient être considérés comme des aliments transformés – c'est-à-dire non recommandables pour votre santé –, alors laissons-les dans cette catégorie. Beaucoup de fruits séchés contiennent des agents de conservation appelés sulfites, lesquels peuvent provoquer chez certaines personnes de fortes réactions allergiques telles que de l'urticaire, des nausées, de la diarrhée, de l'essoufflement ou même la mort. Pas terrible. Même les emballages de raisins peuvent contenir des sulfites au moment de l'expédition.

Les fruits en conserve, même lorsqu'ils baignent dans leur propre jus, présentent des volumes de sucre considérablement plus élevés que lorsqu'ils sont frais. Quant aux épais sirops, je crois que j'en ai assez dit là-dessus. C'est exactement comme si vous saisissiez une tasse de sirop de maïs et y plongiez vos fruits. Dégoûtant!

Conseil hormonal : *Un fruit séché qui pourrait faire partie de votre alimentation ? Les prunes séchées. En plus d'être une excellente source de fibres solubles et insolubles, les prunes séchées favorisent votre digestion tout en contribuant du même souffle à gérer votre glycémie. Mais surveillez vos portions : chaque prune contient 25 calories.*

OPTION MOINS RELUISANTE Nº 3 : L'EXCÈS DE SOJA

Pendant des années, on nous a rebattu les oreilles au sujet des incroyables qualités du soja : cette protéine maigre abaissait le taux de cholestérol, protégeait les os, améliorait la circulation sanguine, réduisait l'inflammation ainsi que les risques de cancer et de diabète. À entendre parler tous ces gens, le soja allait sauver le monde!

La réaction inévitable de l'industrie alimentaire? Si un peu de quelque chose est bon (et pas cher!), alors beaucoup de ce quelque chose est sûrement encore mieux. Presque du jour au lendemain, chaque produit alimentaire transformé s'est retrouvé avec un supplément de soja ou d'isoflavones, ce flavonoïde du soja qui était la source de toutes ces promesses de santé. On a promis aux femmes en préménopause qu'elles pourraient se libérer de leurs bouffées de chaleur grâce à des suppléments de soja. Et les patients cardiaques se sont gavés de sacs entiers de noix de soja.

Il y a juste un petit problème: les isoflavones sont des perturbateurs endocriniens qui imitent l'action des œstrogènes. Lorsque l'on consomme les isoflavones provenant de produits naturels, tout va très bien: le corps sait ce qu'il faut faire avec les 38 grammes d'isoflavones fournis par 125 millilitres de tofu. Mais il est loin de savoir ce qu'il doit faire avec les 160 grammes d'isoflavones concentrées qui se trouvent dans une barre de soja Revival.

Même si les isoflavones ont d'abord été saluées comme des écrans de protection contre le cancer du sein, un nombre croissant d'études laisse entendre qu'elles pourraient être dangereuses pour les femmes postménopausées ou à risque de présenter un cancer du sein. L'action des isoflavones, similaire donc à celle des œstrogènes, favorise en effet une croissance anormale des cellules chez les personnes déjà à risques. Quand on sait combien d'aliments transformés contiennent le soja comme source de protéines à bon marché et qu'on met ensuite dans la balance la folle croissance des œstrogènes présents dans l'environnement, il est assez clair que la dernière chose dont on a besoin, c'est d'un supplément d'œstrogènes!

En outre, beaucoup de produits issus du soja proviennent de graines de soja génétiquement modifiées. En fait, 85 % de toutes les graines de soja semées aux États-Unis sont des OGM. Étant donné que nous soupçonnons les OGM de menacer la biodiversité et, à long terme, nos terres agricoles, mais que nous ne savons rien de leurs effets à long terme sur la santé, il est préférable pour nous de les tenir à distance.

Un peu de soja peut être bon pour la santé; c'est un produit riche en protéines maigres, en oméga-3, en fer et en magnésium et il contient aussi plusieurs substances qui combattent le cancer, telles que des saponines et des phytostérols. Et ses phytœstrogènes peuvent jouer un rôle préventif, en particulier chez les jeunes femmes. Mais compte tenu des problèmes que le soja peut causer à ceux qui ont des difficultés avec leur thyroïde (le soja est un goitrigène connu) et aux personnes à risques concernant le cancer du sein (on peut mettre dans cette catégorie la plupart des Américaines), je vous recommande de limiter votre consommation de soja à des aliments entiers qui contiennent la quantité d'isoflavones souhaitée par la nature et de n'en manger que deux portions *par semaine.*

Conseil hormonal : *Je n'ai rien contre le fait de manger quelques morceaux de tofu ou de tempeh sautés dans la poêle, et la soupe miso me paraît aussi acceptable. Ces usages plus naturels du soja fermenté existent depuis la nuit des temps et pourraient bien expliquer, au moins en partie, pourquoi les Japonaises présentent une faible incidence de cancer du sein. Mais ne touchez pas aux produits transformés contenant des protéines de soja isolées ou de hauts taux d'isoflavones tels que les noix de soja, les barres et les boissons enrichies au soja, la farine de soja, le fromage de soja, le lait de soja et les similiviandes. Et si vous êtes parent, faites vraiment vos devoirs avant d'offrir à votre bébé une formule à base de soja. Ces petits corps reçoivent déjà des doses tellement concentrées d'œstrogènes que certains développent des seins ! Les formules à base de soja peuvent détraquer le système immunitaire des bébés et ont été associées à un usage plus élevé de 90 % de médicaments contre les allergies et l'asthme plus tard dans la vie. Alors prenez garde !*

OPTION MOINS RELUISANTE N° 4 : L'EXCÈS D'ALCOOL

Vous avez sans doute beaucoup entendu parler du vin ces derniers temps. « Il prolonge votre vie ! Il combat le diabète et les maladies cardiaques ! Il prévient le déclin cognitif ! » Tout cela grâce aux effets miraculeux du resvératrol, un composé phytochimique qui combat les virus et l'inflammation. Mais il y a juste un petit problème à propos de ce merveilleux resvératrol : c'est aussi un phytœstrogène.

L'alcool libère des œstrogènes dans vos vaisseaux sanguins, stimule l'accumulation de gras et réduit votre croissance musculaire. Aussitôt que vous prenez un verre, votre corps bouffe tout le glycogène qui se trouve dans votre foie, vous avez faim et vous avez moins d'inhibitions. Vous êtes donc plus

BUVEZ BIO

Les vins biologiques sont produits sans pesticides ni agent de conservation tels les sulfites. Environ 1 personne sur 20 est allergique aux sulfites ; les gens qui souffrent de l'asthme y sont particulièrement vulnérables. Certains affirment que ce sont les sulfites qui sont responsables de ces gueules de bois attribuées aux vins « bon marché ». Tous les vins contiennent des sulfites, mais les sulfites ajoutés peuvent représenter de 10 à 20 fois le volume naturel qui s'y trouve à l'origine. Les vins rouges n'en ont même pas besoin ; les rosés et les vins blancs en ont davantage ; et ce sont les vins sucrés qui en contiennent le plus. Vérifiez sur l'étiquette le volume de sulfites ajoutés. Une fois que vous aurez commencé à boire des vins sans sulfites, vous ne voudrez plus jamais revenir à vos anciennes habitudes : vous goûterez tout de suite la différence.

susceptible de saisir cette aile de poulet ou cette petite pomme de terre farcie à l'heure de l'apéro. Vous éliminez aussi beaucoup moins de gras et beaucoup plus lentement qu'en temps normal. Le magazine *Prevention* estime que seulement 2 verres peuvent réduire de 73 % vos capacités d'élimination du gras.

Bien que plusieurs personnes soutiennent que la nature phytœstrogène du resvératrol protège l'organisme contre le cancer, l'alcool en soi augmente les risques de cancer du sein. Une étude a en effet révélé qu'il contribue au développement de la forme la plus commune de tumeur cancéreuse au sein, celle qui se rapporte à la fois aux récepteurs d'œstrogènes et de progestérone. Après analyse des données provenant de plus de 184 000 cas, les scientifiques en ont déduit que la consommation de 1 à 2 verres par jour accroît de 32 % les risques pour une femme de développer ce type de tumeurs malignes ; avec 3 verres ou plus, les risques augmentent à 51 %.

Par ailleurs, en particulier si vous êtes un homme, il est indéniable que la consommation de vin présente certains avantages : il protège votre cœur, contribue à réduire l'inflammation, aide à combattre les virus et peut même abaisser la glycémie chez les diabétiques. Des chercheurs de l'école de médecine de l'Université de la Californie à San Diego ont récemment découvert qu'un verre de vin par jour peut réduire de presque 40 % les risques de stéatose hépatique non alcoolique, une affection associée à la résistance à l'insuline et aux maladies cardiovasculaires. Au final, un verre par jour optimise sans doute les avantages du vin pour votre santé. Je vous suggère donc de toujours garder le bouchon pas très loin de la bouteille.

Conseil hormonal : *Si vous tenez à consommer de l'alcool, buvez du vin. (Voir ci-haut « Buvez bio ».) Les femmes qui prennent un verre de vin à l'occasion (un* *ou moins par jour) augmentent leurs risques de cancer du sein de seulement 7 %, ce qui est compensé sans doute par les bénéfices du vin pour leur santé, à la condition qu'elles ne présentent pas d'autres risques de cancer du sein. Demandez à votre médecin de vous aider à établir vos risques de cancer du sein.*

OPTION MOINS RELUISANTE Nº 5 : LES PRODUITS LAITIERS À BASE DE LAIT ENTIER ET LES VIANDES GRASSES

Les gras ne sont plus les « gros méchants » qu'ils ont déjà été. Nous savons que certains gras sont incroyablement sains, par exemple les oméga-3 contenus dans la graine de lin et le saumon sauvage ainsi que les acides linoléiques conjugués (ALC) qu'on trouve dans la viande et le lait provenant de vaches élevées en pâturage. Mais ça ne veut pas nécessairement dire que tous les gras et les produits laitiers « entiers » sont bons pour la santé. Bien sûr, les gras saturés ne sont pas le meilleur choix si vous tentez de réduire les risques de maladies cardiovasculaires. Et bien que certains irréductibles du régime Atkins soutiennent que les gras saturés nous aident à perdre du poids, il y a encore beaucoup de chemin à faire avant que cela soit prouvé hors de tout doute. Il existe des arguments contradictoires et des cas convaincants des deux côtés, mais le plus grand danger des viandes grasses et des produits laitiers à base de lait entier tient à leur extraordinaire capacité à perturber le système endocrinien en raison des saletés qu'on y met.

C'est avant tout en consommant des produits animaux que nous absorbons les dioxines : le bétail absorbe la pollution industrielle provenant des incinérateurs. Tous les pesticides, hormones et autres composés chimiques utilisés en agriculture industrielle – que ce soit pour augmenter la croissance du bétail, gonfler la production laitière ou tuer les microbes et champignons qui menacent les troupeaux – s'insinuent dans la viande et les produits laitiers non biologiques. Et y demeurent. Beaucoup de produits chimiques utilisés en agriculture se bioaccumulent ou s'empilent dans les tissus adipeux des animaux. Et aussitôt que vous avez consommé cette chair, ses toxines élisent domicile dans vos propres tissus adipeux et y subsistent pendant des décennies. Le magazine *Consumer Reports* cite une estimation de l'Environment Protection Agency (EPA) selon laquelle nous sommes 10 fois plus susceptibles de souffrir d'un cancer attribuable aux dioxines – avec environ 1 possibilité sur 100 – si notre régime alimentaire a une teneur élevée en gras, précisément en raison des grandes quantités de toxines dans la viande et les produits laitiers.

Le plus triste, c'est que même les viandes biologiques contiennent des traces de pesticides ou de produits chimiques, comme c'est le cas de chaque être humain qui naît en sol américain. Résultat : notre corps est comme une immense décharge de déchets toxiques qui accumule toutes les saloperies chimiques qui se trouvent dans la chaîne alimentaire.

Mais retournons aux bases mêmes du contrôle du poids. La principale raison pour laquelle nous ne devrions pas consommer de viandes grasses et de produits laitiers à base de lait entier lorsque nous tentons de perdre du poids tient à une simple question mathématique : à quantités égales, ces aliments sont beaucoup plus caloriques que ceux qui contiennent moins de gras.

Conseil hormonal : *Lorsque vous consommez des viandes et des produits laitiers, optez toujours pour le biologique. Essayez aussi de choisir les produits qui présentent la plus faible teneur en gras : choisissez les coupes de viande les plus maigres (recherchez les mots « longe » ou « ronde », par exemple « surlonge » et « noix de ronde »), retirez tout gras apparent et achetez des produits laitiers écrémés ou à 1 %. Essayez aussi souvent que possible de consommer des gras non saturés et des oméga-3.*

OPTION MOINS RELUISANTE Nº 6 : LES ALIMENTS EN CONSERVE

Presque 20 % des aliments consommés aux États-Unis sont en conserve. Où donc croyons-nous vivre ? Dans un abri antiatomique ?

Je suis quelqu'un de réaliste. Je sais bien que lorsqu'on est occupé, il vaut beaucoup mieux ouvrir en vitesse une boîte de chili con carne et la faire chauffer plutôt que de filer vers le service à l'auto d'un restaurant rapide. Je comprends ça. Mais je veux quand même que vous évitiez de manger des légumes en conserve et que vous choisissiez plutôt des légumes provenant d'un marché de producteurs. Car ce n'est pas du tout la même chose.

D'abord, vous serez loin d'en tirer les avantages nutritionnels que vous devriez en attendre par rapport aux calories consommées. Beaucoup de légumes perdent jusqu'à 90 % de leur valeur nutritive dans le processus de mise en conserve. Deuxièmement, les aliments en conserve ont généralement une teneur très élevée en sodium : certaines boîtes de soupe en contiennent jusqu'à 2000 milligrammes !

DES TRUCS POUR MINIMISER LA CONSOMMATION DE TOXINES

Il ne suffit pas de retirer certains aliments de votre régime alimentaire ; vous devez aussi préparer ceux que vous consommez de manière à minimiser les risques que des perturbateurs endocriniens s'y insinuent. Voici 20 trucs pour vous aider à le faire.

1. Retirez le gras apparent et la peau du poulet, de la viande ou des poissons.
2. Ne mangez pas de viandes grasses non biologiques ; autant que possible, choisissez des produits laitiers écrémés ou à 1 %.
3. Pelez les fruits et les légumes afin d'éliminer les résidus de pesticides.
4. Retirez et jetez la couche externe des choux et des laitues.
5. Tranchez la partie supérieure des fruits tels que les pommes et les poires au cas où des pesticides auraient irrigué les zones situées près de la tige.
6. Lavez à la main, jamais dans le lave-vaisselle, les bouteilles en plastique réutilisables. Si elles deviennent craquelées ou moins transparentes, recyclez-les et procurez-vous une bouteille en acier inoxydable pour boire votre eau.
7. Ne faites jamais frire vos viandes.
8. Évitez les viandes telles que les hot-dogs, le saucisson de Bologne (« baloney ») et les saucisses en général. Minimisez également votre consommation des formes biologiques de ces produits puisqu'elles contiennent aussi des concentrations de toxines.
9. Lavez les fruits et les légumes avec du savon à vaisselle doux ne contenant ni parfum ni phosphates.
10. Ne conservez pas les aliments dans des contenants en plastique. Jetez ceux-ci et remplacez-les par des contenants en verre.
11. Consommez le moins possible d'aliments en conserve et mangez des produits de saison.
12. Achetez des aliments en conserve de la compagnie Eden parce que leurs conserves de haricots ne contiennent pas de BPA.
13. Achetez les bouillons, jus, produits laitiers et autres aliments liquides dans des contenants de carton plutôt que dans des boîtes de conserve.
14. N'utilisez pas d'emballage en plastique ; si vous devez le faire, choisissez-en un sans BPA.
15. Ne chauffez jamais les aliments au four à micro-ondes dans des emballages ou des contenants en plastique ; si vous devez couvrir un plat, utilisez plutôt un essuie-tout sans chlore ou une assiette inversée.
16. N'achetez pas de légumes ou de riz offerts dans un sachet allant au four à micro-ondes ou pouvant être chauffé dans l'eau bouillante.
17. Lorsque vous cuisez de la viande ou du poisson sur le gril, utilisez des coupes maigres afin d'éviter des retours de flamme provenant du gras fondant. Ces flammes déposent sur la viande des produits cancérigènes connus appelés « amines hétérocycliques » ou « hydrocarbures aromatiques polycycliques » (HAP). (Les fruits et légumes grillés n'en contiennent pas.)
18. Jetez tout jus de cuisson provenant de la viande, du poisson ou du poulet grillé.
19. Utilisez des biberons de verre ou des bouteilles avec joint de capsule.
20. Achetez vos fruits, légumes, viandes et produits laitiers de producteurs biologiques locaux aussi souvent que possible.

Mais ce qui est sans doute le pire, c'est que les boîtes de conserve sont souvent bordées à l'intérieur de plastique contenant du BPA. Une étude menée par l'Environmental Working Group en est venue à la conclusion que pour 1 boîte sur 10 d'aliments courants – 1 sur 3 dans le cas des formules pour bébé –, 1 seule portion pouvait représenter 200 fois le maximum sécuritaire acceptable de la FDA pour d'autres produits chimiques industriels. Le problème, c'est que le gouvernement n'a édicté aucune norme de sécurité concernant le BPA contenu dans des boîtes de conserve. Il n'y a pas de limite, les amis ! Une étude réalisée au Royaume-Uni a révélé que sur 62 boîtes de conserve achetées dans les supermarchés de ce pays, 40 montraient des traces de BPA. Comme je le soulignais au chapitre 3, le BPA est associé à la résistance à l'insuline, à la puberté précoce, au cancer de la prostate et à toute une flopée d'autres sympathiques maladies causées par des bouleversements hormonaux.

Conseil hormonal : *Voici la raison numéro 794 pour laquelle vous devriez vous tenir à distance des aliments traités. Si vous devez manger des aliments en conserve, choisissez des produits biologiques et à faible teneur en sel. Essayez de minimiser autant que possible votre exposition au BPA. Ce sont les soupes, les pâtes et les formules pour bébé en conserve qui en contiennent le plus. Au moment de mettre sous presse, Eden était la seule marque dont les aliments étaient emballés dans des boîtes de conserve spéciales bordées à l'intérieur de résine naturelle ne contenant pas de BPA. Presque tous les autres aliments en conserve vendus aux États-Unis (à l'exception de certains fruits en conserve) contiennent du BPA.*

OPTION MOINS RELUISANTE N^O 7 : LA CAFÉINE

Voici mon talon d'Achille, et je pense que je ne suis pas la seule dans ce cas. Plus de la moitié des gens boivent trois ou quatre tasses de café chaque jour. Peut-être le faites-vous pour avoir de l'énergie, ou peut-être est-ce parce que vous avez entendu parler de certaines études démontrant que la caféine améliore votre performance durant vos exercices et vous aide à éliminer les gras. Mais attendez encore un peu avant de vous précipiter vers votre percolateur.

Il est vrai que la caféine pure à doses modérées (de 200 à 400 milligrammes par jour) peut élever le métabolisme dans une proportion pouvant aller jusqu'à 6 %, améliorer les fonctions cognitives et même inhiber la résistance à l'insuline.

Mais il y a un piège. Le café non biologique (de même qu'une boisson énergisante ou un cola diète) ne vous aidera aucunement à éliminer les gras. Ces études dont je parle ont été réalisées avec de la caféine seule servie comme supplément appariée à d'autres substances spécifiques, dans des conditions de laboratoire étroitement contrôlées. Elles ne s'appliquaient pas à la caféine mélangée à des excitotoxines, à du sucre, à des matières sèches du lait ou à quoi que ce soit d'autre qui se trouve généralement dans votre tasse.

Pire encore, l'abus de caféine cause du tort à votre métabolisme et à votre équilibre hormonal. La caféine stimule votre système nerveux central en faisant croire à votre système endocrinien que vous êtes menacé de quelque façon. Lorsque vous prenez cette troisième tasse de café au bureau chaque matin, vous précipitez votre corps en mode « bats-toi ou fuis » même si vous ne faites que consulter votre boîte de courriels ! Vos surrénales pompent de l'adrénaline et de la noradrénaline. Ces deux hormones du stress entraînent toute une cascade de réactions hormonales qui stimulent l'accumulation de gras : votre foie libère du sucre dans votre sang pour obtenir rapidement de l'énergie, votre pancréas sécrète de l'insuline pour contrer l'effet du sucre et votre glycémie s'affaisse sous l'effet de l'insuline. En plus, vos vaisseaux sanguins se compriment, ce qui vous donne l'impression que votre glycémie s'abaisse encore plus. Et alors, vous vous précipitez vers la machine distributrice. Avez-vous déjà remarqué que vous avez une forte envie d'un produit sucré quelque part entre la première et la deuxième tasse de café ? C'est votre corps qui réagit face à cette impression soudaine d'une baisse de glycémie.

Les acides contenus dans une seule tasse de café élèvent votre taux de cortisol pour une période pouvant aller jusqu'à 14 heures. Donc, lorsque vous sirotez des boissons caféinées à longueur de journée, vous êtes continuellement en train de déclencher des réactions associées au stress. Votre énergie à court terme s'épuise et vous vous emparez d'une autre tasse de café, répétant ainsi le cycle hormonal. C'est comme cela que vous devenez accro.

L'abus de caféine stimule à l'excès vos surrénales et, au bout du compte, les épuise. Il inflige aussi à votre corps les effets à long terme du véritable stress : le flux d'oxygène à votre cerveau ralentit, votre système immunitaire s'affaiblit, l'excès de cortisol augmente votre appétit et favorise l'accumulation de graisses dans votre abdomen et, enfin, ces poussées continues d'insuline finissent par provoquer de la résistance à l'insuline.

Et pour empirer les choses, la caféine que vous avez bue durant le jour peut vous empêcher de profiter d'un sommeil réparateur la nuit venue. Et vous savez maintenant que le manque de sommeil provoque en soi de la résistance à l'insuline.

L'acide phosphorique dans le cola et le café gêne votre absorption de calcium. En plus de porter un coup brutal à vos os, ce déficit en calcium et la caféine elle-même peuvent aggraver vos symptômes de SPM, dont une sensibilité accrue des seins, de l'irritabilité et de la nervosité.

La National Academy of Sciences a déjà publié un rapport affirmant que les boissons caféinées que nous buvons pouvaient être intégrées dans le calcul de notre consommation quotidienne d'eau. Mais si vous voulez mon avis, c'est complètement bidon. La caféine est un diurétique qui draine de précieux volumes d'eau de notre corps au moment précis où nous tentons d'en éliminer les toxines. Lorsque vous êtes déshydraté, votre volume de sang décline, diminuant ainsi la somme d'oxygène qui peut atteindre vos muscles, ce qui réduit leur efficacité à éliminer le gras. La question est réglée : si vous voulez de l'eau, buvez de l'*eau*.

Conseil hormonal : *Profitez de ce moment pour faire la transition vers le thé vert. Il vous procurera aussi une dose de caféine, mais il a été démontré que le thé vert favorise l'oxydation des acides gras et on croit qu'il prévient l'obésité et améliore la sensibilité à l'insuline. Le thé vert réduit également les risques de cancer du sein et de la prostate. Mais j'ai un petit message pour vous, les gars : l'une des raisons de l'efficacité du thé vert, c'est qu'il réduit le volume d'hormones sexuelles en circulation dans le corps. Autrement dit, même s'il contribue à réduire les taux dangereux d'œstrogènes, il abaisse aussi le taux de testostérone. Donc, allez-y mollo : pas plus d'une tasse par jour.*

Limitez-vous à une ou deux boissons caféinées par jour et buvez un verre d'eau supplémentaire pour chaque boisson caféinée que vous prenez. Et assurez-vous de les avoir bus avant midi : je veux que la caféine soit complètement sortie de votre système la nuit venue.

ET MAINTENANT, LES BONNES CHOSES…

Vous avez franchi la première étape en retirant de votre alimentation les aliments et autres produits qui nuisent au fonctionnement normal de vos hormones. Nous allons maintenant aborder la façon dont nous devons choisir les aliments qui optimiseront le fonctionnement de ces hormones et inciteront votre métabolisme à travailler plus fort et à éliminer plus de gras qu'il ne l'a fait depuis longtemps. Au chapitre 6, vous allez vous régaler de tous ces délicieux produits que vous ajouterez à votre régime alimentaire. Vous trouverez dans mon site Web des tonnes de recettes et des idées de repas qui intègrent ces magnifiques aliments. Comme je l'ai déjà souligné, je veux que vous mangiez. Mais je veux que vous mangiez des produits qui travaillent pour vous, non contre vous.

CHAPITRE 6

ÉTAPE 2 : RESTAURER

DÉCOUVREZ LES PUISSANTS NUTRIMENTS QUI ALIMENTENT VOS HORMONES D'ÉLIMINATION DES GRAS

Maintenant que nous avons éliminé les antinutriments qui activent vos hormones accumulatrices de gras, nous pouvons nous concentrer sur la restauration des aliments qui déclenchent vos hormones réductrices de gras. Cette deuxième étape est principalement consacrée à 10 groupes d'aliments contenant des nutriments puissants qui réparent votre métabolisme et recréent votre équilibre hormonal naturel. Vous allez apprendre à manger de vrais aliments naturels et entiers qui aident à accroître les tissus musculaires et à réparer les cellules. Vous allez aussi en savoir plus à propos d'aliments et d'habitudes alimentaires spécifiques qui soutiennent le fonctionnement des glandes et la production d'hormones, activent les hormones souhaitées et éliminent celles qui sabotent vos efforts en vue de perdre du poids.

Surtout, j'ai voulu créer un programme alimentaire qui soit durable. Bien qu'il ne vous permette pas de placer un sac dans le four à micro-ondes et d'appeler cela un repas, il est tout de même facile à suivre. Vous aurez peut-être à travailler un peu, mais les avantages en valent vraiment le coup.

LES GROUPES D'ALIMENTS CONTENANT DE PUISSANTS NUTRIMENTS

Vous savez à quel point j'adore insister sur le pouvoir de choisir. Eh bien, je vous dis que, si vous le voulez, vous avez le pouvoir de réduire de 50 % les risques de problèmes de santé liés à l'obésité, notamment les maladies cardiovasculaires, le cancer, le diabète et les accidents vasculaires cérébraux. Vraiment ! C'est précisément ce choix de vie – ou de mort – que vous faites lorsque

LES 10 GROUPES MAÎTRES

1. Les légumineuses
2. Les alliacés (ail, ciboulette, oignons, échalotes, poireaux)
3. Les baies
4. Les viandes, les poissons et les œufs
5. Les fruits et les légumes colorés
6. Les crucifères (chou, chou-fleur, choux de Bruxelles, brocoli, radis, navet, etc.)
7. Les légumes à feuilles vert foncé
8. Les noix et les graines
9. Les produits laitiers biologiques
10. Les grains entiers

vous choisissez les aliments que vous allez vous mettre dans le corps.

Vous rendez-vous compte qu'il n'y a rien dans nos gènes qui nous dit quand mourir? Il y a un code génétique qui nous dit comment croître, respirer et dormir, mais RIEN ne nous dit de mourir. Alors pourquoi mourons-nous? Parce que nous dégradons et abîmons notre corps de l'intérieur avec des aliments médiocres et un mode de vie inapproprié.

Dieu/la nature/appelez ça comme vous le voulez, nous a fourni tout ce qu'il nous faut pour nous guérir nous-mêmes. Hippocrate a dit: «Que les aliments soient votre médicament», et qu'est-ce qu'il avait raison! Certains aliments guérissent sans provoquer d'effets indésirables, sont 100% naturels et ne se trouvent pas plus loin qu'à votre marché local. Ils contiennent de puissants nutriments. Ces aliments dotés de supernutriments peuvent considérablement améliorer la qualité et la durée de votre vie. Il a été scientifiquement prouvé qu'ils aident à prévenir les problèmes de santé; dans certains cas, ils peuvent même renverser le cours de la maladie. Ils stabilisent également vos hormones et accélèrent votre métabolisme, un effet «secondaire» intéressant que les médicaments ne vous procureront jamais.

Voici une liste des 10 groupes d'aliments contenant de puissants nutriments que vous devriez consommer le plus souvent possible. C'est vraiment ce que je pense! Jetons un coup d'œil sur ce que chacun de ces groupes fait à votre corps et comment il contribue, notamment grâce à ses nutriments, à rétablir votre métabolisme. Vous verrez aussi des encadrés sur certains aliments ou substances pouvant, selon des études scientifiques, freiner ou déclencher des hormones spécifiques. Tous les aliments qui ont un effet positif en matière d'hormones ont été incorporés dans les listes d'aliments, les recettes et les menus que je vous propose dans ce maître-plan. (À la page 295, vous trouverez pour vos emplettes de pratiques listes d'aliments contenant ces puissants nutriments.)

GROUPE D'ALIMENTS Nº 1 : LES LÉGUMINEUSES

Les haricots et les autres légumineuses (MEILLEUR CHOIX : haricots rouges) contiennent des glucides, certes, mais du meilleur type. Par exemple, les haricots sont l'une des sources les plus riches en fibres solubles, lesquels sont la clé d'un contrôle efficace de la glycémie. Ils contiennent aussi de l'amidon résistant qui, comme son nom l'indique, « résiste » en étant digéré dans l'intestin grêle avant de passer dans le gros intestin. À cette étape, l'amidon résistant fermente, consolide la paroi intestinale et crée des acides gras à chaîne courte qui combattent l'inflammation systémique, le cancer et les « mauvaises » bactéries présentes dans l'intestin, tels que *E. coli* et le candida. L'amidon résistant aide aussi à abaisser le taux d'insuline, probablement parce qu'étant si long à digérer, il ralentit la production de glucose. Une étude a révélé qu'en ajoutant 5 % d'amidon résistant à votre assiette, vous augmentez l'élimination du gras après le repas. Environ 80 % de ce gras provient de votre ventre et de vos hanches, et seulement 20 %, du contenu dans votre repas. Vous allez adorer ça ! De plus, lorsque vous ingérez l'amidon résistant présent dans des haricots, vous vous sentez plus rassasié, vous stockez moins de gras, vous abaissez vos taux de cholestérol et de triglycérides, en plus d'améliorer de façon générale votre sensibilité à l'insuline.

Plusieurs sortes de haricots contiennent des phytœstrogènes, mais contrairement aux produits du soja transformés enrichis d'isoflavones, ces phytœstrogènes *réduisent* les taux d'œstrogènes en circulation dans votre organisme. Les haricots ont aussi une forte teneur en zinc et en vitamines du groupe B, des stimulateurs avérés de la testostérone.

Conseil hormonal : *prenez de 1 à 3 portions par jour.*

- Les haricots sont meilleurs secs qu'en conserve ; faites-les tremper dans l'eau de six à huit heures, ou pendant toute la nuit, à la température ambiante, puis jetez l'eau de trempage. Faites-les cuire dans l'eau, tout simplement.
- Ne vous privez pas de haricots en conserve si cela vous incite à manger davantage de légumineuses.
- Recherchez les variétés sans sel et rincez-les bien avant la cuisson.
- Non, la purée de haricots (*refried beans*) ne compte pas ! Si ce goût vous plaît, recherchez les purées de haricots qui ne contiennent que des haricots, du sel et de l'eau.

DES ALIMENTS DÉCLENCHEURS D'HORMONES – LES ŒSTROGÈNES ET LA PROGESTÉRONE

Les aliments qui affectent les taux d'œstrogènes peuvent s'avérer risqués. Les aliments riches en phytœstrogènes peuvent aider les femmes à contrôler certains des symptômes les moins plaisants de la périménopause, telles les bouffées de chaleur. Mais une fois que les femmes sont ménopausées, ou qu'elles présentent un risque de cancer du sein ou de l'utérus, ces œstrogènes supplémentaires peuvent s'avérer nuisibles. Même chose pour les hommes : certains phytœstrogènes peuvent contribuer à protéger leur cœur, mais un excès de ceux-ci peut réduire leur taux de testostérone et augmenter les risques de cancer de la prostate. Toutefois, il n'y a pas que les aliments qui peuvent affecter votre équilibre œstrogénique. Jetez un coup d'œil sur le tableau suivant.

PRODUITS QUI RÉDUISENT LES ŒSTROGÈNES	POURQUOI	SOURCES ET SOLUTIONS
Fibres alimentaires	Les œstrogènes sont normalement tirés du sang par le foie, qui les dirige dans le tractus intestinal par un petit tube appelé « canal biliaire ». C'est là que les fibres les absorbent comme une éponge et les transportent à l'extérieur avec les autres déchets. Plus il y a de fibres dans un régime alimentaire, plus le système d'élimination naturelle des œstrogènes fonctionne efficacement.	Les fruits, les légumes et les grains entiers, surtout ceux qui sont riches en fibres solubles, comme les pommes, l'orge, les haricots, le psyllium, les lentilles et le son d'avoine.
Flavones	Les flavones peuvent empêcher les hormones surrénales, comme la testostérone, d'être converties en œstrogène.	Les oignons, le thé noir et vert ainsi que les pommes figurent parmi les meilleures sources de flavonol et de flavones.
Thé vert	Une étude a révélé que le thé vert abaisse le taux d'œstrones moins saines alors que le thé noir les augmente.	Le thé vert sous toutes ses formes, en vrac, en sachets, glacé.
Indole-3-carbinol	Cet antioxydant aide à stimuler les enzymes de détoxication. L'indole-3-carbinol bloque les récepteurs d'œstrogène sur la membrane des cellules, réduisant les risques de cancer du sein et du col de l'utérus.	Les crucifères tels que le brocoli, le chou, le chou frisé et les choux de Bruxelles.
Grenade	Une étude menée en laboratoire a révélé que le jus, l'extrait et l'huile de grenade pouvaient bloquer jusqu'à 80 % de l'activité œstrogénique et empêcher plusieurs types différents de cellules cancéreuses du sein de se multiplier. Une autre étude a révélé un effet similaire sur les cellules du cancer de la prostate.	Le jus de grenade est une excellente source nutritive. Essayez aussi d'incorporer des graines dans vos salades et desserts. Leur acidité ajoute un délicieux complément au yogourt à la vanille.

suite

PRODUITS QUI AUGMENTENT LES ŒSTROGÈNES	POURQUOI	SOURCES ET SOLUTIONS
Alcool	Une étude a révélé qu'après 4 semaines, les femmes ménopausées qui prennent 1 consommation par jour augmentent leur taux d'œstrone de presque 7 %. Celles qui boivent 2 consommations par jour, la haussent est de 22 %.	Tenez-vous-en à 1 consommation par jour au maximum. Si vous êtes à risques de cancer du sein, cessez complètement de consommer de l'alcool.
Caféine	Une étude a révélé que 2 tasses de café ou plus ou 4 cannettes de boissons gazeuses par jour augmentaient le taux d'œstrone.	Limitez-vous à 1 ou 2 tasses de café par jour au maximum et tentez d'éliminer complètement les boissons gazeuses.
Gras	Une étude menée au Japon a indiqué que, chez des femmes minces, le gras alimentaire élevait les taux d'œstrogènes, mais le mécanisme menant à ce résultat n'est pas bien connu. Les gras trans favorisent la formation de gras abdominal, ce qui suscite une production excédentaire d'œstrones.	Évitez tous les types de chips, craquelins, biscuits ou fritures préparés avec des huiles hydrogénées. Tous ces aliments sont bourrés de gras trans.
Graine de lin	La graine de lin est la source la plus riche en diglucoside de sécoisolaricirésinol (SDG), qui se transforme en lignanes dans le corps. Semblables à cela dans les lignanes, il y a les phytœstrogènes qui peuvent aider à maintenir le taux d'œstrogènes sains et à réduire le taux d'œstrogènes circulant en rivalisant pour l'espace des récepteurs. (Une fois de plus, parlez à votre médecin de toute inquiétude à propos du cancer.)	Achetez des graines de lin, moulez-en une petite quantité à la fois et gardez-les au réfrigérateur. Ajoutez-les aux céréales, au yogourt et au yogourt fouetté (*smoothies*). Les graines de lin sont aussi une bonne source d'acides gras oméga-3 ALA.
Houblon	Les fleurs femelles du houblon sont utilisées dans la fabrication de la bière et contiennent un phytœstrogène qui s'est révélé apte à réduire les bouffées de chaleur.	La bière ne contient pas suffisamment de houblon pour faire une différence... à moins que vous n'en abusiez vraiment ! Mais l'alcool élèvera par ailleurs les taux d'œstrogènes dans votre sang, alors tenez-vous en à 1 verre de bière.
Trèfle des prés	Contient des phytœstrogènes d'origine naturelle ainsi que du calcium, du chrome et du magnésium qui aident le métabolisme.	Le plus souvent, on le trouve sous forme de supplément, mais vous pouvez aussi l'obtenir dans les germes de haricot.

(Suite à la page suivante)

suite

PRODUITS QUI AUGMENTENT LES ŒSTROGÈNES	POURQUOI	SOURCES ET SOLUTIONS
Soja	Le soja contient des phytœstrogènes appelés « isoflavones ». Ces composés imitent les œstrogènes, de sorte que, techniquement, ils les augmentent. Mais les produits naturels du soja contiennent une forme plus faible d'œstrogène qui bloque les récepteurs des formes plus fortes (comme l'œstrone), de sorte qu'ils réduisent aussi les taux d'œstrogènes dans le flux sanguin. Ils ne s'accumulent pas dans le corps et sont rapidement métabolisés. Chez les hommes et les femmes préménopausées sans autres facteurs de risque, le soja et d'autres phytœstrogènes peuvent aider à réduire les risques de cancer du sein, de l'utérus et de la prostate. Toutefois, si vous êtes déjà à risques de présenter l'une ou l'autre de ces maladies, les œstrogènes additionnels peuvent accroître ces risques. C'est pourquoi je recommande toujours de consommer du soja avec modération. (Parlez à votre médecin à propos de vos risques personnels de cancer par rapport à un surplus d'œstrogènes.)	Les produits fermentés du soja tels que le tofu, le miso, le tempeh, ou l'edamame. (Évitez les produits concentrés en isoflavones, comme le lait de soja, les noix de soja ou la farine de soja.) Parmi les autres sources de phytœstrogènes, citons le fenouil, l'anis et les graines de sésame.
Ignames	On ne sait trop pour quelles raisons, mais les ignames semblent réduire le métabolisme des œstrogènes, lequel mène à des taux élevés. Une étude a révélé qu'en mangeant des ignames 2 fois par jour durant 1 mois, on élevait le taux d'œstrone.	Pour être honnête, je dois dire que pour obtenir quelques effets hormonaux, il faut consommer des portions sérieuses d'ignames, au moins 2 ou plus par jour.

GROUPE D'ALIMENTS N° 2 : LA FAMILLE DES ALLIACÉS

L'ail (MEILLEUR CHOIX) et les autres alliacés – oignons, poireaux, ciboulette et échalote – sont incroyablement efficaces pour éliminer les toxines de l'organisme. Ils stimulent la production de glutathion, un antioxydant qui vit à l'intérieur de chaque cellule, prêt à combattre les radicaux libres, où qu'ils se trouvent dans le corps. L'action du glutathion est particulièrement importante dans le foie, où elle contribue à supprimer les médicaments et autres composés chimiques qui sont des perturbateurs endocriniens.

Les anthocyanines, un certain type de flavonoïdes présents dans les oignons, sont des destructeurs incroyables de radicaux libres ; qui plus est, les scientifiques commencent à penser qu'ils peuvent aussi contribuer à lutter contre l'obésité et le diabète. L'ail et les plantes apparentées aident également à abaisser le taux de cholestérol de façon générale, mais élève le taux de HDL, en réduisant la synthèse du cholestérol par le foie. (Deux gousses d'ail par jour peuvent être aussi puissantes que certains médicaments pour réduire le cholestérol.) Quoique des études sur les rats indiquent que l'allicine de l'ail puisse améliorer le taux de testostérone, il est un peu trop tôt pour en être absolument certain. Même si l'ail est déjà très efficace, s'il est finalement démontré qu'il augmente la testostérone, c'est encore mieux!

Les poireaux sont particulièrement sympas. Ils réunissent les meilleurs aspects de l'ail et des oignons – surtout le manganèse, un stabilisateur de glycémie – et les combinent avec les fibres ; ils sont ainsi fantastiques pour stabiliser le taux d'insuline.

Conseil hormonal : *prenez au moins 1 portion par jour.*

- En pressant, en hachant ou en mâchant l'ail, on libère les enzymes de type allinase qui possèdent plusieurs vertus bienfaisantes. Coupez au moins le bout de la gousse d'ail avant de la rôtir : cela permettra une certaine activité des enzymes.
- Avant de cuire l'ail écrasé ou haché, laissez-le reposer 10 minutes afin de permettre aux enzymes d'activer tous les composés bienfaisants.
- Si vous pouvez y arriver, tentez de consommer ces aliments crus : l'allinase peut être désactivée par la chaleur. Tranchez des oignons rouges ou Vidalia crus pour vos sandwichs ou burgers ; mettez des oignons verts hachés dans votre salade ou de l'ail dans votre vinaigrette.
- Appariez l'ail et l'huile d'olive pour libérer encore plus de composés organo-sulfuriques. Faites revenir la partie blanche des poireaux avec de l'ail pour obtenir une double dose d'allium.
- Pour éliminer l'haleine d'ail (qui peut durer près de 18 heures !), mâchouiller un brin de persil ou de menthe après votre repas. Assurez-vous de vous brosser les dents et d'utiliser la soie dentaire, le gratte-langue et/ou le rince-bouche de façon régulière.

DES ALIMENTS DÉCLENCHEURS D'HORMONES – LA TESTOSTÉRONE

Le régime que je vous propose dans *Maîtrisez votre métabolisme* est conçu de manière à hausser le taux de testostérone, tant chez les hommes que chez les femmes, sauf celles qui souffrent du SOPK. La testostérone nous donne de l'énergie, développe nos muscles et augmente notre libido. Elle contribue aussi à protéger nos os et notre cerveau. Et si nous tirons parti des nombreuses façons dont nos aliments peuvent nous aider à stimuler la production de testostérone, nous pourrions bien ne jamais avoir à prendre des suppléments.

PRODUITS QUI RÉDUISENT LA TESTOSTÉRONE	POURQUOI	SOURCES ET SOLUTIONS
Alcool	Une étude a révélé que l'alcool réduit le taux de testostérone chez les hommes.	Des alcooliques qui avaient cessé de boire ont vu leur taux de testostérone augmenter après 6 semaines de sobriété. Raison de plus de vous en tenir à 1 seule consommation par jour.
Réglisse	La réglisse bloque les enzymes responsables de la production de testostérone (bien que certaines études aient démontré que cette réduction n'est pas très significative).	Un bout de réglisse noire à l'occasion ne réduira pas à néant votre appétit sexuel, mais n'en faites quand même pas une habitude.
Régime faible en gras	Un régime faible en gras émousse la poussée de testostérone qui survient normalement après qu'on a soulevé des haltères. (N'oubliez pas que la testostérone est dérivée du cholestérol, qui est une forme de gras.)	Après l'entraînement, assurez-vous que votre casse-croûte est bien équilibré en gras et en protéines.
Régime faible en protéines	Une étude menée auprès d'hommes âgés a révélé qu'un régime faible en protéines élevait le taux de globuline/protéine liant la testostérone (TeBG), ce qui diminue la testostérone disponible. Comme la TeBG lie d'autres hormones, brimant ainsi leur action, un taux élevé de cette globuline abaisse d'autant la testostérone.	Tenez-vous-en au ratio de protéines de 30 % suggéré dans ce régime. (Voir le chapitre 7.)
Phytœstrogènes, en particulier les lignanes	Les baisses sont minimes, mais une étude a révélé que le fait de manger des aliments contenant des phytœstrogènes diminue le taux de testostérone. Une étude a indiqué que chez les femmes, les lignanes diminuent la production de testostérone.	L'huile de lin est riche en lignanes. Tentez d'obtenir le gros de vos oméga-3 d'huiles de poisson plutôt que de cette source végétarienne.

suite

PRODUITS QUI AUGMENTENT LA TESTOSTÉRONE	POURQUOI	SOURCES ET SOLUTIONS
Allicine	Une étude menée sur des rats a révélé que l'ail ajouté à un régime riche en protéines accroissait le taux de testostérone. L'allicine inhibe aussi le cortisol, qui peut rivaliser avec la testostérone et altérer sa fonction normale.	Ajoutez de l'ail et des oignons tranchés à vos burgers pour accroître la testostérone.
Vitamines du groupe B	La consommation de vitamines du groupe B est associée à un taux élevé de testostérone.	Vous pouvez obtenir ces vitamines en abondance dans les céréales enrichies, les haricots, la viande, la volaille et le poisson.
Caféine	Selon une étude, de fortes doses de caféine associées à de l'exercice accroîtraient le taux de testostérone.	Il serait bien tentant d'en tirer prétexte pour satisfaire une dépendance à ce stimulant, mais les données sur l'effet de la consommation régulière de caféine sur la testostérone sont insuffisantes. Tenez-vous-en à 1 ou 2 boissons caféinées par jour et prenez-les avant midi.
Niacine	Il a été démontré que la niacine accroît le cholestérol HDL. Un taux élevé de HDL est associé à un taux plus élevé de testostérone.	On trouve la niacine dans plusieurs aliments, dont les produits laitiers, les viandes maigres, la volaille, le poisson, les noix et les œufs. En outre, plusieurs pains et céréales sont enrichis de niacine.
Graisse végétale	Il a été démontré que la consommation de graisse végétale accroît la dihydrotestostérone, une forme de testostérone responsable de la croissance du système pileux.	Allez-y mollo avec les huiles de soja, de maïs, de carthame et de tournesol ; tirez plutôt votre gras végétal des huiles d'olive et de canola.
Zinc	Des chercheurs ont découvert qu'une réduction de la consommation de zinc chez les jeunes hommes en santé provoquait une réduction de 75 % de leur testostérone, mais que les hommes âgés pouvaient combler leur carence en zinc et doubler leur production de testostérone en prenant des suppléments.	On peut trouver du zinc dans plusieurs aliments riches en protéines, tels les huîtres, le crabe dormeur, le bœuf, le porc, la viande brune de poulet et de dinde, le yogourt, le fromage cheddar, les noix de cajou, les amandes, les haricots cuits au four et les pois chiches.

GROUPE D'ALIMENTS N^{O} 3 : LES BAIES

Les baies (MEILLEUR CHOIX) sont de petits fruits qui renferment de grandes quantités de polyphénols, le même agent phytochimique qui donne au vin et au chocolat bon nombre de leurs propriétés bienfaisantes pour la santé. Mais contrairement au vin et au chocolat, les baies ne font pas engraisser et ne contiennent pas de caféine. Ces petits fruits tiennent leurs magnifiques couleurs des anthocyanes, ces flavonoïdes qui ne peuvent qu'orienter nos gènes d'élimination des gras dans la bonne direction. Un chercheur japonais a découvert en effet que les anthocyanes empêchent les cellules adipeuses de grossir et les incitent à produire de l'adiponectine, une hormone qui aide à réduire l'inflammation, à abaisser la glycémie et à renverser la résistance à l'insuline et à la leptine. Une autre étude a démontré que les anthocyanes peuvent réduire la glycémie après les repas riches en féculents, prévenant ainsi les poussées d'insuline qui mènent au diabète. Certains polyphénols contenus dans les fraises et les framboises bloquent l'activité des enzymes digestives sur certains féculents et des gras spécifiques, ce qui réduit leur absorption par le corps. En combinant cette activité avec les fibres solubles contenues dans les baies, on obtient une petite gâterie très efficace pour nous aider à perdre du poids et à maintenir notre glycémie au niveau que nous souhaitons, c'est-à-dire bas.

Conseil hormonal : *prenez au moins 1 portion par jour (autant que vous le pouvez !).*

- Le bio est incontournable, les baies étant parmi les fruits les plus bourrés de pesticides.
- Il est préférable de consommer les baies fraîches ou congelées. Vous perdez presque toutes les anthocyanes lorsque vous mangez ces petits fruits dans des aliments transformés.
- Recherchez des emballages sans trace visible de taches de jus, un signe qui indique que les fruits sont trop mûrs. Enlevez ceux qui sont ramollis ou meurtris et placez le reste au réfrigérateur dans un bol tapissé d'un essuie-tout. Tentez de les manger dans les 48 heures suivant l'achat.
- Lorsque c'est la saison des petits fruits au marché des producteurs local, achetez-en une caisse. Une fois à la maison, nettoyez-les délicatement et laissez-les sécher. Puis placez-les en une seule couche sur une plaque

à biscuits et congelez-les. Transférez ensuite les baies congelées dans un sac de congélation où elles se conserveront jusqu'à deux ans.

- Les framboises noires ont une concentration extrêmement élevée d'anthocyanes et d'acide ellagique. On peut les trouver à l'état sauvage dans certaines régions, alors gardez l'œil ouvert!

GROUPE D'ALIMENTS N^O 4 : LES VIANDES, LES POISSONS ET LES ŒUFS

Avez-vous sourcillé quand vous avez lu que vous alliez manger des aliments qui viennent de la terre ou « qui ont une mère » ? Eh bien, nous en sommes maintenant à la partie « mère ». Dans le cadre de ce programme, vous allez manger de la viande. Toutes sortes de viandes, mais d'abord celles qui ont une haute teneur en gras sains, comme les ALC ou les oméga-3.

La viande est la meilleure source d'acides aminés nécessaires au développement des muscles. (MEILLEUR CHOIX: le saumon sauvage de l'Alaska.) La viande et les œufs ont tous deux de l'arginine (un acide aminé), crucial pour la production de protéines et de l'hormone de croissance dans l'organisme. L'arginine est aussi un précurseur de l'oxyde nitrique (NO), un gaz bienfaisant qui améliore le fonctionnement de votre endothélium et tapisse la paroi de vos vaisseaux sanguins afin de réduire les risques de coagulation sanguine (caillots) et d'augmenter la circulation du sang. (L'oxyde nitrique est l'élément moteur du Viagra, si vous voyez ce que je veux dire…)

Quant à la tyrosine, un autre acide aminé, non seulement elle limite votre appétit et réduit votre gras corporel, mais elle soutient également le sain fonctionnement de votre thyroïde, de votre hypophyse et de vos glandes surrénales. Pour sa part, la leucine, un acide aminé qu'on trouve dans la viande, les œufs et le poisson, aide aussi le corps à produire de l'hormone de croissance, à réguler la glycémie et à développer les muscles qui favorisent le bon fonctionnement de toutes vos hormones, en particulier l'insuline et la testostérone.

Vous êtes sans doute au fait de tous ces efforts déployés au cours des 25 dernières années pour réduire le cholestérol alimentaire dans le but ultime d'abaisser notre taux de cholestérol sanguin. Eh bien, oubliez ça ! Tous les stéroïdes sexuels sont créés à partir du cholestérol, de sorte que votre corps a besoin du cholestérol dans la viande, le poisson et les œufs pour fabriquer cette précieuse testostérone. En fait, plusieurs experts croient maintenant

DES ALIMENTS DÉCLENCHEURS D'HORMONES – LE CORTISOL

Dans notre monde moderne, nous n'avons aucun besoin de stimuler notre production de cortisol – cela se fait sur une base quotidienne. Nous devons plutôt nous efforcer de réduire le taux de cette hormone qui stocke le gras. Pour certains d'entre nous, combattre le stress avec les aliments est un comportement naturel. Mais je ne parle pas ici des barres de chocolat Dove ou de chips ; plusieurs aliments sains nous aident à réduire le cortisol de manière que nous puissions perdre du poids plutôt que d'en prendre.

PRODUITS QUI RÉDUISENT LE CORTISOL	POURQUOI	SOURCES ET SOLUTIONS
Aliments riches en fibres	Les glucides, mais plus particulièrement les fibres alimentaires, réduisent le cortisol. Les glucides riches en fibres ne causent pas de poussée d'insuline de telle sorte qu'il n'y a pas non plus de poussée du taux d'adrénaline.	Parmi les aliments riches en fibres solubles, on compte le son d'avoine, le gruau, les haricots, les pois, le son de riz, l'orge, les agrumes, les fraises et la pulpe de pomme. Parmi les aliments riches en fibres insolubles figurent les pains de blé entier, les céréales de blé, le son de blé, le chou, la betterave, la carotte, les choux de Bruxelles, le navet, le chou-fleur et la pelure de pomme.
Phosphatidylsérine (PS)	Ce produit chimique naturel protège de la surproduction de cortisol en réponse au stress physique.	On trouve de la PS dans le maquereau, le hareng, l'anguille, le thon, le poulet, les haricots, le bœuf, le porc, les grains entiers, les légumes verts à feuilles et le riz.
Stérols végétaux	Une étude en double aveugle a démontré que, lorsqu'on donnait des stérols végétaux à des marathoniens avant une course, leur taux de cortisol n'augmentait pas (contrairement aux membres du groupe témoin qui avaient un taux élevé), indiquant une réduction de la réponse surrénale au stress.	On peut obtenir des stérols végétaux dans des tartinades et des vinaigrettes enrichies, comme celles de la marque Smart Balance, mais ce n'est absolument pas nécessaire dans le cadre de ce régime. Après tout, ce sont des aliments transformés.
Vitamine C	Des études menées sur des animaux ont révélé que la vitamine C a empêché une hausse du taux de cortisol et a protégé ces animaux contre d'autres signes physiques du stress. Le taux de cortisol était 3 fois plus élevé chez ceux qui n'avaient pas reçu de vitamine C. Comme les surrénales libèrent de la vitamine C durant le stress, un apport supplémentaire de cette vitamine pourrait aider à soutenir ces importantes glandes.	Tous les fruits et les légumes contiennent de la vitamine C. Parmi les sources les plus riches figurent le poivron vert, les agrumes et leur jus, les fraises, les tomates, le brocoli, le navet, les légumes verts à feuilles, les patates douces et le cantaloup.
Protéines de lactosérum	Le tryptophane présent dans les protéines de lactosérum augmente la production de sérotonine, abaissant ainsi le taux de cortisol et améliorant la capacité de gérer le stress.	Essayez d'ajouter de la poudre de protéines de lactosérum aux laits fouettés.

suite

PRODUITS QUI AUGMENTENT LE CORTISOL	POURQUOI	SOURCES ET SOLUTIONS
Alcool	L'alcool active l'axe hypothalamo-hypophyso-surrénalien, poussant les surrénales à produire plus de cortisol.	Des études démontrent qu'une grande consommation d'alcool accroît le taux de cortisol. Une autre recherche a révélé qu'un verre de vin réduisait en fait le taux de cortisol. Conclusion : tenez-vous-en à 1 verre ou moins par jour.
Caféine	La caféine augmente la sécrétion de cortisol en élevant la production d'hormones adrénocorticotropes (un précurseur du cortisol) par l'hypophyse.	La clé demeure la modération. Pas plus de 200 mg en tout par jour.
Capsaïcine	La capsaïcine pousse les glandes surrénales à sécréter de l'adrénaline, de la noradrénaline et du cortisol, mais seulement durant une quinzaine de minutes. Une heure après cette brève poussée, vos hormones surrénales descendent à un taux plus bas qu'à l'origine, peut-être en raison d'une poussée d'endorphines.	Plusieurs études ont relié le poivre de Cayenne, riche en capsaïcine, à la diminution de la douleur, de l'inflammation et des risques de maladies cardiovasculaires, de cancer et d'ulcères d'estomac. Ainsi, il s'agit là d'un rehausseur de cortisol à privilégier.
Gluten	L'intolérance au gluten mène à un taux élevé de cortisol. Plusieurs personnes ont une intolérance au gluten sans le savoir.	Si cette question vous cause des soucis, recherchez les produits sans gluten ; de plus en plus d'entreprises le précisent sur l'étiquette de leurs produits. Ou tentez seulement de réduire le volume de produits du blé que vous consommez.
Réglisse	L'acide glycyrrhétinique présent dans la réglisse inhibe une enzyme qui inactive le cortisol au niveau des reins. Le fait de manger de la réglisse prolonge essentiellement la présence du cortisol dans les reins.	Évitez la réglisse et oubliez complètement les Twizzlers rouges, fabriqués presque entièrement à partir de maïs.
Sel	La consommation de sodium modifie une enzyme qui aide la cortisone à se transformer en cortisol.	Compte tenu du fait que 77 % de notre sodium provient des aliments préparés ou transformés, votre passage aux aliments frais vous aidera à limiter votre consommation de sodium à une fourchette située entre 1500 et 2400 mg par jour.

INNOCUITÉ DES FRUITS DE MER

Plusieurs types de poisson constituent d'excellentes sources d'oméga-3, mais vous devez prendre garde aux métaux lourds et aux autres agents toxiques que certains d'entre eux contiennent. Des poissons pêchés dans des rivières près de Pittsburgh avaient tant d'œstrogènes exogènes flottant dans leur corps que des extraits de leurs cellules ont provoqué la croissance de cellules cancéreuses en laboratoire. Un gramme de gras de poisson contient aussi en moyenne de 5 à 20 fois plus de BPC et de dioxines qu'un volume égal d'autre gras animal. Il a été démontré que les BPC ont des effets négatifs sur le quotient intellectuel, la mémoire et l'attention, et causent un dysfonctionnement de la thyroïde.

Soyez prudent. Les responsables du Seafood Watch de l'aquarium de Monterey Bay ont créé d'excellents guides régionaux de fruits de mer (www.mbayaq.org). Voyez les meilleurs choix offerts, aussi bien pour des raisons d'environnement que de santé. Voici mes suggestions pour les meilleurs et les pires choix de poissons.

CHOISISSEZ	ÉVITEZ
Anchois	Alose
Bar noir	Anguille
Barramundi (élevage américain, non importé)	Bar blanc
Crabe caillou, crabe dormeur, crabe Kona	Bar du Chili
Flétan	Bar rayé sauvage
Flétan du Pacifique	Crabe bleu et crabe royal
Goberge du Pacifique	Espadon
Hareng de l'Atlantique	Esturgeon sauvage
Huîtres (d'élevage)	Hoplostète du Pacifique
Maquereau de l'Atlantique	Hoplostète orange
Morue charbonnière	Makaire
Morue du Pacifique	Mérou
Omble de l'Atlantique	Morue de l'Atlantique
Ormeau	Morue-lingue
Palourdes (coques)	Plie/Sole de l'Atlantique
Sardines	Plie rouge et cardeau d'été
Saumon sauvage d'Alaska (frais, congelé ou en conserve)	Requin
Sébaste du Pacifique	Tambour brésilien
Thon (pâle ou blanc en conserve des États-Unis et du Canada)	Tassergal
Tile	Thazard
Truite arc-en-ciel (d'élevage)	Thazard bâtard
Vivaneau	Thon rouge

qu'il y a peu de rapport entre le cholestérol alimentaire et l'hypercholestérolémie. (Tout le monde peut se tromper!) Les œufs entiers se révèlent être l'aliment presque parfait, avec presque tous les minéraux et vitamines dont votre corps a besoin pour bien fonctionner. (Ajoutez une orange à votre œuf et vous obtiendrez la seule chose qui lui fait défaut: la vitamine C.)

Les protéines élèvent votre métabolisme parce que leur élimination nécessite plus d'énergie que celle des glucides ou des matières grasses. Lorsque vous mangez des protéines et des matières grasses, particulièrement les oméga-3 qu'on trouve dans les œufs biologiques pondus par des volailles élevées en plein air, la viande et les poissons gras de grands fonds, le taux de ghréline baisse et l'estomac libère plus de neuropeptide CCK, ralentissant ainsi la digestion et réduisant votre appétit. Le saumon, qui est riche en oméga-3, est aussi une bonne source de sélénium, un apport crucial pour votre thyroïde, et de vitamine D, qui aide à préserver les muscles.

Le saumon est également l'aliment tout indiqué pour les femmes aux prises avec le syndrome prémenstruel: une portion de saumon procure une grande quantité de tryptophane, le précurseur de la sérotonine, un élément chimique du cerveau associé au calme et aux humeurs positives. La consommation de poisson contribue également à réduire la production de prostaglandines. Les prostaglandines agissent dans le corps comme des hormones, mais au lieu de transmettre leurs messages dans le flux sanguin, elles demeurent dans les cellules. On peut tenir les prostaglandines responsables de l'inflammation, de la douleur, de la fièvre et des crampes. Mais alors que les acides gras oméga-6 produisent des prostaglandines, les oméga-3 du saumon peuvent contribuer à émousser leurs effets.

Les oméga-3 contenus dans le saumon et les œufs biologiques produits par des volailles élevées en plein air aident aussi à gérer la glycémie et à combattre l'obésité. Il a été démontré qu'une dose de 1,8 gramme d'acide eicosapentaénoïque (EPA) par jour – qu'on peut facilement obtenir en consommant des capsules d'huile de poisson – accroît le taux d'adiponectine, qui augmente la sensibilité à l'insuline. Une autre étude indique que le poisson peut aider le corps à devenir plus sensible à la leptine.

Beaucoup de végétariens affirment qu'on peut obtenir des oméga-3 de sources végétales, mais aucune plante ne sera jamais en mesure d'en offrir autant. Notre corps ne convertit que 5 % des oméga-3 ALA (de graines de lin et de noix) en EPA et encore moins en DHA. Il faut certes les inclure dans notre régime, mais ne comptez pas là-dessus pour parvenir à un seuil souhaitable de gras sains. De grâce, n'hésitez pas : manger de la viande biologique, des œufs, des poissons gras ; en plus, prenez des capsules d'huile de poisson sans mercure. Toutefois, vous devez tenir compte d'un énorme et inévitable inconvénient du poisson : les toxines. Sans cela, vous pourriez manger du poisson tous les jours de la semaine et j'en serais ravie. Et vos hormones le seraient aussi.

Conseil hormonal : *prenez de 3 à 5 portions (de sources recommandées) par semaine.*

- Achetez toujours du saumon sauvage. L'alimentation du saumon d'élevage accroît sa quantité d'oméga-6 et non pas celle des oméga-3. Le poisson d'élevage a un taux plus élevé de BCP et d'autres organochlorés que les poissons sauvages. De plus, on retrouve dans les piscicultures le pou du poisson qui tue le saumon sauvage. (Recherchez sur Internet ou d'autres sources les meilleurs choix de fruits de mer dans votre région.)
- Mangez le poisson dans les deux jours suivant l'achat. Si vous ne pouvez trouver de saumon sauvage dans votre région, pensez à en commander en ligne ; ça vaut le coup, aussi bien comme investissement que pour votre tranquillité d'esprit.
- Utilisez du saumon en conserve, qui est presque toujours sauvage, pour l'intégrer à vos salades, à vos sandwichs roulés ou dans vos omelettes. Ou encore essayez un plat de kipper – du hareng fumé, très délicieux servi seul – ou des sardines.
- Le bœuf nourri à l'herbe a une saveur plus prononcée que le bœuf nourri de maïs : certains l'adorent, mais on peut mettre un certain temps à s'y faire.
- Si vous craignez vraiment les toxines environnementales présentes dans le poisson, vous pouvez (et devriez) prendre plutôt un supplément quotidien d'huile de poisson.

GROUPE D'ALIMENTS Nº 5 : LES FRUITS ET LES LÉGUMES COLORÉS

En consommant des légumes de couleurs variées (MEILLEUR CHOIX : les tomates), vous obtiendrez automatiquement un éventail de phytonutriments,

LIRE LES ÉTIQUETTES DES FRUITS

Regardez les chiffres : ces codes sur les étiquettes des fruits ont une signification. Vous n'apprendrez pas seulement où le fruit a été cultivé, mais aussi comment il l'a été. Voici un tableau qui peut vous aider à les déchiffrer afin que vous puissiez éviter tous les effets des perturbateurs endocriniens.

NOMBRE SUR L'ÉTIQUETTE	CE QU'IL SIGNIFIE	EXEMPLE
Quatre chiffres.	Le fruit a été cultivé de façon conventionnelle.	4011 – banane jaune cultivée de façon conventionnelle.
Cinq chiffres, commençant par 9.	Le fruit a été cultivé biologiquement.	94011 – banane biologique.
Cinq chiffres, commençant par 8.	Le fruit a été génétiquement modifié.	84011 – banane génétiquement modifiée.

dont chacun procure des bienfaits particuliers à notre corps. Les aliments végétaux colorés sont aussi des sources incroyables de fibres solubles et insolubles, toutes deux essentielles à l'équilibre hormonal et impossibles à trouver dans les produits provenant des animaux.

Lorsque les gens pensent « légumes », ils pensent souvent aux légumes verts. Certains des légumes à feuilles et des crucifères les plus puissants sont en effet verts et j'aborderai en détail cette question un peu plus loin. Mais certains de mes favoris sont des légumes aux couleurs vibrantes : orange, jaune, violet et rouge. Le système de code de couleurs du centre de nutrition humaine de l'UCLA divise les légumes en plusieurs groupes de couleur distincte ; j'ai adapté leur système dans ce qui suit.

Orange : parmi les aliments riches en bêta-carotène, on compte plusieurs légumes et fruits orangés tels la carotte, la patate douce, le cantaloup et la mangue. Les chercheurs estiment que le bêtacarotène peut aider les cellules à communiquer entre elles, augmentant ainsi la capacité du corps à éviter le cancer. Le bêtacarotène joue aussi un rôle important dans la production de progestérone durant la grossesse.

Jaune : la plupart des agrumes entrent dans cette catégorie. La vitamine C qu'on y trouve peut aider à gérer le stress. Dans le cadre d'une étude menée en Allemagne, on a placé des sujets devant un important groupe de gens et on leur a demandé de résoudre des problèmes mathématiques. Ceux qui avaient reçu 1 gramme de vitamine C présentaient beaucoup moins de cortisol et une tension artérielle moins élevée que ceux qui n'en avaient pas reçu.

Violet: j'ai parlé de certaines « puissances violettes » dans la section sur les baies. Les autres fruits et légumes violets, dont les raisins et les olives, ont un taux élevé de resvératrol, un type d'antibiotique végétal recelant beaucoup de potentiel pour ses effets antivieillissement, anti-inflammatoires et réducteurs de glycémie. Même quand des rats ont été nourris avec des régimes riches en gras trans hydrogénés, le resvératrol a réduit leur risque de décès de 30 %.

Rouge: tous les fruits et les légumes rouges contiennent l'élément phytochimique appelé « lycopène », un puissant antioxydant qui réduit les risques de cancer. Plusieurs études ont révélé que les hommes qui présentaient un taux plus élevé de lycopène dans le sang étaient moins à risque d'être atteints du cancer de la prostate. Le lycopène stoppe aussi le stress oxydatif, le processus par lequel les LDL durcissent et bouchent les artères. Une étude a montré que des adultes en santé privés de lycopène durant deux semaines affichaient 25 % plus d'oxydation du gras. Parmi les fruits et les légumes, la tomate est certes l'une des sources les plus riches en lycopène. Une portion de 250 ml de tomate comble presque 60 % de vos besoins quotidiens en vitamine C pour à peine 37 calories. Vous ne vous en doutiez peut-être pas, mais elle est aussi une très bonne source de fibres : une portion de 250 ml fournit presque 8 % de vos besoins quotidiens et aide à contrer l'hyperglycémie.

Conseil hormonal : *prenez 5 portions par jour.*

- Tentez de prendre au moins une portion de chaque catégorie de couleur tous les jours pour profiter d'un bon équilibre de phytonutriments variés.
- Les salades de fruits, salsa, yogourt fouetté (*smoothies*), salades composées et l'ensemble des plats qui offrent un arc-en-ciel de couleurs vous aident à obtenir votre part de fruits et de légumes variés pour la journée.
- La cuisson des tomates concentre leurs puissantes propriétés : les tomates chauffées durant 2 minutes libèrent 50 % plus de lycopène et leur activité antioxydante s'accroît dans la même proportion, laquelle passe à 150 % après 30 minutes de cuisson. Choisissez des sauces, de la pâte et du ketchup biologiques : ils contiennent davantage de lycopène, sans sirop de glucose à haute teneur en fructose.
- Au contraire, plusieurs autres légumes colorés perdent de leur puissance à la cuisson. Mangez une combinaison de légumes crus et cuits pour en profiter pleinement.

- Dans le doute, conservez la peau. Beaucoup de fibres insolubles se cachent dans la pelure des carottes, des pommes ou des poires.
- Achetez des fruits et des légumes de saison, et recherchez d'abord les produits biologiques. Consultez Internet et d'autres sources d'information pour connaître l'adresse des marchés de producteurs situés près de chez vous. Si vous êtes préoccupé par le coût, vérifiez la liste des choix biologiques essentiels à la page 193.
- Vous adorerez le jus de tomate faible en sodium et très faible en calories, mais incroyablement nourrissant : une portion de 175 ml vous donne 33 milligrammes de vitamine C pour seulement 30 calories.
- Si vous êtes pressé, achetez de la salsa fraîche – *sans* agent de conservation – dans la section des produits frais de votre épicerie. Avalez-en 250 ml le midi et vous aurez ainsi des tomates, des poivrons et des oignons en même temps.

GROUPE D'ALIMENTS Nº 6 : LES CRUCIFÈRES

Lorsque vous consommez des crucifères (MEILLEUR CHOIX : brocoli), vous libérez des enzymes qui démarrent le processus chimique donnant à ces légumes leurs propriétés anticancer. Les sous-produits de ce processus, les isothiocyanates, sont comme de petits assassins qui se promènent dans le corps pour éliminer les agents cancérigènes avant qu'ils ne causent des dommages aux gènes et pour prévenir le cancer de la vessie, du col de l'utérus, du côlon, de l'endomètre, du poumon et de la prostate. Les isothiocyanates peuvent même corriger des problèmes de métabolisme hormonal, par exemple en empêchant les œstrogènes de stimuler les cellules cancéreuses du sein.

Ajoutons à cela qu'il a été démontré que le sulforaphane, qu'on trouve dans les légumes crucifères comme le brocoli, le chou et le chou-fleur, aide votre corps à réparer lui-même les dommages causés par le diabète. Le sulforaphane peut aider vos vaisseaux sanguins à se défendre contre les dommages provoqués par l'hypoglycémie. Les chercheurs croient que ces composés peuvent aussi prévenir les maladies cardiovasculaires qui accompagnent souvent le diabète.

N'oubliez pas notre credo de « densité nutritive » : ces petites choses portent en elles un extraordinaire pouvoir nutritionnel tout en offrant moins de calories par bouchée, principalement en raison de leur fort contenu en eau et

DES ALIMENTS DÉCLENCHEURS D'HORMONES – LA LEPTINE

La leptine est libérée de vos cellules adipeuses après que vous avez mangé afin d'informer votre corps qu'il a cessé d'avoir faim et qu'il peut commencer à éliminer des calories. Bonne affaire, non ? Le problème, c'est que plus votre corps est gras, plus vous produisez de leptine, tant et si bien que votre corps commence à ne plus la reconnaître.

Notre objectif est d'optimiser votre taux de leptine en choisissant les aliments qui contribuent à accroître la sensibilité de votre corps à cette protéine, d'augmenter son taux de façon stratégique lorsque cela est nécessaire et de choisir des produits qui travaillent avec les autres hormones pour normaliser son fonctionnement. Jetez un coup d'œil.

PRODUITS QUI AUGMENTENT LA LEPTINE	POURQUOI	SOURCES ET SOLUTIONS
Tous les oméga-3	Un taux systématiquement élevé de leptine peut encroûter votre métabolisme, mais la consommation d'acides gras oméga-3 peut provoquer un bref déclin du taux de leptine et relancer votre métabolisme.	Les poissons gras (comme le saumon), les noix, l'huile d'olive, les œufs enrichis d'oméga-3 et l'huile de lin sont tous de bonnes sources.
L'acide éicosapentaénoïque ou EPA (type d'oméga-3)	L'EPA, comme l'insuline, stimule la production de leptine en accroissant le métabolisme du glucose.	On en trouve dans les poissons d'eaux froides comme le saumon sauvage (non d'élevage), le maquereau, les sardines et le hareng.
Protéines	Selon une étude, une quantité accrue de protéines améliore la sensibilité à la leptine, entraînant une baisse globale de la consommation de calories.	Haussez votre consommation de protéines à 30 % de vos calories quotidiennes. Parmi les bonnes sources de protéines, citons le yogourt, le saumon sauvage du Pacifique, la dinde, les œufs et le beurre d'arachide.
Zinc	Tout comme l'EPA, le zinc peut augmenter le taux de leptine.	Les huîtres contiennent plus de zinc par portion que tout autre aliment, mais la viande rouge et la volaille fournissent la majorité du zinc dans un régime moyen. Parmi les autres bonnes sources figurent les haricots, les noix, certains fruits de mer, les grains entiers, les céréales enrichies et les produits laitiers.

en fibres. Les fibres satisfont votre faim et peuvent accroître, dans une proportion pouvant aller jusqu'à 30 %, la capacité de votre corps à éliminer les gras.

Les études ont démontré systématiquement que les gens qui mangent le plus de fibres prennent le moins de poids.

Conseil hormonal : *prenez 2 ou 3 portions par jour.*

- Ne faites pas cuire le brocoli sur la cuisinière ; utilisez plutôt le four à micro-ondes. Vous préserverez ainsi 90 % de la vitamine C qu'il contient, contre 66 % s'il est cuit à la vapeur ou à l'eau bouillante.

suite

PRODUITS QUI RÉDUISENT LA LEPTINE	POURQUOI	SOURCES ET SOLUTIONS
Un énorme dîner	Selon une étude, le fait de consommer au repas du soir les calories d'une journée entière reporte la libération de leptine à près de deux heures après le repas.	Ne consommez jamais toutes vos calories à ce repas; répartissez-les en trois repas et une collation pendant la journée pour optimiser le taux de leptine.
Alcool	En même temps que l'alcool, le corps peut balayer la leptine dans le foie et les reins.	Tenez-vous-en à 1 verre quotidien de vin rouge bienfaisant pour le cœur.
Caféine	Une étude a révélé que les gros consommateurs de caféine présentaient un faible taux de leptine. Après avoir perdu du poids, ce taux avait augmenté, mais ils reprenaient tout de même plus de poids que les personnes consommant moins de caféine.	Si vous tentez de conserver votre poids, évitez de boire 3 ou 4 tasses de café par jour, comme les sujets de cette étude. Tenez-vous-en à 1 à 2 portions de caféine quotidiennement.
Fructose	L'insuline ordonne au corps de produire de la leptine, mais à l'opposé des autres sucres, le fructose ne stimule pas l'insuline et, ainsi, le corps ne libère pas de leptine. Une étude menée sur des animaux a indiqué qu'une forte consommation de fructose entraînait une résistance à la leptine.	Les boissons gazeuses et les bonbons contiennent du fructose, évidemment, mais vérifiez les étiquettes alimentaires pour débusquer le pire contrevenant en fructose: le sirop de maïs à haute teneur en fructose (HFCS), associé dans les études sur des animaux au diabète et à un taux de cholestérol élevé.
Aliments riches en gras qui augmentent les triglycérides.	Ces aliments inhibent le transport de la leptine à travers la barrière hémato-encéphalique.	Réduisez les gras saturés, les gras trans, le cholestérol alimentaire et les glucides simples.

- Essayez de ne pas trop faire cuire les légumes crucifères: non seulement ils seront moins nutritifs, mais ils pourront prendre une vilaine odeur (c'est le soufre) et tourner en une bouillie dégoûtante. Tentez plutôt de les blanchir: placez-les dans l'eau bouillante 2 minutes, égouttez-les rapidement et rincez-les à l'eau glacée.
- Lorsque vous rapportez les légumes crucifères du marché des producteurs, lavez-les et coupez-les immédiatement, placez-les dans des bols d'eau que vous mettrez au réfrigérateur pour des goûters instantanés.
- Achetez au magasin des sacs de brocoli, de choux-fleurs et de choux coupés. Garnissez-en les salades, mangez-les avec de l'hoummos ou dans les burritos.

- Même si vous n'ouvrez qu'occasionnellement une boîte de soupe (santé!) pour dîner, ajoutez-y des légumes crucifères hachés: chou, chou frisé, rutabaga. Vous ne les goûterez même pas, mais vous augmenterez le volume de votre repas sans y ajouter beaucoup de calories et votre corps profitera de bons composés phythochimiques.
- Le chou-fleur rôti est super! Placez-en des morceaux sur une plaque allant au four avec un mince filet d'huile d'olive, du sel et du poivre. Faites cuire au four 45 minutes à 450 °F (230 °C). Secouez une fois ou deux durant la cuisson pour dorer de façon uniforme. Miam-miam!

HYPOTHYROÏDIE ? ATTENTION !

Si le fonctionnement de votre thyroïde est compromis de quelque façon, allez-y mollo avec les crucifères. Peut-être en raison de la nature goitrigène des isothiocyanates qu'ils contiennent, des études menées sur des animaux ont relié une très forte consommation de légumes crucifères à un accroissement des risques d'hypothyroïdie. Les possibilités que cela se produise chez une personne qui n'a pas de problème de thyroïde sont très minces, mais si votre thyroïde est sensible, faites cuire vos légumes crucifères et saupoudrez-les de sel iodé pour contrer les ions qui peuvent rivaliser avec l'iode pour occuper l'espace dans votre thyroïde.

GROUPE D'ALIMENTS N° 7 : LES LÉGUMES À FEUILLES VERT FONCÉ

Plus d'un millier de plantes ont des feuilles comestibles, mais combien en mangeons-nous, dans les faits? Si on en mange seulement 5 portions par jour, on réduit de 20 % les risques de souffrir du diabète. Plusieurs études ont révélé que les légumes verts à feuilles (MEILLEUR CHOIX: épinard), plus que tout autre type de légumes, jouent un rôle significatif dans la réduction des risques liés au diabète, sans doute en raison de leurs fibres et du magnésium, qui stimule la sécrétion des hormones thyroïdiennes, le métabolisme et le fonctionnement global des nerfs et des muscles. Le manganèse contenu dans les feuilles vertes est aussi essentiel pour le métabolisme normal du glucose.

La vitamine C présente dans les légumes verts à feuilles peut être également salutaire pour les glandes surrénales. Les surrénales libèrent de la vitamine C durant le stress, mais des doses massives peuvent néanmoins provoquer un risque accru de diabète. La meilleure vitamine C demeure celle qui provient de sources naturelles, comme la laitue romaine et les feuilles de navet, deux excellents choix.

La forte teneur en fer des épinards et des bettes à carde fournit de l'oxygène à vos muscles. Lorsque vous n'en avez pas suffisamment, votre métabolisme en prend pour son rhume. En bloquant la formation de prostaglandines, les légumes verts à feuilles aident aussi à prévenir l'inflammation de tout le système, réduisant la douleur arthritique et la coagulation sanguine (caillots). Les fibres solubles présentes dans les légumes verts à feuilles sont considérées comme des « prébiotiques », ce qui signifie qu'elles contribuent à nourrir les « bonnes » bactéries probiotiques dans

QUELLE EST LA DIFFÉRENCE ENTRE FIBRES SOLUBLES ET FIBRES INSOLUBLES ?

Les fibres insolubles rendent vos selles consistantes et aident à maintenir une digestion régulière. Des bienfaits importants certes, mais les fibres solubles peuvent être plus décisives encore pour l'équilibre hormonal : elles coincent les glucides pour ralentir leur digestion, atténuent la hausse du glucose après les repas et gardent le taux d'insuline bas. Les fibres solubles, en raison de leur viscosité, contribuent aussi à traîner le cholestérol hors de l'appareil digestif, abaissant votre LDL. Des experts du Michigan Cancer Center affirment que la meilleure façon de faire la différence entre les fibres solubles et les fibres insolubles est d'imaginer l'aliment dans l'eau. Les fibres insolubles, comme la pelure d'une pomme ou une branche de céleri, vont conserver leur forme ; les fibres solubles, qu'on trouve dans les aliments comme les flocons d'avoine et l'intérieur des haricots, deviendront gluants et fangeux. (En prime : la plupart des sources de fibres solubles contiennent aussi des fibres insolubles.)

SOURCES DE FIBRES SOLUBLES

Abricots
Amandes
Artichauts
Avocats
Bananes
Brocoli
Bulgur
Cantaloup
Carottes
Chou
Choux de Bruxelles
Farine d'avoine
Figues
Fraises
Framboises
Framboises noires
Germe de blé
Graines de lin moulues
Graines de psyllium écrasées (Metamucil)
Graines de tournesol
Gruau
Haricots (noirs, blancs, rouges, pinto)
Kiwi
Mangues
Mûres
Nectarines
Oignons
Oranges
Orge
Pamplemousse
Patates douces
Poires
Pois
Pois chiches
Pommes
Pommes de terre
Pruneaux
Prunes
Seigle
Son d'avoine
Son de riz
Tomates

votre intestin, lesquelles bactéries sont également connues pour prévenir l'inflammation.

Croyez-le ou non, les légumes verts à feuilles contiennent même une petite quantité de gras oméga-3. Seuls, ils ne vous donneront pas tous les oméga-3 dont vous avez besoin, mais une portion d'épinards vous fournira tout de même la moitié du volume offert dans une portion de thon en conserve et même 1 gramme de protéines.

Conseil hormonal : *prenez 3 ou 4 portions par jour.*

- De la roquette aux feuilles de navet, essayez-les toutes ; vous serez surpris de leurs saveurs et de leur variété.
- Entamez chaque dîner par une salade. Alternez : prenez de la laitue frisée une semaine, de la romaine la suivante. En commençant de cette façon, vous calmez votre faim et vous êtes assuré de consommer des légumes verts. Une assiette à salade contient aisément 500 ml et vous atteignez ainsi la moitié de votre objectif quotidien. Ajoutez d'autres légumes ou juste une simple vinaigrette balsamique à vos feuilles de laitue et vous êtes parti pour la gloire !
- Achetez des épinards congelés (biologiques, autant que possible) en petites briques : ils représentent une portion parfaite pour toute une famille ou pour un repas du soir avec des restes pour le lendemain. Faites-les sauter avec de l'huile d'olive, de l'ail haché et du citron.
- Utilisez des pousses d'épinards pour les salades et des épinards matures pour la cuisson.
- Le mesclun comprend différents types de laitue, de la chicorée de Vérone (*radicchio*), des feuilles de pissenlit, de l'endive et d'autres légumes à feuilles vert foncé. Essayez les mélanges de divers commerces ; chacun offre des variétés différentes. Lavez, séchez avec un essuie-tout et consommez dans les cinq jours suivant l'achat.

GROUPE D'ALIMENTS N° 8 : LES NOIX ET LES GRAINES

Lorsque mes clients se gavent de goûters dégueulasses aux gras trans, je leur conseille des noix nature (non salées et non grillées), des amandes ou des pacanes. Les noix et les graines correspondent tout à fait à ce qu'on doit attendre d'une collation (MEILLEURS CHOIX : amandes et noix) ; en plus, ils contribuent à nous protéger des maladies cardiovasculaires, du diabète et de l'inflammation.

L'Adventist Health Study a indiqué que de manger des noix de façon régulière réduisait globalement de 60 % les risques d'infarctus. Plusieurs recherches à long terme ont aussi attribué un rôle important aux oméga-3, aux antioxydants, aux fibres, à l'arginine et au magnésium pour réduire l'inflammation ; or, tous ces précieux nutriments sont dans les noix. Lorsqu'on mange des noix, on tend à présenter de plus faibles taux de protéine C réactive (CRP) et d'interleukine 6 (IL-6), tous deux des marqueurs d'inflammation.

PRENEZ GARDE !

De fortes quantités de graines de lin et d'huile de lin peuvent réduire la coagulation et favoriser le saignement. Elles peuvent aussi interagir avec des médicaments qui ont des effets similaires, comme l'aspirine.

Plusieurs personnes craignent les noix en raison du gras qui s'y trouve, mais c'est leur niveau calorique qui m'inquiète davantage. Peut-être ces deux craintes sont-elles sans fondement, toutefois. L'état de la recherche indique en effet que

COMBIEN DE NOIX OU DE GRAINES DANS UNE PORTION ?

Vous êtes pas mal futé, je le sens, et devez vous dire : « Un instant, est-ce que les noix ne font pas engraisser ? » En effet, les noix sont riches en calories ; toutefois, lorsqu'on les mange avec modération, elles aident à combattre la frénésie alimentaire et l'appétit immodéré en raison de leur contenu en fibres et en protéines. Gardez l'œil sur la taille de vos portions et vous n'aurez pas de problèmes.

TYPE DE NOIX OU DE GRAINES	TAILLE DE LA PORTION
Amandes	20-24
Arachides	28
Graines de citrouille	85 graines ou 60 g
Graines de lin	2 cuillérées à soupe
Graines de sésame	30 g
Noisettes	18-20
Noix	8-11 moitiés
Noix de cajou	16-18
Noix de macadamia	10-12
Noix du Brésil	6-8
Pacanes	18-20
Pignons de pin	150-157
Pistaches	45-47

Sources : www.nuthealth.org et www.calorieking.com

les gens qui mangent des noix deux fois par semaine sont moins susceptibles de prendre du poids que ceux qui n'en mangent pas. Les pignons de pin sont particulièrement bons pour aider à prévenir la faim parce qu'ils stimulent, dans l'intestin, la production de l'hormone de satiété CCK.

Les graines aident aussi à réduire les risques de diabète, puisqu'elles sont une source d'amidon résistant, tout comme les haricots. L'amidon résistant aide à réduire la glycémie et à freiner les poussées d'insuline qui se produisent après un repas. Les graines de lin, en particulier, sont une bonne source d'oméga-3 de provenance végétale et d'acide alpha-linolénique (AAL), qui prévient aussi l'inflammation. Les graines de citrouille sont une bonne source d'oméga-3 et de zinc, une composante clé dans la production de testostérone et la santé de la prostate.

Conseil hormonal : *prenez 1 ou 2 portions par jour.*

- Il faut moudre les graines de lin avant de les manger, sinon, elles traverseront le système digestif sans avoir été absorbées. Conservez les graines moulues au frigo pour éviter l'oxydation.
- Tentez de manger des noix crues chaque fois que c'est possible : lorsqu'on fait rôtir les noix, on peut endommager leurs précieux gras. Une fois que vous serez habitué, vous les trouverez plus riches et nourrissantes que les noix rôties.
- Parsemez votre yogourt de petits morceaux d'amande pour en modifier la texture.
- Sachez mesurer vos portions : les noix sont bonnes pour la santé, mais elles sont riches en calories (Voir « Combien de noix ou de graines dans une portion ? » à la page 181.)
- Munissez-vous d'un bon vieux casse-noisette et de noix mélangées en écale. L'activité de casser des noix est amusante ; de plus, l'effort déployé ralentira votre consommation et vous empêchera d'engouffrer sans y penser des poignées de noix.

GROUPE D'ALIMENTS N° 9 : LES PRODUITS LAITIERS BIOLOGIQUES

D'abondantes recherches démontrent le rôle crucial du calcium présent dans les produits laitiers dans le contrôle du poids. (MEILLEUR CHOIX : yogourt nature biologique faible en gras). Même une petite carence en calcium modifie les signaux d'élimination du gras dans les cellules et réduit le métabolisme. Mais le calcium n'a pas seulement un impact sur le poids: une étude menée auprès de 9000 personnes publiée dans le journal *Circulation* indique que le calcium nous protège aussi du syndrome métabolique.

Les produits laitiers provenant d'animaux élevés en pâturage contiennent des gras trans et saturés, mais ils comprennent aussi des gras du meilleur type qui soit: les acides linoléiques conjugués ou ALC. Il a été démontré que les ALC améliorent la composition corporelle et qu'ils aident à conduire la graisse hors des tissus adipeux afin qu'elle soit éliminée plus aisément. La combinaison de ces gras sains avec la forte teneur en protéines des produits laitiers stimule aussi la CCK, l'hormone de suppression de l'appétit. Les produits laitiers biologiques provenant d'animaux élevés en plein air ont meilleur goût, sont dépourvus d'antibiotiques ou d'hormones et contiennent plus d'oméga-3. En prime: le zinc présent dans les produits laitiers aide aussi à maintenir un taux sain de leptine, une autre hormone qui supprime l'appétit.

La plupart des aliments laitiers aux États-Unis sont enrichis de vitamine D qui favorise l'absorption du calcium. Un volume approprié de vitamine D aide non seulement à prévenir l'ostéoporose, mais il a aussi été relié à une diminution des risques de cancer, de diabète de type 1 et de type 2, de l'hypertension artérielle, de l'intolérance au glucose et même de la sclérose en plaques. Une recherche récente a indiqué que les Américains souffrent d'une grande carence en vitamine D. Les produits laitiers sont essentiels, en particulier si vous vivez à une latitude élevée où il n'y a pas beaucoup de périodes d'ensoleillement durant l'automne, l'hiver et le printemps.

Le meilleur produit laitier est de loin le yogourt, principalement en raison des probiotiques qu'il contient. Rappelez-vous que vous êtes humain dans une proportion de 10 % et bactérien à 90 %. C'est dans votre intestin que vivent ces bons microbes, idéalement des *billions* d'entre eux. Les probiotiques présents dans le yogourt nature se joignent aux bifidobactéries, les « bons » microbes déjà présents dans votre intestin, pour lutter contre les infections et vous protéger de la prolifération des levures. Les bifidobactéries digèrent aussi les aliments que nous mangeons, créant par le fait même des vitamines essentielles, dont les enzymes qui métabolisent le cholestérol et l'acide biliaire. Sans ces microbes, tout le système digestif se détraquerait.

DES ALIMENTS DÉCLENCHEURS D'HORMONES – LA DHA

De nombreuses études ont démontré que la déhydroépiandrostérone (DHA) aide le corps à rester jeune, mince et en santé. Parce que la DHA est le précurseur des hormones stéroïdes testostérone et œstrogènes, il est important de maintenir des taux élevés afin d'être protégé sur plusieurs fronts.

PRODUITS QUI AUGMENTENT LA DHA	POURQUOI	SOURCES ET SOLUTIONS
Chrome	Le picolinate de chrome peut élever le taux de DHA du sang.	Parmi les bonnes sources de chrome figurent la carotte, la pomme de terre, le brocoli, les produits de grains entiers et la mélasse.
Gras alimentaire	Une étude menée sur des femmes ménopausées a révélé que plus il y a de calories provenant de gras dans un régime, plus le taux de DHA est élevé.	Assurez-vous de manger beaucoup d'oméga-3 provenant du poisson et d'ALC provenant de la viande et des produits laitiers biologiques.
Glucose	Le glucose stimule la sécrétion de l'ACTH pituitaire qui, à son tour, stimule les stéroïdes surrénales tels que la DHA.	Tous les glucides contiennent du glucose, soit seuls (amidon ou glycogène) ou couplés avec d'autres (saccharose ou lactose). Consommez des grains entiers, des fruits contenant peu de glucose comme les bleuets, et d'autres glucides qui ne produisent pas de poussées du taux d'insuline.
Magnésium	Les taux de magnésium et de DHA sont reliés, quoique le mécanisme exact qui préside à cette association ne soit pas connu.	Les légumes verts comme les épinards sont une bonne source de magnésium. Certaines légumineuses (haricots et pois), les noix, les graines et les grains entiers sont aussi une bonne source de magnésium.
Sélénium	Une étude menée sur des animaux a révélé qu'une carence en sélénium entraînait une baisse sensible du taux de DHA.	Parmi les bonnes sources, citons les noix du Brésil, le saumon, le pain de blé entier, la chair de crabe et le porc.
Vitamine E	La DHA prévient la chute de vitamine E dans l'organisme, mais une étude menée sur des animaux a révélé qu'en prenant de la vitamine E, on augmente le taux de DHA.	Les huiles végétales, les noix, les légumes verts en feuilles et les céréales enrichies sont de bonnes sources de vitamine E.

Conseil hormonal : *prenez 1 ou 2 portions par jour.*

- Prenez votre lait nature : un verre de 250 millilitres de lait biologique à faible teneur en gras contient 290 milligrammes de calcium, presque un tiers de vos besoins quotidiens, et plus de 8 grammes de protéines.
- Ne buvez pas de lait au chocolat ou aromatisé. Évitez aussi le lait de soja ; quoiqu'il soit riche en calcium, il l'est aussi en phytœstrogènes potentiellement dangereuses.

suite

PRODUITS QUI RÉDUISENT LA DHA	POURQUOI	SOURCES ET SOLUTIONS
Régime pauvre en lipides et riche en fibres	Ce type de régime a fait fléchir le taux de DHA chez les hommes, mais lorsqu'ils ont adopté à nouveau un régime riche en lipides, ce taux a augmenté. Cet effet s'explique par le fait que les fibres ont peut-être réduit la réabsorption de la DHA une fois qu'elle a été excrétée par le foie.	Plutôt que de tenter de réduire votre consommation de fibres, essentielles à votre santé, attachez-vous à augmenter votre consommation de gras sains tels que les oméga-3 et l'ALC.
Isoflavones de soja	Lorsque des hommes atteints du cancer de la prostate ont consommé des isoflavones de soja, leur taux de DHA a baissé de 32 %.	Ne mangez pas de produits contenant des isoflavones concentrées. Choisissez de petites quantités de soja fermenté comme le tofu, le tempeh et le miso.

- Recherchez les marques de yogourt (et à l'occasion de crème glacée) sans agent de conservation ni arômes artificiels, colorants, sucre et autres édulcorants. Le meilleur choix demeure bio.
- Sevrez-vous des yogourts sucrés (ou, Dieu nous en préserve, artificiellement sucrés) en ajoutant 60 grammes de yogourt nature, puis 125 grammes, puis 175 grammes à votre yogourt habituel. Lorsque vous en serez au yogourt 100 % nature, ajoutez-y des fraises, des framboises et des bleuets pour le sucrer.
- Évitez les produits laitiers faibles en gras contenant des épaississants et des gommes. Je préfère que vous mangiez une petite cuillérée de vraie crème sure ou une portion raisonnable de fromage cottage à base de lait entier que d'embrouiller vos hormones avec cette saleté synthétique.
- Essayez d'autres produits laitiers de culture, comme le babeurre, le kéfir et la crème fraîche. Chacun de ces produits laitiers possède un goût du terroir distinctif issu de la fermentation : vos bactéries intestinales vous en seront reconnaissantes.
- Essayez le yogourt à la grecque riche en protéines : sa consistance plus épaisse vient du fait qu'il a été passé à la mousseline et a perdu son eau.
- Allez-y mollo avec le fromage entier : il est savoureux, certes, mais n'oubliez pas qu'il contient quand même une bonne dose de calories.

GROUPE D'ALIMENTS Nº 10 : LES GRAINS ENTIERS

Les céréales composent 25 % de notre régime alimentaire, mais 95 % d'entre elles proviennent de sources raffinées. Et cela est proprement criminel, parce que les grains entiers peuvent vraiment améliorer nos taux hormonaux et notre santé en général, et ce, d'innombrables façons. (MEILLEUR CHOIX : l'avoine et l'orge à égalité.)

La plupart des gens ne se rendent pas compte que beaucoup de grains entiers représentent même de meilleures sources d'agents phytochimiques et d'antioxydants que certains légumes, ce qui les rend encore plus puissants dans la lutte contre les maladies cardiovasculaires et plus d'une douzaine de différents types de cancer. Une partie du pouvoir des grains entiers provient de leurs trois sortes de glucides – les fibres, l'amidon résistant R1 et les oligosaccharides – qui sautent l'étape de l'intestin grêle de sorte qu'ils fermentent dans l'estomac. Le processus de fermentation de ces prébiotiques crée de bienfaisants acides gras à courte chaîne, comme l'acide butyrique. L'acide butyrique combat les cellules cancéreuses du côlon tout en alimentant simultanément ses cellules saines. Lorsque les cellules du côlon sont fortes, elles peuvent aider le corps à éliminer les toxines des composés chimiques pharmaceutiques et environnementaux, de la même façon que le fait le foie.

Les acides gras à courte chaîne issus des grains entiers peuvent aussi nous permettre de moins manger parce qu'ils stimulent les cellules adipeuses de notre estomac à libérer la leptine, l'hormone de satiété. Le volume élevé de fibres présent dans les grains entiers nous aide également à nous sentir satisfaits en nous rassasiant, en ralentissant les poussées glycémiques et en régularisant le taux d'insuline. À cause de cela et pour bien d'autres raisons, la consommation de grains entiers peut aider à inverser la résistance à l'insuline. Des études épidémiologiques ont relié la consommation élevée d'aliments de grains entiers à une baisse de l'incidence de diabète de type 2. Il ne vous faut que trois portions par jour pour réduire les risques de 30 %.

Le truc, c'est de consommer des grains vraiment entiers. Le simple fait de moudre les grains entiers modifie leur structure cellulaire et ils deviennent ainsi plus aisément digestibles. N'hésitez pas. Vous ne voudrez plus jamais revenir aux glucides raffinés.

DES ALIMENTS DÉCLENCHEURS D'HORMONES – LA THYROÏDE

Certains aliments sont géniaux pour le fonctionnement de votre thyroïde, alors que d'autres ne le sont vraiment pas. Si vous éprouvez des problèmes liés à votre thyroïde, votre médecin peut vous recommander d'éviter les goitrogènes, des aliments naturels qui altèrent le fonctionnement optimal de votre glande thyroïde. (Les goitrogènes tirent leur nom du goitre, c'est-à-dire du gonflement d'une partie du cou attribuable à l'augmentation du volume de la thyroïde, qui peine à produire suffisamment d'hormones.) D'autres aliments peuvent aussi aggraver les problèmes hypothyroïdiens, tout comme le font la prise de poids et la fatigue. Même si le régime de *Maîtrisez votre métabolisme* est excellent pour la plupart des gens, si votre thyroïde est déréglée, ayez ces aliments à l'œil.

PRODUITS QUI AIDENT LA THYROÏDE	POURQUOI	SOURCES ET SOLUTIONS
Poisson de grands fonds	Bonne source d'oméga-3 et d'iode, tous deux essentiels au bon fonctionnement de la thyroïde.	Saumon du Pacifique, hareng, sardine, anchois.
Gras monoinsaturés	La thyroïde a besoin de ces gras pour bien fonctionner.	Huile d'olive, avocat, noisettes, amandes, noix du Brésil, noix de cajou, graines de sésame, graines de citrouille.
Aliments riches en sélénium	Aident à convertir la thyroxine (T) en forme active (T3).	Noix du Brésil, levure de bière, germe de blé, grains entiers.
Aliments riches en zinc	Aident à stimuler l'hypophyse pour produire la TSH.	Bœuf, agneau, graines de sésame, graines de citrouille, yogourt, pois verts, épinards bouillis.
PRODUITS QUI GÊNENT LA THYROÏDE	**POURQUOI**	**SOURCES ET SOLUTIONS**
Caféine	Surexcite les surrénales, ce qui peut aggraver les problèmes de thyroïde.	Café, thé, chocolat, boissons gazeuses caféinées.
Aliments goitrogènes	Interrompent l'absorption de l'iode, la pierre d'assise des hormones thyroïdiennes, par la thyroïde.	Millet, pêches, arachides, radis, fraises, pignons de pin, pousses de bambou.
Légumes crucifères crus (la cuisson réduit les effets négatifs)	Les isothiocyanates perturbent les communications cellulaires normales dans la thyroïde.	Choux de Bruxelles, chou-fleur, moutarde, rutabaga, navet, chou-rave, chou vert, colza, chou frisé, bok choy, raifort.
Glucides simples	La chute de glycémie résultante aggrave la baisse d'énergie due au dysfonctionnement thyroïdien.	Pâtes blanches, pain blanc, grains raffinés, sucre, pommes de terre, pâtisseries, produits de boulangerie, maïs.
Soja	Les isoflavones peuvent réduire la production d'hormones thyroïdiennes en bloquant l'activité essentielle des enzymes.	Édamame, tofu, tempeh, protéines végétales texturées, concentré de soja isolé, « not-dogs » et autres similiviandes.

Conseil hormonal : *prenez 3 ou 4 portions par jour.*

- Le gruau constitue le parfait petit déjeuner. Une étude a révélé qu'il stabilise la glycémie plus longtemps que plusieurs autres aliments. Faites la transition des variétés instantanées vers l'avoine découpée, ne serait-ce que seulement durant le week-end.
- Essayez des céréales comme l'amarante, le quinoa et l'épeautre dans des recettes pour réaliser à quel point ces anciens grains peuvent être intéressants.
- Si vous achetez un produit de grain entier transformé, surveillez bien les ingrédients : le grain entier doit figurer en premier sur la liste.
- Passez des pâtes à la semoule aux pâtes à 100 % de blé entier, d'épeautre ou de quinoa. Essayez-les quelques fois (allez, faites-le !) pour que vos papilles gustatives s'ajustent à leur saveur de noisette plus prononcée.
- Mangez des céréales de grain entier au petit déjeuner : c'est une façon rapide d'approcher du compte de vos fibres solubles et insolubles pour la journée. Certaines marques sont excellentes, mais d'autres contiennent du HFCS ou de l'aspartame, une sorte de concession à une forte teneur en fibres. Ne vous laissez pas prendre !
- Saupoudrez du germe ou du son de blé sur les plats cuisinés à la casserole, le yogourt et les céréales.

PASSEZ AU BIO

Quelle est la meilleure façon d'éviter à coup sûr 90 % des agents perturbateurs d'hormones dans votre alimentation ? **Passer au bio**.

Le terme « biologique » s'applique à une forme d'agriculture qui produit des aliments sans pesticides ni autres produits chimiques. L'idée est de permettre aux processus naturels et à la biodiversité d'enrichir le sol, plutôt que de s'en remettre aux composés chimiques synthétiques ou aux semences génétiquement modifiées pour protéger les récoltes contre la vermine. En bout de ligne, cela nous permet d'obtenir des aliments plus sains et – imaginez ! – un environnement plus sain.

Le bio vous aide à rester mince et prévient le diabète. Plus de 90 % des pesticides perturbateurs endocriniens qui traînent dans les tissus de notre organisme proviennent des aliments que nous consommons, en particulier des produits animaux.

Le bio permet d'éviter les hormones monstrueuses. La FDA permet présentement l'utilisation de six types d'hormones stéroïdes dans la production de bovins et de moutons ; 80 % du bétail engraissé aux États-Unis est nourri, par voie orale ou par injection, aux hormones stéroïdes. Chacun de ces bovins gagne jusqu'à environ 1,5 kilo *par jour*.

Le bio vous aide à éviter les pesticides et autres produits chimiques. Une étude de l'Université de Washington a révélé que l'urine des enfants dont l'alimentation était principalement conventionnelle (c'est-à-dire bourrée de pesticides) présentait une concentration de pesticides organophosphorés *neuf fois* plus élevée que celle des enfants dont l'alimentation était biologique.

Le bio vous aide à prévenir la résistance aux antibiotiques. L'utilisation massive d'antibiotiques dans les industries de la viande et des produits laitiers pave la voie à une résistance généralisée aux antibiotiques, nous exposant ainsi à des bactéries potentiellement mortelles comme le staphylocoque doré résistant à la méthicilline ou SARM.

Le bio donne une meilleure saveur à vos aliments. Les aliments biologiques seront toujours plus frais que les aliments non biologiques ; dépourvus de pesticides et d'agents chimiques de conservation, les produits bios doivent être consommés plus rapidement, sinon ils pourrissent !

Le bio saisonnier diversifie votre régime alimentaire. Vous allez changer votre répertoire de fruits et de légumes : asperges au printemps, tomates durant tout l'été, chou frisé et patates douces à l'automne. Et automatiquement, vous profiterez davantage d'agents phytochimiques.

Le bio rend vos aliments plus nutritifs. Les fruits et les légumes biologiques ne peuvent s'en remettre aux pesticides – ils doivent combattre les insectes avec leur propre « système immunitaire », élevant ainsi de façon naturelle leur taux d'antioxydants.

Le bio vous aide à sauver la planète. Les produits cultivés aux États-Unis voyagent en moyenne 2500 kilomètres avant d'être vendus. L'agriculture biologique utilise 30 % moins de carburants fossiles tout en conservant l'eau, en réduisant l'érosion des terres, en maintenant la qualité du sol et en abaissant le dioxyde de carbone de l'air ambiant.

Un bref exemple : prenons nos tomates, qui contiennent de puissants nutriments. Dieu a créé les tomates, qui possèdent toutes les propriétés

DES ALIMENTS DÉCLENCHEURS D'HORMONES – LA GHRÉLINE

La ghréline est la principale hormone de la faim : votre corps la produit pour stimuler l'appétit, que ce soit en fonction de vos habitudes normales de repas ou des odeurs émanant du barbecue de votre voisin.

PRODUITS QUI RÉDUISENT LA GHRÉLINE	POURQUOI	SOURCES ET SOLUTIONS
Petits déjeuners copieux	Les gens qui mangent un petit déjeuner riche en calories produisent 33 % moins de ghréline durant la journée et se sentent rassasiés plus longtemps.	Mangez un bon petit déjeuner contenant, par exemple, un bol de gruau, une demi-banane tranchée et un petit yogourt faible en gras.
Glucides complexes, fibres	L'insuline et la ghréline vont main dans la main. Si le taux d'insuline augmente, celui de la ghréline baisse.	Une étude a révélé que c'est le pain qui réussit le mieux à faire baisser le taux de ghréline.
Manger à heures fixes	Une recherche a révélé que le taux de ghréline augmente et diminue à vos heures normales de repas ; manger à heures fixes prévient les poussées de ghréline.	Gardez des amandes ou des noix près de vous de façon à pouvoir manger un petit quelque chose aux heures régulières de repas si vous êtes pressé.
Aliments de fort volume et faibles en calories	Le taux de ghréline demeure élevé jusqu'à ce que les aliments aient étiré la paroi de votre estomac, ce qui vous donne le sentiment de satiété. Les aliments de fort volume et faibles en calories réduisent le taux de ghréline avant que vous ayez trop mangé.	Tous les légumes verts et n'importe quel aliment ayant un fort contenu en eau sont de fort volume et faibles en calories. Une salade ou une soupe mangées avant le plat de résistance réduiront votre taux de ghréline.
Protéines	Même si elles n'ont pas un effet aussi profond et immédiat que les glucides, les protéines réduisent le taux de ghréline.	Si vous n'êtes pas sensible au gluten, tentez d'ajouter de la protéine de lactosérum à un yogourt fouetté (*smoothie*) faible en calories. Une étude a révélé que le lactosérum favorise une suppression prolongée de la ghréline.

anticancer que j'ai déjà évoquées. Il s'agit de la meilleure forme possible de médecine préventive ne comportant aucun effet indésirable. Examinons maintenant notre petite tomate et voyons ce qui lui arrive au nom du capitalisme. Elle est cultivée de façon conventionnelle et pulvérisée de sept types de pesticides. Elle est ensuite récoltée avant terme parce qu'elle doit faire le long voyage à travers le pays ou le monde, de son point d'origine jusqu'à votre supermarché. Oui, vous polluez aujourd'hui l'environnement avec toute cette essence qui sert au transport de la tomate. Mais il y a plus. La tomate est encore verte parce qu'elle a été récoltée trop tôt et il faut donc la vaporiser d'argon (un gaz aussi utilisé pour euthanasier les chiens) afin de la faire rougir prématurément. Bravo ! Nous avons simplement transformé la

suite

PRODUITS QUI AUGMENTENT LA GHRÉLINE	POURQUOI	SOURCES ET SOLUTIONS
Alcool	Une étude a révélé que les alcooliques présentaient un taux plus élevé de ghréline.	Bière, vin et spiritueux... vous connaissez la chanson.
Collation de fin de soirée	Une recherche a indiqué que le fait de manger en soirée augmente le taux de ghréline. Comme un faible taux de cette hormone favorise le sommeil, manger avant d'aller au lit nous garde éveillés.	L'une des nombreuses raisons pour lesquelles vous devez éviter de manger en soirée. Tenez-vous loin des collations après 21 heures.
Aliments extrêmement faibles en calories	Une étude a révélé que la perte de 1 % de poids global se traduit par une hausse de 24 % du taux de ghréline.	Ne tentez pas de maigrir rapidement avec des substituts de repas en liquide ou en barre. En réduisant le nombre de calories de façon trop radicale, vous aurez faim tout le temps.
Gras	Le gras agit de façon exactement contraire aux glucides que j'ai évoqués plus haut : s'il n'y a pas de poussée d'insuline, le taux de ghréline augmente.	Accompagnez vos protéines de glucides complexes pour obtenir une réduction immédiate de votre taux de ghréline tout en profitant de la satiété à long terme que procurent les gras. Essayez du fromage râpé avec la moitié d'une pomme.
Fructose	Contrairement au glucose, le fructose ne fait pas monter le taux d'insuline, ce qui signifie que le taux de ghréline augmentera après que vous avez consommé du fructose.	Vérifiez les étiquettes pour éviter le sirop de maïs (ou de glucose) à haute teneur en fructose (HFCS).
Aliments gras à faible teneur en protéines	Ce sont les glucides qui suppriment la ghréline de la façon la plus rapide et la plus profonde. Les protéines l'abaissent plus lentement, mais plus longtemps. Par ailleurs, ce sont les gras qui ont le plus mauvais dossier à cet égard : ils ne réduisent pas le taux de ghréline aussi efficacement que les glucides ou les protéines, ce qui pourrait expliquer pourquoi les régimes alimentaires à forte teneur en gras mènent à une prise de poids.	Les « Jalapeño Poppers », – des piments frits farcis au fromage en crème : que du gras sans protéines. Vous *savez* quels plats il faut éviter.
Promenade près d'une boulangerie	Votre cerveau produit de la ghréline et alerte votre ventre aussitôt que vous voyez ou sentez de la nourriture. Votre estomac commence à sécréter des sucs digestifs en réponse aux aliments sucrés et peut en fait anticiper le sucre, aidant votre organisme à se préparer à une poussée d'insuline.	Tout aliment riche en sucre et en calories qui vous fait envie, comme les gâteaux, bonbons, biscuits sortant du four ; tout aliment « déclencheur » qui vous incite régulièrement à trop manger.

médecine naturelle de Dieu pour en faire du poison ; pour nous et pour notre environnement. Voilà pourquoi nous devons simplement faire l'effort de passer au biologique.

Plus nous voterons avec nos dollars pour des produits qui ne contiennent pas de toxines, plus vite nous corrigerons les torts causés à la planète et ramènerons cette terre dans le droit chemin. Et à mesure que les aliments biologiques deviendront meilleur marché, plus de gens en consommeront.

Oui, je savais bien qu'il faudrait parler d'argent au bout du compte.

SOUFFREZ-VOUS DE LA MALADIE CŒLIAQUE ?

Si vous avez souvent la diarrhée, des ballonnements ou des douleurs abdominales, ou si vous avez de désagréables flatulences après avoir mangé certains mets, il se peut que vous souffriez d'une affection de plus en plus répandue : la maladie cœliaque. Parfois confondue avec le syndrome du côlon irritable, la maladie cœliaque est un trouble digestif auto-immun causé par une sensibilité au gluten, une protéine qu'on trouve dans le blé, le seigle, l'orge et l'avoine. Ce trouble douloureux et nuisible est la cause de problèmes d'absorption des nutriments et frappe 1 personne sur 133 aux États-Unis, quoique plusieurs autres soient sensibles au gluten sans s'en rendre compte. Le hic, c'est que le gluten étant un agent de remplissage et une source de protéines peu coûteuse, il se retrouve subrepticement dans des milliers d'aliments transformés qui nous sont offerts quotidiennement. Vous trouverez facilement de l'information sur la maladie cœliaque dans Internet.

ALIMENTS BIOLOGIQUES : FAITES LE CALCUL

D'accord, je l'avoue. Les produits bios peuvent être coûteux. Selon le *New York Times*, les aliments biologiques peuvent être de 20 à 100 % plus chers que les aliments produits de façon conventionnelle. Mais les questions de santé – sans parler de l'impact sur l'environnement ! – sont trop importantes pour qu'on en fasse uniquement une question d'argent. Les recherches sur les effets terrifiants de notre mode d'alimentation vont continuer de s'empiler. Envisagez la question ainsi : chaque fois que vous dépensez quelques dollars de plus pour acheter bio, vous épargnez des milliers de dollars ou d'euros en soins de santé, notamment liés au cancer et au diabète.

Gardez aussi à l'esprit le fait qu'à mesure que la demande progressera, l'offre augmentera et les prix diminueront. La plupart des chaînes d'alimentation ont leur propre marque de produits biologiques.

Commencez toujours par les commerces locaux: marchés des producteurs, laiteries biologiques locales, coopératives alimentaires. Et si vous devez faire votre épicerie dans un supermarché, choisissez les produits biologiques plutôt que les conventionnels. (Pour des conseils sur les façons de réduire les coûts de l'alimentation biologique, consultez la liste d'emplettes présentée à la page 295.) L'Environmental Working Group (EWG) a par ailleurs réalisé une analyse concernant les produits qu'il faut absolument acheter dans leur version bio. (Voir la liste complète des fruits et des légumes toxiques à www.foodnews.org.) Vous trouverez ci-après leurs recommandations de fruits et de légumes, en plus des miennes pour les autres aliments. J'insisterai toujours sur l'importance d'opter pour le bio, mais si votre portefeuille est mince, utilisez cette liste comme guide.

Achetez toujours bio

Même après les avoir lavés ou avoir tenté de toute autre manière de les débarrasser de leurs pesticides, ces aliments resteront toujours toxiques. C'est sur ces produits que vous devez concentrer votre budget d'aliments biologiques.

- Viande, produits laitiers et œufs
- Café
- Pêches et nectarines
- Pommes
- Poivrons
- Céleri
- Baies
- Laitue
- Raisins
- Les aliments que vous mangez beaucoup

Achetez parfois bio

J'appellerais cette section « Si vous avez le fric, pourquoi pas ? ». Mieux vaut prévenir que guérir.

- Aliments transformés
- Oignons
- Avocats
- Ananas

- Choux
- Brocoli
- Bananes
- Asperges
- Maïs
- Mangues

Pas la peine d'acheter bio

- fruits de mer
- Eau
- Les aliments que vous ne mangez pas souvent.

Vous avez retiré les toxines. Vous avez restauré les nutriments. Mais quand exactement, en quelles quantités et selon quelles combinaisons allez-vous manger les aliments proposés dans le programme *Maîtrisez votre métabolisme*? C'est cette question que nous allons maintenant aborder afin d'apprendre comment rééquilibrer l'énergie de votre corps de façon à améliorer vos taux d'hormones, à déclencher celles qui éliminent les gras et à désactiver celles qui l'emmagasinent.

UN GRAND VERRE D'HORMONES

Les vaches qui produisent du lait biologique sont nourries de grains biologiques et ont accès à des pâturages, mais le plus important c'est qu'elles ne peuvent pas être traitées avec l'hormone de croissance recombinante bovine (rbGH) ou sématotrophine recombinante bovine (STbr). Dieu merci ! Les éleveurs traditionnels donnent cette horrible hormone synthétique à leurs vaches pour stimuler leur production laitière et, jusqu'à maintenant, la USDA continue de l'autoriser (contrairement aux agences de réglementation du Canada, du Japon, de l'Australie, de la Nouvelle-Zélande et de 27 pays membres de l'Union européenne, où la rbGH est interdite).

Des études ont révélé que la rbGH augmente le taux du facteur de croissance 1 analogue à l'insuline, ou IGF-1, dans le lait de ces vaches. Boire *juste un verre de lait* par jour durant 12 semaines peut augmenter le taux sanguin d'IGF-1 de 10 % chez les humains. Au taux normal, l'IGF-1 est utile à l'organisme ; il est notamment responsable de la croissance, de la division et de la différenciation des cellules. Mais l'IGF-1 a été relié, dans des centaines d'études, à l'accroissement des cas de cancer du sein, de la prostate, de l'utérus, du côlon, du poumon et d'autres types de cancer. (Vous avez remarqué le nombre de ces cancers qui touchent des organes sexuels ?) La recherche émergente associe même le taux d'IGF-1 à l'autisme. Plutôt que de détruire l'IGF-1, la pasteurisation en accroît le taux et parce que les IGF-1 humain et bovin sont identiques, cette violente abondance d'hormones est avidement absorbée par l'appareil digestif et le flot sanguin, où elles peuvent agir sur plusieurs parties de l'organisme.

Effrayant.

Des études ont aussi démontré qu'un taux élevé d'IGF-1 augmente les ovulations. En fait, une étude a révélé que les mères qui boivent du lait ont 80 % plus de chance d'avoir des jumeaux. Et même si une relation n'a pas encore été établie fermement, plusieurs croient que le rbGH est l'une des raisons pour lesquelles la puberté précoce est en hausse.

Le problème ? La USDA a systématiquement refusé d'obliger les producteurs laitiers à aviser les consommateurs que leurs produits laitiers contiennent du rbGH. Et dans plusieurs États, les régies du lait tentent d'exclure toute mention de rbGH sur l'étiquetage.

Mais il y a quand même des signes encourageants : Wal-Mart, Starbucks, Safeway, Kroger et plusieurs autres chaînes ont commencé à utiliser du lait sans rbGH. La compagnie Kraft envisage de lancer une gamme de fromages sans rbGH. Nous pourrions obtenir l'interdiction de cette horrible hormone. Mais entre-temps, jouez de prudence et optez pour le bio. Les fermes biologiques ont la certification d'une tierce partie, contrairement aux fermes qui produisent du lait non biologique sans hormones.

CHAPITRE 7

ÉTAPE 3 : RÉÉQUILIBRER

QUELLES COMBINAISONS D'ALIMENTS CONSOMMER, ET À QUEL MOMENT, POUR UN EFFET MÉTABOLIQUE OPTIMAL

Jusqu'à maintenant, dans le cadre de ce programme, nous avons mis l'accent sur les aliments à retirer et sur ceux que nous devons intégrer dans notre alimentation pour optimiser notre fonctionnement hormonal. Dans ce chapitre, nous allons nous concentrer sur la façon de rééquilibrer nos hormones et sur le meilleur moment pour ce faire.

La quantité et les combinaisons d'aliments qui entrent dans la composition de vos repas, ainsi que l'heure de ces derniers, ont une forte incidence sur vos hormones et votre métabolisme. Ce chapitre mettra donc l'accent sur les moments où il faut manger – ou ne pas manger – tel ou tel aliment pour tirer parti des hormones qui mènent à la perte de poids. Le rééquilibrage comporte trois techniques principales : manger toutes les quatre heures ; manger jusqu'à ce qu'on soit rassasié mais pas gonflé ; et combiner correctement les aliments. Jetons tour à tour un coup d'œil à chacune de ces techniques.

TECHNIQUE DE RÉÉQUILIBRAGE N° 1 : MANGEZ TOUTES LES QUATRE HEURES

En suivant le régime que je vous propose dans ce livre, vous mangerez quotidiennement trois repas et une collation : le petit déjeuner, le déjeuner, la collation du milieu de l'après-midi et le dîner. Tous les jours. Pas de passe-droit.

Je sais que chacun a une manière différente de déterminer l'horaire de ses repas, et je veux que vous poursuiviez dans cette voie ; après tout, vous connaissez votre corps mieux que je ne le connaîtrai jamais. Cela dit, j'ai à propos du moment des repas trois règles incontournables auxquelles vous devez adhérer, sinon vous courez le risque de réduire à néant la plus grande partie du travail que vous avez effectué jusqu'à maintenant:

1. Vous devez prendre un petit déjeuner.
2. Vous devez manger toutes les quatre heures.
3. Vous ne devez pas manger après 21 heures... et surtout ne jamais consommer de glucides avant d'aller au lit. C'est impératif.

Ces trois règles vous aideront à profiter des rythmes hormonaux naturels de votre corps et de sa manière instinctive d'éliminer les calories. Leur utilisation, combinée au retrait ou à l'intégration de certains aliments, garantira la perte de poids.

Nourrissez-vous le matin. Je sais ce que certains de mes lecteurs vont me dire à propos de ça. Mais je suis désolée, je ne veux même pas l'entendre. «Jillian, je n'ai pas le temps de manger le matin.» «Jillian, à part le café, tout me lève le cœur à cette heure-là.» Surmontez ça! Moins de la moitié des gens prennent un petit déjeuner chaque jour. Pourtant, des études ont montré que c'est l'une des façons les plus fiables d'atteindre un poids sain et de conserver un taux stable de glucose et d'insuline dans le sang. *En fait, les femmes qui ne prennent pas de petit déjeuner courent quatre fois et demie plus de risques d'être obèses que celles qui mangent le matin*. Les personnes qui ne prennent jamais de petit déjeuner sont également plus susceptibles de souffrir du diabète de type 2.

Une étude publiée dans la revue *Pediatrics,* menée pendant 5 ans auprès de plus de 2000 adolescents âgés de 15 à 20 ans, a démontré que les garçons et les filles qui prenaient régulièrement un petit déjeuner le matin avaient un indice de masse corporel (IMC) plus bas que ceux qui ne petit-déjeunaient pas toujours. Ce résultat était indépendant de tous les autres facteurs – l'âge, le sexe, la race, la condition socioéconomique, le tabagisme – et même du fait qu'ils étaient ou non préoccupés par leur poids (et leur régime alimentaire). Quel est l'élément le plus frappant de cette étude? Les jeunes qui mangeaient chaque matin absorbaient en réalité *plus* de calories que ceux qui petit-déjeunaient moins souvent, mais leur poids était tout de même inférieur.

Le petit déjeuner réactive votre métabolisme et prévient les chutes d'énergie plus tard dans la journée. Chez les hommes, le taux de testostérone atteint un sommet le matin vers 8 heures et son point le plus bas en début de soirée. En prenant leur repas le plus copieux le matin, les hommes sont en mesure de tirer parti de cette poussée de puissance métabolique. Une étude réalisée aux Pays-Bas a révélé que les gens qui prenaient un petit déjeuner abondant et riche en glucides complexes (tels ceux qu'on peut trouver dans une farine d'avoine à haute teneur en fibres ou dans une omelette aux légumes accompagnée d'une rôtie de grains entiers) se sentaient satisfaits et rassasiés pendant plus longtemps, en partie parce que leur petit déjeuner diminuait de 33 % leur taux de ghréline.

Promettez-moi au moins que vous mangerez toujours *quelque chose* avant de faire de l'exercice le matin. Pendant la nuit, environ 80 % de vos réserves de glycogène – les glucides digérés qui n'attendent que d'être transformés en énergie – s'épuisent. Si vous faites de l'exercice le ventre vide, vous drainerez presque immédiatement les 20 % qui restent et vous commencerez rapidement à puiser dans votre masse musculaire maigre. Ce n'est certainement pas notre objectif.

Conseil hormonal : *Mangez aussi tôt que possible, moins d'une heure après le réveil. Avant de faire de l'exercice, prenez rapidement un bol de céréales à haute teneur en fibres ou une pomme avec une poignée d'amandes fraîches. La seule exception à cette règle du petit déjeuner durant la première heure de la journée pourrait s'appliquer aux gens qui prennent un médicament pour la thyroïde ; certains médicaments doivent être pris l'estomac vide et d'autres après avoir mangé. Demandez à votre médecin quel est le meilleur moment pour prendre votre médicament et vos repas.*

Mangez toutes les quatre heures. Je vais reformuler ma phrase : vous *devez* manger toutes les quatre heures. J'ai préparé le régime de cette façon parce que le fait de manger me rend souvent heureuse et parce que je sais aussi que mon métabolisme s'en réjouit. Non seulement vous n'avez pas à vivre avec un estomac qui gargouille, mais il est clair que vous ne le devez pas !

Quand vous prenez des repas aux quatre heures, votre organisme n'a pas le temps de manquer de nourriture et ainsi, il n'a pas de sentiment de manque. Si vous nourrissez votre corps une fois aux quatre heures, vous empêcherez l'accumulation massive de gras qui découle des repas dits « festin-ou-famine ».

(Vous vous souvenez du « gène économe » dont j'ai parlé au chapitre 1 ? Nous ne voulons surtout pas le réveiller.) La consommation d'aliments et la digestion représentent 10 % de votre métabolisme. Affamez-vous pendant n'importe quelle période de la journée et vous vous privez alors d'une bonne part de cette énergie. L'aspect le plus important de la prise régulière des repas est que cette habitude stabilise votre glycémie et vos hormones : votre glycémie demeure stable tout au long de la journée et, comme vos repas sont moins abondants, votre taux d'insuline ne connaît pas de hausse très rapide. Le corps sait qu'il ne manquera pas de nourriture, alors il brûle joyeusement les calories pour en tirer de l'énergie, confiant que vous allez le ravitailler de nouveau plus tard.

De plus, en mangeant aux quatre heures, vous tenez votre ghréline en respect et gardez stable votre taux de leptine. Ce sont ces deux hormones qui se dérèglent lorsque vous sautez des repas, devenez vorace ou avez tendance à trop manger. En fait, la ghréline fait si bien son travail que lorsqu'elle déferle dans votre flux sanguin, elle peut donner plus de goût aux aliments dans une proportion pouvant aller jusqu'à 20 %.

Par ailleurs, la tendance à la mode selon laquelle on devrait prendre six repas légers tout au long de la journée est loin d'être idéale. Vous n'avez pas besoin de subir constamment des poussées d'insuline en mangeant sans arrêt. Les culturistes ont adopté ce style de consommation afin d'accumuler des milliers et des milliers de calories au cours de la journée. (Le fait que cela ait pu devenir une méthode pour perdre du poids dépasse mon entendement.) D'ailleurs, nombre d'entre eux ont présenté par la suite un diabète de type 2. Coïncidence ? Je ne crois pas. Manger toutes les quatre heures est une formule parfaite pour l'équilibre hormonal : l'insuline demeure stable, mais les hormones de la faim ne connaissent pas non plus de ces pics désordonnés.

Conseil hormonal : *Croyez-le ou non, quand vous commencerez à manger toutes les quatre heures, vous constaterez que vous n'avez pas très faim quand viendra le temps de manger de nouveau. Mais c'est précisément là où je veux en venir : il faut éviter de s'affamer. Il faut éviter la faim extrême qui signale que votre glycémie est descendue trop bas, parce que ça, c'est une recette infaillible pour trop manger.*

Ne mangez pas après 21 heures – surtout des glucides. Un des plus grands risques associés à l'omission des repas durant la journée est que ça vous incite à trop manger le soir. Votre corps dépense des calories toute la journée durant, mais tout surplus important s'accumule sous forme de gras. Une étude publiée dans la revue *Metabolism* a révélé que les gens qui sautaient des repas pendant le jour et consommaient un gros repas entre 16 heures et 20 heures se retrouvaient avec des résultats très inquiétants :

- une glycémie à jeun plus élevée le matin ;
- une glycémie plus élevée dans l'ensemble ;
- un taux de ghréline plus élevé ;
- une réponse altérée à l'insuline (un indicateur de résistance à l'insuline).

Effrayant, non ? Et pourtant, j'ai travaillé avec tellement de gens qui agissaient ainsi : ils trimaient dur toute la journée, ignorant leur besoin de nourriture parce qu'ils étaient « trop occupés pour manger », et à la fin de la journée, ils « se récompensaient » avec un magnifique repas qui, tout relaxant qu'il fût, favorisait le diabète.

Votre taux de cortisol, une hormone accumulatrice de gras, baisse après le petit déjeuner et le déjeuner, mais pas après le repas du soir ou les collations prises en soirée. Ainsi, lorsque vous absorbez plus de calories pendant la soirée, vous accumulez plus de gras dans l'abdomen, cette zone du corps qui possède plus de récepteurs de cortisol que toute autre. Le fait de prendre la majorité de vos calories après la tombée du jour augmente votre taux de « mauvais » cholestérol (LDL) et diminue celui du « bon » cholestérol (HDL).

Le rythme auquel la nourriture quittera votre estomac – le taux de vidange gastrique – ralentit le soir venu. De plus, votre capacité de métaboliser le glucose s'affaiblit au fur et à mesure que passe la journée. Si vous prenez un repas à haute teneur en glucides à 20 heures, votre corps réagira de manière très différente que si vous le preniez à 8 heures du matin. Le vieil adage qui dit : « Il faut manger le matin comme un roi, le midi comme un prince et le soir comme un mendiant » est en plein dans le mille, même si j'y ajouterais quelque part un autre mendiant.

Le plus important, c'est de ne pas manger avant d'aller au lit. Les réserves de glycogène musculaire s'accumulent pendant les repas de la journée. En début de soirée, ces réserves de glycogène sont complètement pleines. Vous n'allez pas éliminer de calories supplémentaires ou puiser dans ces réserves pendant la majeure partie des sept ou huit heures à venir. C'est dire qu'à partir de ce moment toutes les autres calories que vous consommerez se transformeront directement en gras.

La partie de l'équation qui est de loin la plus importante est la suivante : environ une heure après vous être endormi – vers minuit, pour la plupart des gens –, votre corps libère sa plus grande poussée d'hormone de croissance de la journée. L'insuline inhibe la production d'hormone de croissance, alors la dernière chose que vous souhaitez, c'est de consommer tout glucide qui ferait grimper votre taux d'insuline et perturberait la distribution de cette précieuse hormone qui élimine le gras.

Conseil hormonal : *Aussitôt après votre repas du soir, fermez la cuisine et n'y retournez pas. Essayez de faire en sorte que ce dernier repas contienne davantage de protéines que de glucides afin de maintenir bas le taux d'insuline et de permettre une production maximale d'hormone de croissance durant la nuit.*

TECHNIQUE DE RÉÉQUILIBRAGE N° 2 : MANGEZ À SATIÉTÉ, MAIS SANS VOUS GAVER

Dans ce régime, il ne s'agit pas de compter les calories. Lorsque vous aurez rétabli l'apport nutritif dans votre alimentation, la nature s'occupera pour vous du contrôle calorique. Toutefois, alors même que vous êtes en train d'adopter ces nouvelles pratiques, examinez les avantages qu'il y a à rééquilibrer votre « énergie entrante ».

Mangez jusqu'à ce que vous n'ayez plus faim. Vous devez manger suffisamment pour nourrir votre métabolisme. Comme je l'ai mentionné au chapitre 3, quand vous n'absorbez pas assez de calories, vous surchargez votre glande thyroïde et incitez votre corps à faire plus avec moins. Et même si ce réflexe d'économie peut s'avérer une bonne stratégie pour votre santé financière, il est complètement nul comme stratégie diététique.

Cela dit, le conseil de manger à satiété ne s'applique pas à la malbouffe. Si vous mangez des aliments sains, frais et entiers jusqu'à ce que vous n'ayez plus faim, vous vous rendrez compte que vos calories se trouvent dans un équilibre parfait. Ni trop ni trop peu. Pour les filles, cette échelle se situe entre 1200 et 1800 calories. Pour les garçons, elle se trouve quelque part entre 1800 et

3000 calories. Le nombre de calories permises est lié à l'âge et au degré d'activité. (Voir «Vérifiez votre fourchette de calories» à la page 206.)

Les régimes draconiens incitent votre corps à bouffer ses propres muscles. En diminuant radicalement vos calories pendant seulement quatre jours, vous pouvez réduire votre taux de leptine de presque 40 %; faites-le pendant un mois et la leptine plongera de 54 %. Quand vous diminuez votre apport calorique afin de perdre du poids, plus votre taux de leptine baisse, plus vous avez faim: la recette idéale pour vous coincer dans l'effet yoyo des régimes à répétition.

En absorbant des nutriments qui contiennent beaucoup de fibres et d'eau, vous pourrez vous rassasier sans aucune crainte d'accuser un excès de calories. Quand vous consommez ces aliments, votre estomac commence à s'étirer légèrement. Cette «distension» déclenche la sécrétion de peptides de satiété. Autrement dit, vous vous sentirez rassasié plus rapidement avec moins de calories, et les fibres vous aideront à demeurer rassasié plus longtemps. Quand vous donnez à votre corps les aliments qu'il reconnaît, il s'empresse d'absorber les nutriments essentiels à sa production optimale d'hormones et les met tout de suite à l'œuvre.

DE LA MALBOUFFE PAS SI MAL

Je sais que vous êtes humain. Vous allez vous sucrer le bec. Vous allez manger du chocolat. (Certains affirment que le chocolat est un aliment santé.) Mais voici ce que je vous propose: plutôt que de consommer une tablette de chocolat et de beurre d'arachide transformé à saveur artificielle, plein de gras trans et de sirop de maïs à haute teneur en fructose, prenez une confiserie de beurre d'arachide biologique. Plutôt qu'un immense bol de yogourt glacé sans sucre et sans gras bourré de produits chimiques et d'édulcorants artificiels, prenez 125 ml de crème glacée biologique riche en matières grasses. Si vous devez vraiment manger des aliments moins sains, optez pour de vrais aliments et non pour des composés chimiques.

Conseil hormonal: *Vérifiez la fourchette de calories recommandée pour votre taille et votre niveau d'activité. Si elle se situe entre 1200 et 1400 calories, ne descendez pas à 800 parce que vous endommageriez votre métabolisme et inhiberiez votre thyroïde. Par contre, n'agissez pas non plus comme certains de mes clients qui, lorsqu'ils entendent dire qu'en mangeant souvent ils accélèrent leur métabolisme de 10 %, n'ont rien de plus pressé à faire que de commander une pizza! Le problème, c'est que, pour la plupart des gens, ce 10 % représente environ 200 calories, pas 3000! Connaissez votre fourchette et tenez-vous-en à ses limites.*

Mais pas au point d'être gavé. La mauvaise nouvelle, c'est que si vous aviez l'habitude de manger au moins un gros repas par jour, vous avez probablement étiré votre estomac ; il est donc plus difficile pour vous de vous sentir « plein » et d'enclencher la production d'hormones de satiété. Il se peut même que vous ayez développé une résistance à la leptine : si tel est le cas, même si votre corps libère de la leptine pour vous faire savoir qu'il est rassasié, vous ignorez le message et continuez à manger.

La *bonne* nouvelle, c'est que vous pouvez contrôler de nouveau votre appétit afin qu'il redevienne équilibré, mais à condition de suivre ces règles. En mangeant des repas frugaux quatre fois par jour, vous ramènerez votre estomac à sa taille normale. À ce moment, vous serez tout aussi rassasié, mais plus rapidement et en consommant moins de nourriture.

Pour vous habituer à manger de plus petites portions, utilisez une assiette à salade ou un petit bol plutôt qu'une grande assiette. De nombreuses études portant sur les régimes amaigrissants ont démontré que ce conseil fonctionne, sans doute en raison de ce que les chercheurs en marketing de l'Université de Washington appellent l'« effet de partitionnement » : quand on donne aux gens 100 $ à dépenser, ceux qui les reçoivent dans 10 enveloppes de 10 $ chacune dépensent 50 $, alors que ceux à qui on donne une seule enveloppe contenant 100 $ les dépensent complètement. Le même effet s'applique aux aliments parce que, lorsque vous en avez terminé la portion contenue dans une petite assiette, pour vous resservir, vous devez en faire le choix conscient.

Comparez ce scénario avec l'absorption inconsidérée de nourriture contenue d'une plus grande assiette. Nous avons vu comment ces gros repas font monter en flèche le taux d'insuline et surchargent tous les systèmes responsables de la digestion. Lorsque vous prenez les calories ingérées pendant un gros repas et les étalez tout au long de la journée, l'ensemble de vos cellules, organes, glandes et hormones peuvent faire leur travail tellement plus facilement.

Si vous êtes porté à trop manger, il vous serait peut-être utile de savoir qu'en diminuant votre absorption quotidienne de calories de seulement 15 % – en passant de 2000 à 1700 calories, par exemple –, vous pourriez réduire les risques de cancer. Des chercheurs de l'Université du Texas ont découvert que des souris auxquelles on donnait de 15 à 30 % moins de calories inhibaient la capacité d'alerte de l'IGF de type I, diminuant la croissance excessive des cellules et le développement de papillomes, des lésions précancéreuses sur la peau. Les chercheurs croient que le même mécanisme pourrait être à l'œuvre pour environ 80 % des autres cancers.

Oui, aussi complexe que soit le portrait d'ensemble des hormones et de la perte de poids, il existe une maxime indéniable qui s'applique toujours à la perte pondérale : les calories comptent. Sur les 5000 personnes inscrites au National Weight Control Registry qui ont réussi à maintenir une perte de poids d'au moins 15 kilos, 99 % avaient réduit leur apport calorique.

Bon, il fallait que je le dise, mais c'est la dernière fois que j'en parle.

Conseil hormonal : *Les seules portions dont le volume compte vraiment sont celles qui contiennent des produits animaux, des aliments transformés, des légumes riches en amidon et des fruits à haute teneur en sucre. (Voir « Servez-vous de votre jugement », page 208.) Peu m'importe vraiment combien vous mangez de légumes contenant peu d'amidon. En fait, j'adorerais que vous en mangiez de pleines assiettes ! Commencez votre repas par des légumes et vous accorderez ainsi aux hormones de satiété qui se trouvent dans votre estomac davantage de temps pour se manifester.*

TECHNIQUE DE RÉÉQUILIBRAGE Nº 3 : COMBINEZ CORRECTEMENT LES ALIMENTS

Je ne sais pas si c'est votre cas, mais tous ces débats sur l'absence de glucides, la faible teneur en glucides, l'absence de gras, la forte teneur en gras me rendent malade. L'équilibre, c'est tout ce qui compte. Notre corps est bâti pour l'équilibre.

Désormais, vous allez donc incorporer un peu de protéines, de gras et de glucides à chaque repas et collation (sauf à la collation en soirée, qui sera surtout composée de protéines). Comme je l'ai souligné plus haut au sujet des puissants nutriments, chaque nutriment exerce une fonction essentielle dans notre production d'hormones. Enlevez n'importe lequel d'entre eux et vous commencez à ralentir votre métabolisme.

Nous avons besoin de gras. Ce n'est pas pour rien qu'on les appelle « acides gras *essentiels* ». Pour éviter la sous-alimentation, nous devons intégrer ces gras à notre régime. Les gras, animal et végétal, procurent une énergie concentrée

VÉRIFIEZ VOTRE FOURCHETTE DE CALORIES

Je le répète : ce programme n'est pas une affaire de calcul précis des calories, mais de santé ; la perte de poids viendra automatiquement. Toutefois, il est quand même utile de savoir dans quelle fourchette vous vous situez, alors jetez un coup d'œil à ces recommandations fondées sur les lignes directrices de l'American Diabetes Association.

SI VOUS ÊTES...	VISEZ CE NOMBRE DE CALORIES CHAQUE JOUR
Une femme de taille moyenne qui souhaite perdre du poids	De 1200 à 1400
Une femme menue au poids corporel souhaité	De 1200 à 1400
Une femme de taille moyenne, sédentaire, au poids corporel désiré	De 1200 à 1400
Une femme de taille forte qui veut perdre du poids	De 1400 à 1600
Une femme de taille forte, sédentaire, au poids corporel souhaité	De 1400 à 1600
Une femme assez active, de taille moyenne à forte, au poids corporel souhaité	De 1600 à 1900
Un homme plus âgé au poids corporel souhaité	De 1600 à 1900
Un homme de taille petite à moyenne qui souhaite perdre du poids	De 1600 à 1900
Une adolescente	De 1900 à 2300
Une femme active de taille forte au poids corporel souhaité	De 1900 à 2300
Un homme de taille petite à moyenne, au poids corporel souhaité	De 1900 à 2300
Un adolescent	De 2300 à 2800
Un homme actif de taille moyenne à forte, au poids corporel souhaité	De 2300 à 2800

qui est précieuse. Ils fournissent les éléments constitutifs des membranes cellulaires ainsi que toute une gamme d'hormones et de substances dont l'effet est semblable à celui des hormones.

Les gras ralentissent l'absorption de nutriments, ce qui nous permet de demeurer plus longtemps sans ressentir la faim. De plus, ils contribuent à métaboliser le sucre et l'insuline, ce qui favorise la perte de poids. Sans gras, les glucides offriraient à notre glycémie (et à notre insuline) une balade ininterrompue en montagnes russes. Les gras agissent comme porteurs des importantes vitamines liposolubles A, D, E et K et de tous les caroténoïdes. Les oméga-3, des gras sains pour le cœur, aident à contrôler notre taux de triglycérides et peuvent améliorer la résistance à l'insuline. Et certains autres gras – comme les ALC – nous aident en fait à éliminer le gras emmagasiné dans notre corps. Les personnes qui ont tendance à développer une résistance à l'insuline *ont besoin* d'environ 30 % de gras dans leur régime pour perdre du poids ; certaines études ont démontré en effet que lorsqu'elles essaient de perdre du poids en suivant des régimes faibles en gras, elles échouent dès le départ ou ne peuvent contrôler leur poids à long terme. Certains chercheurs affirment même que les gras saturés, longtemps montrés du doigt comme étant le principal facteur de développement des maladies cardiovasculaires et de l'obésité, sont en fait inoffensifs et peuvent même favoriser la perte de poids.

D'accord, vous avez compris. Le gras, c'est bon. Cochez.

Nous avons besoin de protéines. Je suis certaine que nous allons nous entendre à ce propos. Nous avons besoin de protéines pour raffermir et entretenir nos muscles. Le seul fait d'absorber des protéines peut aider votre corps à éliminer jusqu'à 35 % plus de calories lors de la digestion. Les protéines stimulent la production de l'hormone de satiété CCK et diminuent le taux de ghréline. Quand on absorbe des glucides sans protéines, le taux d'insuline grimpe en flèche.

Depuis longtemps, certains affirment que les régimes à forte teneur en protéines ne sont pas soutenables et que, fatalement, les gens finissent par ressentir une folle envie de glucides. Mais les recherches n'ont rien démontré de la sorte ; en fait, elles ont plutôt indiqué le contraire. Nombres d'études entourant les régimes à plus haute teneur protéinique ont prouvé que les gens qui les suivent sont plus en mesure de maintenir leur perte de poids pendant de plus longues périodes. Ces personnes ont une meilleure constitution corporelle ; elles abaissent leurs taux de cholestérol, de triglycérides, d'insuline ainsi que leur glycémie. Plus longtemps vous suivez un régime à 30 % de protéines, plus les effets de la combustion du gras après le repas fonctionnent pour vous. Les chercheurs ont découvert qu'une personne qui mange régulièrement un repas contenant 30 % de protéines peut éliminer 10 calories supplémentaires de plus par minute que celle qui mange de façon routinière moins de 20 % de protéines. (Cet effet dure pendant plus de trois heures ; tout juste à temps pour votre repas suivant !)

Même les préoccupations concernant les risques accrus de crise cardiaque liés aux régimes à haute teneur en protéines ont commencé à disparaître. Selon une étude menée en Suède, 66 % des sujets témoins qui suivaient des régimes « normaux » avaient subi un AVC ou un infarctus pendant les quatre

SERVEZ-VOUS DE VOTRE JUGEMENT

Une étude a révélé que seulement 1 % des gens pouvaient évaluer correctement le volume de leurs portions. Amusez-vous avec des tasses à mesurer et familiarisez-vous avec ces volumes. En peu de temps, vous apprendrez à quoi ressemblent 250 ml de lait et combien de grammes pèse une petite poitrine de poulet.

PORTION	RESSEMBLE À
90 g de viande	Une paume d'enfant ou 1 jeu de cartes
150 g de viande	Une paume d'adulte ou 2 jeux de cartes
125 ml de pâtes ou de céréales	La moitié d'une balle de baseball (et non de softball !)
1 c. à café de beurre	Le bout de votre doigt (ou un dé)
1 c. à café d'huile	Le bout de votre doigt (ou un dé)
1 c. à soupe de beurre d'arachide	La moitié d'une balle de ping-pong
1 fruit de taille moyenne	Un poing ou une balle de baseball
30 g de fromage	4 dés
1 c. à soupe de vinaigrette	La moitié de votre pouce
250 ml de légumes	Un poing ou une balle de baseball
1 bagel	Une rondelle de hockey
1 tranche de pain	Une cassette audio
250 ml de céréales	Un poing ou une balle de baseball
1 crêpe	Un CD

années de l'étude par rapport à seulement 8 % des sujets qui suivaient un régime à haute teneur en protéines.

Je pense que les perspectives offertes par les régimes à haute teneur en protéines sont un peu plus encourageantes…

Les protéines sont bonnes pour vous. Cochez.

Nous avons besoin de glucides. Les êtres humains ne peuvent fonctionner sans glucides. Ceux-ci nous procurent de l'énergie ; sans eux, nous ne pourrions réfléchir, marcher, danser, conduire, bref faire quoi que ce soit. Une étude a révélé que les femmes qui diminuaient radicalement leur consommation de glucides pendant trois jours s'y relançaient à corps perdu au quatrième jour, absorbant 44 % plus de calories tirées des aliments à forte teneur en glucides qu'elles ne le faisaient au départ.

Les glucides donnent à nos aliments de la texture et du croquant, de la diversité et de la couleur. Ils nous rendent heureux, littéralement, en alimentant nos neurotransmetteurs. Et les gens qui mangent trois portions de grains entiers par jour risquent 30 % moins que les autres de souffrir du diabète de type 2.

Les glucides véhiculent également un grand nombre d'agents naturels qui combattent des maladies. Les produits phytochimiques ne peuvent provenir que des plantes ; on ne peut tirer de vitamine C d'un hamburger sans pain ! Sans glucides, nous serions une cible parfaite pour le cancer, les maladies cardiovasculaires, le syndrome métabolique, l'inflammation chronique et les problèmes digestifs.

Et même si nous avons tellement malmené nos légumes dans ce pays pendant des années et des années en les inondant de produits chimiques toxiques, ils peuvent tout de même contribuer à nous sauver de nous-mêmes. Le fait de manger des fibres, des glucides qu'on ne peut tirer que des plantes, représente une des rares façons d'aider notre corps à éliminer les toxines qui se sont accumulées dans nos tissus et qui ont perturbé pendant des années notre système endocrinien.

Rappelez-vous : ce qui importe ici, ce sont les BONS GLUCIDES : les légumes, les fruits, les grains entiers. Vous avez compris, n'est-ce pas ? Je n'aurais pas dû avoir à y revenir, mais je l'ai fait quand même… on ne sait jamais.

Alors oui, nous avons besoin de glucides. Les glucides sont bons. Cochez.

Conseil hormonal : *Un régime équilibré qui comporte 40 % de glucides, 30 % de protéines et 30 % de gras représente une solution sans danger. Mais vous pouvez jouer un peu avec ces pourcentages. Certaines personnes trouveront qu'un peu plus de glucides leur convient mieux et ce sera le contraire pour d'autres. Au bout du compte, votre choix sera lié au rythme auquel votre corps transforme votre nourriture en énergie. Le fait de bien ajuster vos macronutriments peut contribuer à vous donner plus d'énergie et à vous faire sentir rassasié plus longtemps. J'ai abordé en long et en large cette question dans mes deux livres précédents, alors je ne m'y attarderai pas ici. Ce qu'il faut retenir, c'est que chacun de vos repas doit contenir des gras, des protéines et des glucides. Un point, c'est tout.*

Les scientifiques commencent à peine à mesurer de quelle façon certaines hormones, certains pesticides et composés chimiques interagissent les uns avec les autres pour produire des effets indésirables beaucoup plus dangereux que chacune de ces substances prise isolément. Eh bien, heureusement pour nous, l'alimentation de haute qualité peut aussi avoir des effets exponentiels.

La nature possède un puissant moyen de se défendre ; il s'agit d'un phénomène, également plus grand que la somme de ses parties, appelé « synergie alimentaire ». Ce nouveau domaine d'expertise en matière de nutrition se penche sur l'étude de certains aliments et schémas qui semblent fonctionner de concert pour combattre des affections comme le cancer, les maladies cardiovasculaires et d'autres maladies chroniques de manière plus efficace que ne le pourrait chaque nutriment pris isolément.

Mais je vais vous révéler un petit secret : la synergie alimentaire n'est qu'une façon compliquée de dire : « Mangez des aliments entiers. » Ne vous concentrez pas sur les glucides, ni sur les protéines, ni sur les gras ; seulement sur la nourriture. Les aliments entiers travaillent de concert pour faire ressortir les forces de chaque nutriment. En mangeant davantage d'aliments entiers, vous favorisez ces synergies naturelles qui œuvrent ensemble pour optimiser le fonctionnement de vos hormones et désintoxiquer votre corps.

LE RÉGIME EN UN COUP D'ŒIL

Pourvu que vous mettiez l'accent sur ces trois principes importants – et que vous consommiez des aliments propres, entiers et équilibrés –, vous ne pouvez pas vous tromper :

1. **Propres :** premièrement, cherchez le plat dont le nombre d'additifs et de produits chimiques qui perturbent les hormones est le plus bas.

RETIREZ CES ALIMENTS

- Gras hydrogénés
- Céréales raffinées
- Sirop de maïs à haute teneur en fructose
- Édulcorants artificiels
- Colorants et agents de conservation artificiels
- Glutamates

RÉDUISEZ CES ALIMENTS

- Légumes riches en amidon
- Fruits tropicaux, séchés et en conserve
- Soja
- Alcool
- Viandes et produits laitiers riches en matières grasses
- Aliments en conserve
- Boissons caféinées

2. **Entiers :** ensuite, cherchez des aliments « qui viennent de la terre ou qui ont une mère ».

RESTAUREZ CES ALIMENTS

- Alliacés (ail, ciboulette, échalote, oignon, poireau)
- Crucifères (chou, choux de Bruxelles, chou-fleur, navet, radis, etc.)
- Fruits et légumes colorés
- Grains entiers
- Légumes à feuilles vert foncé
- Légumineuses
- Noix et graines
- Petits fruits (bleuets, framboises, mûres, etc.)
- Produits laitiers
- Viandes, poissons et œufs

3. **Équilibrés :** finalement, vous obtenez un sain équilibre entre les protéines, le gras, les glucides et les calories tout au long de la journée.

RÉÉQUILIBREZ VOTRE ÉNERGIE

- Prenez un petit déjeuner
- Mangez jusqu'à satiété, mais sans vous gaver
- Mangez toutes les quatre heures
- Ne mangez pas après 21 heures
- Mangez 40 % de glucides, 30 % de gras et 30 % de protéines
- Pas de glucides en soirée

La combinaison particulière de ces trois étapes – retirer les aliments cultivés qui contiennent des hormones, des pesticides et des produits chimiques ; restaurer les nutriments dans votre régime alimentaire ; rééquilibrer votre énergie entrante comme sortante – vous permet de tirer parti quotidiennement de cette synergie alimentaire. Tous les éléments du régime travaillent de concert pour faire entrer en action les puissantes propriétés curatives de ces aliments afin d'optimiser le fonctionnement de vos hormones. Et maintenant, vous allez apprendre comment chacun de ces éléments s'imbrique l'un dans l'autre dans le cadre du plan maître que je vous propose.

TROISIÈME PARTIE

LES OUTILS

CHAPITRE 8

LES GRANDES STRATÉGIES DU MODE DE VIE

RETIREZ LES TOXINES DE VOTRE FOYER, RESTAUREZ LES NUTRIMENTS DANS VOTRE ALIMENTATION ET RÉÉQUILIBREZ VOTRE ÉNERGIE POUR ÉLIMINER LE STRESS

Comme nous l'avons vu, notre corps est littéralement agressé par le monde dans lequel nous vivons, notamment par certaines toxines que nous ingérons, comme celles qui se trouvent dans les sucres raffinés, les édulcorants artificiels, les additifs et des médicaments sous ordonnance. D'autres toxines proviennent de notre environnement: l'eau et l'air pollués, les cosmétiques, les déchets pétrochimiques et industriels et les métaux lourds. Pour ajouter à cela, nous nous nuisons nous-mêmes en travaillant trop, en mangeant trop et en ne dormant pas assez.

Ces produits chimiques et nos mauvaises habitudes de vie causent de terribles dégâts à notre biochimie et à notre santé cellulaire. Et plus nous avons de composés chimiques toxiques dans notre corps et maintenons ces habitudes de vie, plus lourd est notre «biofardeau», c'est-à-dire l'impact combiné de tous ces perturbateurs endocriniens.

Maintenant que nous avons assaini notre alimentation, nous devons assainir tout le reste. Nous devons retirer de nos foyers les toxines qui restent, restaurer les nutriments dans notre alimentation et rééquilibrer notre énergie pour lutter contre le stress envahissant qui détraque nos hormones. Lorsque nous aurons fait cela, nous aurons supprimé bien des menaces hormonales et entièrement remis sur pied notre métabolisme.

Mais ne considérez pas les suggestions contenues dans ce chapitre comme un programme complet; ce serait une grosse commande! Envisagez-les plutôt comme de petits pas qui auront, au bout du compte, un effet cumulatif. Les suggestions qui se trouvent dans ce chapitre représentent un scénario idéal pour réduire votre biofardeau ; si vous n'en réalisez que la moitié, vous serez déjà dans une forme splendide.

Et maintenant, au travail !

RETIREZ LES TOXINES DE VOTRE ENVIRONNEMENT

Faire des choix sains ne vous aide pas seulement à perdre du poids et à avoir une superbe apparence, cela vous permet aussi d'assainir la terre. Chaque changement que vous apporterez dans votre cuisine, votre foyer ou votre jardin aura un effet sur votre propre métabolisme, votre vitalité, votre longévité, votre santé et votre bonheur.

RETIREZ LES PLASTIQUES TOXIQUES DE VOTRE MAISON

Les fabricants industriels utilisent plus de plastique que n'importe quel autre matériau. Certains sont plus susceptibles que d'autres de libérer des perturbateurs endocriniens et d'autres composés chimiques dangereux. On peut différencier les divers types de plastique d'après les chiffres inscrits au bas des contenants. Voyons la liste complète afin que vous sachiez lesquels sont les moins toxiques et quels sont ceux que vous devez cesser d'utiliser immédiatement. (Pour consulter une liste des marques nationales selon leur degré de sécurité, visitez le site www.checnet.org/healtheHouse/pdf/plasticchart.pdf.)

Plastiques dangereux : à proscrire !

Ces plastiques sont les trois principaux suspects dans tout le brouhaha qu'on entend à propos des œstrogènes présents dans l'environnement. Évitez-les à tout prix.

NON ! n° 3 : chlorure de polyvinyle (CPV ou PVC)

On peut trouver du PVC dans les bouteilles d'huile à cuisson, les pellicules d'emballage, les emballages de viande, de fromage et d'autres aliments, les articles de plomberie, les jouets.

Pourquoi c'est mauvais : les phtalates – des perturbateurs endocriniens – et les dioxines qui sont à l'origine de plusieurs formes de cancer s'échappent du PVC lorsqu'il entre en contact avec une source de chaleur, un aliment (en particulier le fromage et la viande), l'eau, l'air ainsi que notre corps.

Meilleurs choix: Les pellicules d'emballage qui ne contiennent ni PVC ni bisphénol A. Conservez votre nourriture dans des contenants de verre. Achetez votre huile de cuisson dans des bouteilles de verre. Ne chauffez *jamais* au four à micro-ondes des aliments dans du plastique; utilisez plutôt du papier sulfurisé (communément appelé «papier parchemin») ou du papier ciré.

NON! n° 6: polystyrène (PS; le polystyrène extrudé est connu sous la marque de commerce Styrofoam)

Le polystyrène extrudé sert à la fabrication de gobelets à café jetables, de contenants de mets à emporter, de contenants pour œufs (matière mousse), de barquettes de viande, de billes d'emballage et de mousses isolantes. Le polystyrène non extrudé est présent dans les boîtiers de CD et de DVD, les ustensiles jetables et les contenants transparents de mets à emporter.

Pourquoi c'est mauvais: en particulier lorsqu'il devient chaud, le polystyrène – un perturbateur endocrinien connu – laisse échapper des composés chimiques dans les aliments. Les matériaux utilisés dans la confection du polystyrène – benzène, butadiène, styrène – sont tous des agents cancérigènes connus ou suspectés.

Meilleurs choix: achetez des œufs dans des contenants en carton. Transférez aussitôt que possible dans des contenants de verre ou de céramique les aliments emballés dans du polystyrène. Ne buvez jamais de boissons chaudes dans des gobelets de polystyrène et ne mangez jamais d'aliments dans des contenants de matière mousse. Fréquentez des restaurants qui utilisent des contenants pour mets à emporter faits de produits du papier ainsi que des ustensiles et des gobelets jetables faits à partir de maïs ou de sucre.

NON! n° 7: autres (PC, pour polycarbonate)

On peut trouver du PC dans les biberons, les fours à micro-ondes, les contenants antitaches pour conserver les aliments, les contenants de stockage d'appareils médicaux, les ustensiles, le revêtement intérieur de presque toutes les cannettes d'aliments en conserve et de boissons gazeuses, les contenants de produits de marque Lexan, les vieilles bouteilles en plastique dur de marque Nalgene ou d'autres marques, les cruches d'eau de 20 litres, les matériaux de construction.

Pourquoi c'est mauvais : des milliers d'études menées sur des animaux et des humains ont relié le bisphénol A, un composé chimique utilisé dans le plastique bicarbonate, à des perturbations endocriniennes graves telles que la puberté précoce chez les jeunes filles, une croissance anormale des tissus du sein et de la prostate et une faible numération de spermatozoïdes.

Meilleurs choix : rincez à fond vos aliments en conserve avant de les manger. Utilisez des biberons en verre, mais si vous continuez d'utiliser des bouteilles en polycarbonate, ne les plongez jamais dans le chauffe-biberon, car la chaleur accroît les risques de fuite de composés chimiques. Choisissez des bouteilles dont les joints de capsule sont en acier inoxydable ou en céramique. Ne lavez jamais vos bouteilles et vos gourdes en polycarbonate dans le lave-vaisselle. Lorsqu'elles deviennent brouillées, débarrassez-vous-en. Si jamais vous percevez une odeur de plastique dans l'eau ou tout autre liquide, *n'en buvez pas*.

LE PLA N^O 7, LE SEUL PLASTIQUE ACCEPTABLE

Tout plastique étiqueté « PLA » (pour polylactide) est fait à partir de maïs, de pomme de terre, de sucre ou d'une autre plante contenant de l'amidon. Ces produits sont entièrement biodégradables ! Surveillez le code au bas du contenant. Le PC est à éviter, mais le PLA est tout à fait convenable.

LES PLASTIQUES (PLUS) SÛRS

Les plastiques qui suivent ont un meilleur dossier que les trois précédents. Mais si vous voulez mon avis, moins vous aurez de plastique dans votre environnement immédiat, mieux ça vaudra.

OK n° 1 : polyéthylène téréphtalate (PET)

On peut trouver ce plastique dans les bouteilles de sirop contre la toux, de ketchup, de vinaigrette, de boissons gazeuses, de boissons énergisantes et d'eau. Il peut également être présent dans les pots de plastique contenant des cornichons, de la gelée, de la confiture, de la moutarde, de la mayonnaise et du beurre d'arachide.

OK n° 2 : polyéthylène haute densité (PEhd)

Le PEhd est utilisé dans la fabrication de certains jouets, celle des bouteilles de shampoing, des contenants de lait ou de margarine, des sacs d'épicerie recyclables, des sacs à ordures, des bouteilles de détergent à lessive, des bois composites, des matériaux de construction, de certains contenants alimentaires en plastique, de produits hygiéniques, des cerceaux de hula-hoop et de certaines pellicules de plastique.

OK nº 4 : polyéthylène basse densité (PEbd)

On peut trouver le PEbd dans les sacs d'épicerie, les bols, les couvercles de contenants, les jouets, les anneaux de plastique des paquets de six cannettes, les plateaux, les câbles d'alimentation, les toiles d'emballage, certaines pellicules de plastique pellimoulantes, les emballages de sandwiches, les colorants alimentaires, les bouteilles doseuses et les capsules de bouteilles.

OK nº 5 : polypropylène (PP)

Le polypropylène peut servir à la fabrication d'ustensiles et de gobelets de plastique, de sous-vêtements thermiques, de sacs fourre-tout, de couches, de biberons, de contenants de yogourt, de bouteilles de condiments.

RETIREZ LES TOXINES DE VOTRE CUISINE

Avec plus de 100 000 composés chimiques qui traînent dans notre environnement – dont beaucoup n'ont pas encore fait l'objet d'études sérieuses –, nous en saurons bientôt encore plus sur les effets dommageables qu'ils présentent. D'ici là, protégez votre environnement immédiat en débarrassant votre cuisine de ces produits.

NON : essuie-tout blanchis au chlore

L'EPA a découvert que les dioxines, des sous-produits du chlore, sont 300 000 fois plus cancérigènes que le DDT ; elles sont aussi bourrées d'œstrogènes.

OUI : produits du papier sans chlore

Utilisez des produits – y compris le papier hygiénique – qui ont été traités avec un procédé sans chlore (PCF).

NON : filtres à café blanchis

Les filtres à café blanchis laissent échapper du chlore dans votre café et libèrent des dioxines à chaque goutte.

OUI : filtres non blanchis ou blanchis à l'oxygène

Ces produits sont traités au dioxyde de chlore, une forme de blanchiment qui ne crée pas de résidus de dioxine.

NON : savon à mains (ou quoi que ce soit !) « antibactérien »

Ce type de produit entraîne une résistance aux antibiotiques. Lorsque le triclosan entre en contact avec l'eau chlorée du robinet, il entraîne la création de chloroforme – un gaz cancérigène – et de dioxines chlorées, une forme hautement toxique de dioxine.

OUI : savons naturels

Choisissez des savons à vaisselle sans chlore ni phosphates.

NON : poêles en téflon

Un composé chimique du téflon est susceptible de causer du tort au foie et à la thyroïde, en plus d'affecter le système immunitaire.

OUI : poêles en fonte, à revêtement de porcelaine, en acier inoxydable ou en verre

Obtenez un supplément de fer tout en évitant des dommages aux glandes endocrines et au système immunitaire.

MAINTENEZ LE LAVE-VAISSELLE FERMÉ

N'ouvrez pas la porte du lave-vaisselle durant le cycle de lavage. La vapeur qui en sort alors libère du chlore volatil toxique, issu de la combinaison du détergent et de l'eau courante.

RETIREZ LES TOXINES DE VOTRE SALLE DE BAIN

Les cosmétiques et les produits de soins corporels constituent une source considérable d'empoisonnement chimique et de perturbation endocrinienne. Et dire que la FDA n'a testé que 11 % des quelque 10 500 ingrédients utilisés dans les produits de beauté ! Dieu merci, la Campaign for Safe Cosmetics, un regroupement d'une soixantaine d'associations vouées à l'environnement et à la santé, a répertorié certaines des substances les plus dangereuses contenues dans les cosmétiques et les produits de soins corporels. Lorsque vous êtes à la recherche de produits de remplacement (ou « alternatifs »), tournez-vous vers les entreprises qui ont signé la convention de la Campaign for Safe Cosmetics ; ce geste témoigne de leur engagement à utiliser des substances plus sécuritaires et à faire preuve d'une plus grande transparence à l'égard des ingrédients qui entrent dans la composition de leurs produits. On peut trouver une liste des entreprises signataires sur le site www.safecosmetics.org. Les ingrédients suivants sont tous soupçonnés d'avoir des effets perturbateurs sur le système endocrinien.

NON : mercure (souvent appelé thiomersal ou thimérosal dans la liste des ingrédients figurant sur l'étiquette)

On trouve ce produit dans certains crayons contour des lèvres, brillants à lèvres, crèmes hydratantes pour le visage, mascaras, gouttes ophtalmiques, onguents et désodorisants.

Pourquoi c'est mauvais : le mercure se colle éternellement aux tissus, affectant la biochimie de notre système nerveux, de notre système immunitaire et de plusieurs autres cellules. On le soupçonne également d'être un perturbateur endocrinien et il est reconnu comme une toxine qui affecte le développement et la fonction reproductrice des humains.

NON : plomb

Il y a du plomb dans plus de 60 % des marques de rouge à lèvres, mais il n'est jamais étiqueté comme tel.

Pourquoi c'est mauvais : le plomb provoque des troubles de l'apprentissage et du comportement et est relié à d'autres dérèglements du système nerveux central, à des fausses couches, à une réduction de la fertilité, à des changements hormonaux et à une perturbation du cycle menstruel.

NON : toluène

On peut trouver du toluène dans les vernis à ongles ainsi que dans d'autres produits pour le traitement des cuticules et des ongles.

Pourquoi c'est mauvais : le toluène cause des dommages aux systèmes nerveux, respiratoire et cardiovasculaire ; il peut également endommager les reins, entraîner une réduction de la numération des spermatozoïdes, provoquer des anomalies congénitales et affecter le cycle menstruel.

NON : formaldéhyde

On peut trouver du formaldéhyde dans certains produits hydratants, nettoyants pour le visage, shampoings, revitalisants, écrans solaires, nettoyants pour le corps, gels coiffants, traitements contre l'acné, fonds de teint, ombres à paupières, mascaras, lingettes nettoyantes pour bébé, crèmes pour les mains, lubrifiants, fixatifs capillaires, démaquillants. (Ce produit est également utilisé comme agent de conservation pour les aliments... et dans les salons funéraires !)

Pourquoi c'est mauvais: le formaldéhyde est dangereux pour le système immunitaire, est un cancérigène connu et a été relié à la leucémie, à une perturbation du cycle menstruel, à l'asthme, à la sclérose latérale amyotrophique (maladie de Lou Gehrig) et à des dommages à l'ADN.

NON: parabènes

Les parabènes entrent dans la fabrication de plusieurs shampoings, revitalisants capillaires, nettoyants pour le corps et le visage, produits blanchissants pour les dents, dentifrices, écrans solaires, crèmes hydratantes, lotions toniques et astringentes.

Pourquoi c'est mauvais: les parabènes ont des effets œstrogéniques sur le corps et ont été reliés aux cancers du sein et de la prostate.

NON: placenta

On trouve du placenta dans certains produits pour lisser les cheveux, dans des crèmes hydratantes et des lotions toniques.

Pourquoi c'est mauvais: le placenta peut produire de l'œstrogène, de l'œstrone, de l'œstradiol et de la progestérone, en plus d'accroître les risques de cancer du sein et de causer d'autres problèmes de santé.

NON: phtalates

Certains vernis à ongles et produits pour le traitement des ongles et des cuticules, parfums, huiles de bain, crèmes hydratantes et fixatifs pour cheveux contiennent des phtalates.

Pourquoi c'est mauvais: les phtalates peuvent être toxiques pour le système reproducteur, en plus de causer l'infertilité et des anomalies congénitales. Comme ils ne figurent pas sur les étiquettes, ils sont difficiles à retracer (et sont même parfois dissimulés sous l'appellation «fragrance»).

NON: triclosan

On trouve du triclosan dans des crèmes hydratantes, des crèmes pour les mains, des shampoings, des nettoyants pour le visage et pour le corps, des revitalisants capillaires, des antitranspirants, des exfoliants et des dentifrices.

Pourquoi c'est mauvais: on croit que le triclosan perturbe les hormones thyroïdiennes, provoque une résistance aux antibiotiques et contribue à la formation de composés cancérigènes lorsqu'il entre en contact avec de l'eau chlorée.

LE MAÎTRE-GUIDE DE L'EAU

Il existe tellement de composés chimiques qui sont des perturbateurs endocriniens et qui n'ont pas encore été réglementés par les autorités responsables de la qualité de l'eau ! Les méthodes traditionnelles de traitement des eaux sont au-delà du ridicule. (On peut s'informer sur la qualité de son eau potable auprès des autorités municipales ou régionales.)

La seule façon d'être certain que l'on consomme de l'eau propre est d'utiliser religieusement un filtre à eau. Une fois que vous disposerez des informations concernant la qualité de votre eau potable, procurez-vous un filtre capable de retirer les contaminants qu'elle peut contenir. (Le site de la National Science Foundation américaine [www.nsf.org/Certified/dwtu] contient une banque de données complète sur tous les types de filtres à eau. Ce sera un bon début.) Pour une meilleure efficacité, combinez deux types de filtres, par exemple un filtre à osmose inversée en plus d'un filtre au carbone monté sur robinet.

TYPE	COMMENT ÇA MARCHE ?	POUR	CONTRE
Osmose inversée	Utilise une membrane semi-perméable pour retirer les particules et les molécules de contaminants dissous.	Retire tous les métaux lourds, les bactéries et les virus ; peut également éliminer certains résidus de produits pharmaceutiques.	Beaucoup de gaspillage : cette méthode entraîne la perte de 11 à 75 litres d'eau pour 4 litres d'eau potable. Elle filtre tous les minéraux, dont les minéraux sains tels que le magnésium et le potassium. Elle ne retire PAS le chlore, les pesticides ni les herbicides. Certains affirment en outre que l'eau ainsi produite a un goût éventé.
Distillation	On fait bouillir l'eau pour la maintenir ensuite à une température constante. L'eau ainsi évaporée se condense et retombe dans son contenant. (Les impuretés s'évaporent à haute température et peuvent ainsi être facilement recueillies et retirées.)	Retire tous les métaux lourds, les bactéries et les virus.	Beaucoup de gaspillage : pour chaque litre d'eau potable, on en perd presque 5. Filtre tous les minéraux, y compris les minéraux sains tel le sélénium. Ne retire pas le chlore, les pesticides, les herbicides ou les produits pharmaceutiques. Certains affirment en outre que l'eau ainsi produite a un goût éventé.
Filtre au charbon activé (norme NSF/ANSI 53) (monté sur robinet, sous l'évier ou en pichet)	L'eau s'écoule à travers un filtre au charbon qui retient beaucoup d'impuretés.	Varie selon les marques. Toutes retirent le chlore, améliorent le goût et réduisent les dépôts. La plupart de ces produits retiennent également les métaux lourds et les sous-produits de désinfection. Certains retiennent aussi les parasites, les pesticides, le radon et les composés organiques volatils.	Ne filtre pas les produits pharmaceutiques. Il existe des différences notables entre les diverses marques sur les contaminants qu'elles filtrent ou non.

OUI : cosmétiques et produits de soins corporels naturels

Certaines marques de cosmétiques affirment que leurs produits sont « biologiques », mais il n'existe aucune politique gouvernementale claire concernant la sécurité des cosmétiques et des produits de soins corporels, contrairement aux aliments. D'ici à ce qu'une telle politique existe, je vous invite à consulter Skin Deep, la base de données de l'Environmental Working Group (www.cosmeticsdatabase.com), qui présente les ingrédients entrant dans la composition de plus de 25 000 produits et les associe à 50 bases de données sur la toxicité et la réglementation concernant ces produits. Ce site est incroyable : pas besoin d'aller nulle part ailleurs pour être bien informé.

RETIREZ LES TOXINES DE VOTRE MAISON

Selon l'EPA, l'air de votre maison pourrait être 100 fois plus pollué que celui de l'extérieur, principalement à cause des composés organiques volatils émis par des nettoyants toxiques et d'autres produits ménagers. Voici quelques trucs afin de réduire le « biofardeau » dans votre maison.

NON : nettoyants domestiques chimiques

Presque 90 % de notre exposition aux poisons surviennent à la maison, surtout à cause de produits tels que les nettoyants ménagers, les médicaments, les cosmétiques et autres produits de soins corporels. Les pires sont ceux qu'on utilise pour nettoyer les tuyaux, le four et la cuvette des toilettes ainsi que les produits contenant du chlore ou de l'ammoniac. (La combinaison du chlore et de l'ammoniac est à l'origine d'un gaz toxique, la chloramine, utilisé comme arme chimique pendant la Première Guerre mondiale.)

OUI : produits 100 % naturels

Utilisez de véritables produits naturels tels que le vinaigre blanc, le peroxyde d'hydrogène, le jus de citron et de la bonne vieille eau. Aucun risque de perturbation endocrinienne et un effet miraculeux sur votre portefeuille !

Le vinaigre blanc mélangé à l'eau nettoie n'importe quel type de plancher, de fenêtre, de miroir ou autre surface brillante. Le vinaigre élimine les odeurs désagréables provenant de l'évier ou la moisissure de la douche, nettoie et assouplit les vêtements et, lorsque combiné au bicarbonate de sodium, peut déboucher les tuyaux.

Le savon de Castille mêlé à l'eau chaude enlève la saleté. Pour un travail efficace, utilisez-le n'importe où avec du bicarbonate de sodium et/ou du vinaigre.

Le bicarbonate de sodium peut être utilisé pour nettoyer les ustensiles, désodoriser les tapis malodorants et la couche du chien, récurer la toilette et le bain, désodoriser le frigo et le congélateur. Partout où vous utilisez de la poudre à récurer, vous pouvez vous servir de bicarbonate de sodium.

COMMENT LIRE LES ÉTIQUETTES QUI FONT PEUR

J'ai été terrifiée de constater à quel point certains articles ménagers d'usage courant sont toxiques. Gardez l'œil ouvert sur les étiquettes et sachez à quel point certaines signalent un danger ! Et ces étiquettes sont muettes quant à l'effet de ces produits sur les bébés. En fait, on parle ici de doses qui pourraient tuer un adulte de 50 kilos. Terrifiant !

Poison, danger ou hautement toxique : si vous avalez une cuillérée à café ou moins de ce produit, vous pourriez mourir.

Avertissement ou très toxique : si vous avalez un volume compris entre une cuillérée à café et une cuillérée à soupe de ce produit, vous pourriez mourir.

Attention ou toxique : si vous avalez un volume compris entre 30 ml et environ 1 litre de ce produit, vous pourriez mourir.

Le jus de citron peut servir de substitut à l'eau de Javel en raison de ses capacités de blanchiment.

Le peroxyde d'hydrogène, combiné au vinaigre blanc, est l'un des meilleurs désinfectants qui soient pour la cuisine. Susan Sumner, une spécialiste en alimentation de la Virginia Polytechnic Institute and State University, a inventé ce procédé : achetez deux bouteilles à vaporiser vides, remplissez-en une de peroxyde d'hydrogène et l'autre de vinaigre ; vaporisez d'abord le comptoir avec du vinaigre, puis avec du peroxyde d'hydrogène (ou vice-versa) et voilà ! Des tests ont démontré qu'une telle méthode de nettoyage était plus efficace que n'importe quel nettoyant javellisé pour éliminer les bactéries. En plus, elle n'émet aucune dioxine cancérigène. (Un boni : cette méthode de vaporisation marche aussi pour les aliments et après que vous avez rincé ceux-ci à l'eau, elle ne laisse aucun résidu discernable.)

OUI : utilisez des nettoyants du commerce fiables et sécuritaires

Les produits ménagers dont les fabricants assurent qu'ils sont naturels peuvent être toxiques sans qu'on le sache. Tenez-vous-en à des entreprises reconnues comme étant écoresponsables. Recherchez les indications telles que :

- Écologique ;
- Sans ammoniac ;
- Biodégradable ;
- Sans teinture ou non parfumé ;
- Non cancérigène ;
- Ne contient pas de produit pétrolier ;
- Non toxique.

NON : désodorisants artificiels pour la maison

Ces produits ne font pas que masquer les odeurs désagréables qui règnent dans une pièce. Ce sont en fait des petites usines de composés organiques volatils (COV) qui pompent les toxines à l'intérieur de votre maison.

OUI : assainissez votre air avec un filtre hepa

Une étude a révélé que l'utilisation de filtres hepa (filtres à très haute efficacité) pendant deux jours améliore de façon radicale les fonctions cardiovasculaires des non-fumeurs en santé. Procurez-vous-en un avec un filtre à COV.

OUI : entourez-vous de vert

Des scientifiques de la NASA ont découvert qu'une plante en pot à tous les 30 mètres carrés pouvait débarrasser l'air de votre maison de plusieurs contaminants nocifs. Parmi les plus efficaces, citons les rameaux de bambou, le lierre anglais, la marguerite du Transvaal et l'araignée verte.

NON : meubles traités au Scotchgard ou vêtements résistants aux taches

Le composé de perfluorocarbure (PFC) utilisé dans la fabrication de tissus résistants aux taches est suspecté de provoquer des anomalies congénitales et le cancer. On en aurait trouvé de fortes concentrations dans le lait maternel.

OUI : des vêtements biologiques autant que possible

Les producteurs de coton sont ceux qui utilisent le plus de pesticides (et les plus dangereux). Recherchez les produits faits de coton biologique, en particulier pour les draps et les vêtements de bébé.

RETIREZ LES TOXINES DE VOTRE COUR

Les pesticides augmentent les risques de douzaines de types de cancer. On sait aussi de façon quasi certaine qu'ils perturbent le système endocrinien et, au bout du compte, qu'ils provoquent une résistance à l'insuline. Votre mission numéro un consiste à éliminer les pesticides de votre maison et de votre cour.

FINI LE NETTOYAGE À SEC

Le Sierra Club a demandé à l'EPA d'interdire les nonylphénols et les éthoxylates de nonylphénols, des composés chimiques œstrogéniques présents dans les produits de nettoyage à sec et dont plus de 180 millions de kilos sont produits chaque année. (L'Europe et le Canada les ont interdits.) D'ici là, évitez le nettoyage à sec ou trouvez un nettoyeur à sec qui emploie des produits de remplacement. Si vous devez absolument utiliser ce procédé, retirez les vêtements nettoyés de leur enveloppe de plastique dès que possible et aérez-les à l'extérieur pendant au moins quatre heures.

NON : désherbants

Les entreprises d'entretien des pelouses qui recourent à des produits chimiques utilisent de l'atrazine, un désherbant qui est un perturbateur endocrinien extrême connu. Des grenouilles mâles traitées à l'atrazine ont l'air bien portantes à l'extérieur, mais développent des organes féminins à l'intérieur, l'une des raisons de l'agonie des grenouilles partout dans le monde.

OUI : pelouse biologique

La tonte, l'arrosage et la fertilisation des pelouses représentent environ 2 % de la consommation de combustibles fossiles et 10 % de la pollution de l'air aux États-Unis. Consultez le site www.safelawns.org afin d'obtenir un tas de trucs utiles pour un entretien écoresponsable de votre pelouse.

OUI : jardin de plantes indigènes

De bonnes bactéries présentes dans le sol pourraient même aider votre cerveau à produire davantage de sérotonine. Une étude a en effet révélé que la bactérie *Mycobacterium vaccæ* active certaines voies de la même façon que le font les antidépresseurs.

RETIREZ LES TOXINES DE L'ORGANISME DES ENFANTS ET DES ANIMAUX

Le soin des bébés et des animaux de compagnie peut amener toute une nouvelle couche de composés chimiques dans votre vie. Protégez-les – ainsi que vous-même – en faisant des choix très réfléchis.

NON : shampoings antiparasitaires

Une étude récente a révélé que les parents qui lavent leurs animaux de compagnie avec du shampoing antiparasitaire contenant de la pyréthrine couraient deux fois plus de risques d'avoir un enfant autiste.

OUI : shampoings naturels pour animaux

Je n'utilise que des shampoings naturels pour mon petit chien Baxter.

NON : shampoings antipoux

Toutes les fois que vous utilisez un shampoing antipoux, vous déversez des pesticides sur la tête de votre enfant.

OUI : adoptez une pratique « Non aux lentes ! »

Utilisez un peigne fin pour retirer les lentes avant qu'elles deviennent des poux. Prévenez la récidive en déposant chaque jour dans les cheveux de vos enfants quelques gouttes d'huile essentielle d'arbre à thé.

NON : vêtements ignifugés

Assurez-vous que les pyjamas, articles de literie, oreillers et matelas de vos enfants ne contiennent pas de polybromodiphényléthers (PBDE), un groupe de composés chimiques reliés à des perturbations thyroïdiennes, à des problèmes d'apprentissage et de mémoire, à une dégradation de l'ouïe, à une réduction de la numération des spermatozoïdes et à des anomalies congénitales.

OUI : articles de literie et vêtements biologiques

Votre corps, celui de vos enfants et la planète entière ne s'en porteront que mieux.

NON : jouets de plastique

Beaucoup de fabricants et de magasins de jouets se sont engagés à retirer les phtalates de leurs produits, mais si le rappel de jouets fabriqués en Chine nous lance un message, c'est bien que nous ne pouvons être certains à 100 % de leurs affirmations.

OUI : jouets en bois et en tissu

Choisissez des jouets en bois non peint et en tissu biologique et n'achetez pas de jouets fabriqués en Chine. (Désolée, mais d'ici à ce que les Chinois changent leurs pratiques, ne courons pas de risques !)

NON : au lait de soja maternisé

À moins que votre pédiatre ne soit d'avis contraire. Les bébés qui boivent des produits au soja consomment un volume incroyable de phytœstrogènes par kilo.

OUI : allaitement maternel

Essayez l'allaitement maternel. Si vous en êtes incapable, demandez à votre pédiatre de vous recommander le meilleur lait maternisé pour votre bébé. N'ayez pas peur que les toxines présentes dans l'environnement se retrouvent dans votre lait maternel. Les spécialistes affirment que les avantages de l'allaitement maternel surpassent tout danger éventuel.

NON : bouteilles contenant des BPA et couches nettoyées au chlore

Ne mettez pas de perturbateurs endocriniens directement dans la bouche ou sur les fesses de votre bébé.

OUI : bouteilles en verre et couches en tissu écru

Optez pour des bouteilles en verre et des couches en tissu écru telles que les couches sans chlore.

RETIREZ LES TOXINES DE VOTRE ARMOIRE À PHARMACIE

Nous voici maintenant arrivés au grand NON : les médicaments !

En collaboration avec votre médecin, je veux que vous retiriez de votre armoire à pharmacie tous les médicaments en vente libre et sous ordonnance, autant que faire se peut. Un point, c'est tout. Terminé !

Écoutez, je sais que j'adopte la ligne dure. Et, bien franchement, je ne voudrais pas vivre dans un monde où la médecine moderne n'existerait pas. Mais sauf de rares exceptions, beaucoup de produits pharmaceutiques créent plus de problèmes qu'ils n'en résolvent.

Avez-vous déjà vraiment lu le petit encart d'information qu'on vous donne avec votre « médicament » ? C'est à se demander si les effets indésirables du produit ne sont pas plus sinistres que la maladie qu'il prétend combattre.

Les médicaments auxquels vous devriez faire le plus attention sont ceux qui comportent le préfixe « anti » : antidépresseurs, anti-inflammatoires, antibiotiques et ainsi de suite. Ces produits ne travaillent pas avec la biochimie naturelle du corps, mais plutôt contre. Sauf dans des cas extrêmes, leurs effets indésirables peuvent s'avérer bien pires que la maladie : calculs rénaux, coagulation anormale du sang, troubles sanguins, surdité, colite, infections fongiques, écoulements viscéraux, rougeurs, essoufflement, nausées, diarrhées, anorgasmie, anxiété, constipation, gain de poids, troubles du sommeil, perte des cheveux, hypertension artérielle, anémie… Et la liste se poursuit ainsi à l'infini.

J'ai connu des concurrents de *Qui perd gagne* qui, lors de leur arrivée à l'émission, prenaient une douzaine de médicaments différents. Ils avaient commencé par souffrir de quelque affection liée à l'obésité : hypertension artérielle, diabète de type 2, arthrite, hypercholestérolémie, et tout le reste. Comme tous les médicaments qui leur avaient été prescrits avaient des effets indésirables, leur médecin avait rédigé une nouvelle ordonnance pour traiter ces effets. Un seul mois après le début de l'émission, ces concurrents avaient cessé toute consommation de médicaments, et ce, de façon permanente. Voici la solution miracle : régime et exercice.

Les médicaments les plus monstrueux – et ceux qui sont le plus en contradiction avec le programme que je vous propose dans ce livre – sont les hormones de synthèse. Parlons-en de ces perturbateurs endocriniens ! Les femmes vivent la ménopause depuis des milliers d'années. Et tout à coup, on se met à penser que Dieu/la nature/l'évolution (insérez ici votre propre croyance personnelle) a tout bousillé ? Les entreprises pharmaceutiques en profitent et nous présentent une maladie qui n'en est même pas une et, pour la soigner, ils nous vendent un médicament qui nous tue !

Rappelez-vous ce qui s'est passé lorsque les conclusions de l'Initiative sur la santé des femmes, commanditée par les National Institutes of Health, ont été publiées en 2002. L'étude d'une durée de huit ans portant sur l'hormonothérapie aux œstrogènes et à la progestagène de synthèse fut stoppée au bout de cinq ans parce que les femmes qui y participaient tombaient comme des mouches sous le coup d'un infarctus ou d'un AVC. Les chercheurs ont analysé les données pour découvrir que la combinaison de ces hormones synthétiques avait entraîné une hausse de :

- 26 % de l'incidence du cancer du sein ;
- 22 % des maladies cardiovasculaires ;
- 29 % des infarctus ;
- 41 % des AVC ;
- 100 % des caillots sanguins dans les poumons

Depuis la publication de ces statistiques, beaucoup de femmes ont renoncé aux thérapies hormonales de remplacement (THR). Mais l'utilisation de contraceptifs n'en continue pas moins de monter en flèche, malgré le *Tenth Report on Carcinogens* du National Toxicology Program – aussi publié en 2002 – qui classait les œstrogènes stéroïdes, utilisés dans les THR et les contraceptifs, parmi les agents cancérigènes. Le National Cancer Institute des États-Unis a d'ailleurs rapporté que même si la pilule contraceptive réduit les risques de cancers des ovaires et de l'endomètre, elle augmente par ailleurs les risques de cancers du sein, du col de l'utérus et du foie.

Pourquoi la FDA ne prend-elle pas des mesures énergiques face à ce problème ? Je vais vous dire pourquoi : les entreprises pharmaceutiques dépensent des centaines de millions de dollars afin d'obtenir l'approbation de la FDA pour leurs produits. Les fonds publics ne suffisent pas à assurer le financement de l'agence, dont les responsabilités sont sans cesse croissantes. C'est ainsi que plus de 50 % des travaux que mène la FDA pour vérifier la sécurité et l'efficacité des produits sont financés par ces compagnies dont les produits sont passés en revue. (Conflit d'intérêt, croyez-vous ?)

Et à l'autre extrémité de la chaîne pharmaceutique, les compagnies aiment bien s'assurer que les médecins travaillent en leur faveur. Elles organisent donc, pour eux et l'ensemble de leur personnel, des déjeuners et des dîners splendides. Les médecins doivent suivre de la formation continue pour garder leurs connaissances à jour. Et qui participe au financement de cette formation ? Les compagnies pharmaceutiques, bien sûr.

Il est certain que tous les médecins ne sont pas corrompus. En fait, je travaille avec beaucoup d'entre eux dont je salue bien bas l'intelligence, le talent et le sens de l'éthique. Il y a du bon et du mauvais dans toutes les professions.

Alors voici la meilleure façon de vous protéger : passez périodiquement des examens médicaux, faites de la prévention et soyez proactif. Dans une très large mesure, vous pouvez prévenir les maladies, et même guérir la plupart d'entre elles, par des changements dans votre régime alimentaire et votre mode de vie. Pour la contraception, utilisez des préservatifs. Pour gérer la ménopause de façon naturelle, mangez bien et vivez sainement. L'important, c'est de mener vos propres recherches et, tout au moins, d'obtenir un deuxième avis avant de prendre un médicament. Les médicaments ont des effets indésirables. L'exercice, la saine alimentation et les suppléments de vitamines utilisés correctement n'en ont pas. Ne prenez des médicaments qu'en dernier recours.

RESTAUREZ LES NUTRIMENTS DANS VOTRE ALIMENTATION

En raison des changements dans les techniques d'exploitation agricole, de l'état délabré de nos sols et du manque de biodiversité, même les aliments entiers sont loin d'être aussi nourrissants qu'ils l'ont déjà été. Et sous les assauts constants de l'environnement dans lequel nous vivons, notre corps a besoin de certains nutriments afin de contrer adéquatement les effets de la toxicité ambiante. À la lumière de tous ces facteurs, il n'est pas étonnant que plus de 80 % des Américains soient victimes de graves carences nutritionnelles.

Voilà pourquoi, après avoir remis des aliments nourrissants dans notre assiette, nous devons également y restaurer d'autres nutriments que nous ne pouvons pas obtenir ainsi parce que certaines vitamines et minéraux manquants sont essentiels à la production hormonale. Ce qu'il vous faut avant tout, c'est un produit vitaminique de qualité ainsi que des suppléments de calcium et d'huile de poisson.

Peu importe la marque que vous choisirez, essayez de trouver un supplément vitaminique qui contient les vitamines et les nutriments clés figurant dans la liste ci-après ; tous sont essentiels à un fonctionnement hormonal adéquat. J'ai dressé la liste des volumes quotidiens de nutriments recommandés par le Linus Pauling Institute de l'Université de l'Oregon, un centre de recherche sur la science des nutriments reconnu à l'échelle internationale. Avec un supplément vitaminique de qualité, un supplément de calcium et une capsule d'huile de poisson combinés au régime que je vous propose, vous devriez atteindre facilement les niveaux adéquats.

BIOTINE : 30 µg[9]

Les gens atteints de diabète de type 2 qui prennent de la biotine présentent une glycémie moins élevée à jeun. La biotine aide le corps à utiliser davantage de glucose pour synthétiser les acides gras. Elle stimule également la glucokinase, un enzyme hépatocytaire qui accroît la synthèse du glycogène et la production de l'insuline, laquelle abaisse la glycémie.

Sources alimentaires : 1 œuf (25 µg) ; 1 tranche de pain de blé entier (6 µg) ; 1 avocat entier (6 µg).

ACIDE FOLIQUE : 400 µg

Une étude a démontré que l'acide folique peut contribuer à abaisser le taux d'ACTH, une hormone surrénale qui peut élever la tension artérielle. La consommation de quantités appropriées d'acide folique est essentielle à toute femme en âge de concevoir, même si elle ne prévoit pas devenir enceinte. Car si jamais vous deveniez enceinte, le fait d'avoir déjà de l'acide folique dans votre organisme préviendra des anomalies du tube neural qui pourraient entraîner pour le bébé à venir des troubles du cerveau et du système nerveux.

Sources alimentaires : 100 g (½ tasse) de lentilles cuites (179 µg) ; 30 g (½ tasse) d'épinards cuits (132 µg) ; 6 pointes d'asperges (134 µg).

NIACINE : 20 mg

La niacine protège votre cœur en élevant votre taux de HDL, en abaissant celui du LDL et en transformant les minuscules particules de LDL en unités plus grandes qui présentent des risques moins élevés d'infarctus. La niacine peut accroître la poussée de l'hormone de croissance ; toutefois, chez les gens qui présentent des risques de diabète, de grandes doses de niacine peuvent causer des pointes des taux d'insuline et de triglycérides. Tenez-vous-en au dosage de votre supplément vitaminique et tout se passera très bien.

Sources alimentaires : 90 g (3 oz) de thon (11,3 mg) ; 90 g (3 oz) de saumon (8,5 mg) ; 90 g (3 oz) de dinde (5,8 mg).

---

9. NDT : µg est l'abréviation de microgramme.

ACIDE PANTOTHÉNIQUE : 5 mg

Toutes les hormones stéroïdes, y compris les œstrogènes et la progestérone, ainsi que le neurotransmetteur acétylcholine et la mélatonine ne peuvent être produits que lorsque votre organisme contient suffisamment d'acide pantothénique, appelé aussi « vitamine B_5 ». Votre foie a également besoin de la coenzyme A de la vitamine B_5 pour décomposer certains médicaments et toxines.

Sources alimentaires : 1 avocat entier (2 mg) ; 250 g (1 tasse) de yogourt (1,35 mg) ; 100 g (½ tasse) de patates douces (0,88 mg).

RIBOFLAVINE : 1,7 mg

La riboflavine, aussi appelée « vitamine B_2 », aide à métaboliser la vitamine B_6, la niacine et l'acide folique. La riboflavine favorise également le bon fonctionnement de la thyroïde et aide à contrôler le taux d'homocystéine.

Sources alimentaires : 250 ml (1 tasse) de lait écrémé (0,34 mg) ; 1 œuf (0,27 mg) ; 90 g (3 oz) de bœuf (0,16 mg).

THIAMINE : 1,5 mg

La thiamine, ou vitamine B_1, contribue à métaboliser le glucose. Les accros aux glucides présentent souvent une carence en thiamine. Une étude a permis de découvrir que le taux de thiamine baissait de 20 % chez les gens qui avaient une consommation croissante de glucides pendant quatre jours consécutifs.

Sources alimentaires : 90 g (3 oz) de porc maigre cuit (0,72 mg) ; 200 g (1 tasse) de riz brun à longs grains (0,21 mg) ; 30 g (1 oz) de noix du Brésil (0,18 mg).

VITAMINE A : 2500 UI[10]

La vitamine A interagit avec la vitamine D et les hormones thyroïdiennes pour influencer directement la façon dont vos gènes sont transcrits, permettant ainsi à chaque type de cellule de savoir ce qu'elle a à faire. La vitamine A aide également à protéger votre système immunitaire et votre peau.

Sources alimentaires : 100 g (½ tasse) de courge musquée cuite (1907 UI) ; 100 g (½ tasse) de carottes tranchées (1793 UI) ; 90 g (½ tasse) de chou vert cuit (1285 UI).

10. NDT : UI est l'abréviation d'unité internationale.

VITAMINE B_6 : 2 mg

La vitamine B_6 aide l'organisme à libérer le glucose à partir du glycogène accumulé et à synthétiser les neurotransmetteurs que sont la sérotonine, la dopamine et la noradrénaline. La vitamine B_6 se relie aux récepteurs d'œstrogène, de progestérone, de testostérone et d'autres hormones stéroïdes, prévenant ainsi l'absorption d'hormones en trop, ce qui contribue à réduire les risques de cancer du sein et de la prostate. La vitamine B_6 peut aussi aider à soulager le syndrome prémenstruel, la dépression et le syndrome du canal carpien causé par l'hypothyroïdie.

Sources alimentaires : 90 g (3 oz) de poulet (0,51 mg) ; 1 banane de dimension moyenne (0,43 mg) ; 175 ml (¾ tasse) de jus de légumes (0,26 mg).

CUIVRE : 900 µg

Le cuivre travaille de concert avec le zinc au bon fonctionnement de la thyroïde, mais un excès de l'un entraîne une carence de l'autre. L'excès de cuivre peut également stimuler l'activité de la prostaglandine, perturber celle des antioxydants et fragiliser votre système immunitaire. Alors tenez-vous-en à la dose contenue dans votre supplément vitaminique. Le cuivre aide également la dopamine à se convertir en noradrénaline.

Sources alimentaires : 30 g (1 oz) de noix de cajou (629 µg), 150 g (1 tasse) de champignons crus émincés (344 µg) ; 2 c. à soupe de beurre d'arachide (185 µg).

FER : 18 mg[11]

Votre corps a besoin de fer pour utiliser adéquatement l'iode qui active la thyroxine. Des chercheurs ont récemment découvert une hormone appelée « hepcidine », qui régularise le taux de fer dans l'organisme. Si vous souffrez d'une affection inflammatoire abdominale ou d'une autre forme d'inflammation, il est possible que votre organisme contienne trop d'hepcidine et pas assez de fer. Les gens atteints de la maladie cœliaque et d'ulcères, les végétariens et les athlètes sont plus sujets à des carences en fer.

11. Les hommes et les femmes postménopausées présentent rarement une carence en fer ; un excès de fer peut augmenter les risques de maladies cardiovasculaires. Pour cette raison, si vous faites partie de l'un de ces groupes, cherchez un supplément vitaminique sans fer. Les femmes préménopausées, les adolescents et les enfants peuvent tous présenter une carence en fer et devraient donc prendre un supplément.

Sources alimentaires : 6 huîtres de taille moyenne (5,04 mg), 1 c. à soupe de mélasse de cuisine (3,5 mg) ; 90 g (3 oz) de viande brune de poulet (1,13 mg).

MAGNÉSIUM : 320 mg (FEMMES) – 420 mg (HOMMES)

À peine quelques jours de carence en magnésium peuvent stimuler la sécrétion de cytokines, des molécules inflammatoires associées à la résistance à l'insuline. Entre 25 et 38 % des personnes diabétiques n'ont pas suffisamment de magnésium, même si ce minéral favorise la réduction de la glycémie. Les gens qui consomment davantage de magnésium ont 30 % moins de risques de présenter un syndrome métabolique.

Sources alimentaires : 23 amandes (78 mg) ; 50 g (½ tasse) de bettes à carde (78 mg) ; 100 g (½ tasse) de haricots de lima cuits (63 mg).

VITAMINE B_{12} : 30 µg

Les personnes âgées sont incapables d'absorber la vitamine B_{12} contenue dans les aliments et ont donc besoin d'un supplément vitaminique. Les végétariens doivent aussi prendre un supplément de cette vitamine parce que nous tirons cette vitamine uniquement des produits animaux. Les personnes diabétiques présentent fréquemment une carence en vitamine B_{12} parce que c'est le pancréas qui fournit les enzymes et le calcium nécessaires à l'absorption de la B_{12} contenue dans les aliments.

Sources alimentaires : 90 g (3 oz) de palourdes cuites à la vapeur (84 µg) ; 90 g (3 oz) de moules cuites à la vapeur (20,4 µg) ; 90 g (3 oz) de bœuf cuit (2,1 µg).

VITAMINE C : 400 mg

Comme notre organisme est incapable de fabriquer de la vitamine C, nous devons la trouver dans notre alimentation. La vitamine C est importante pour soutenir la production adéquate d'hormones surrénales. Parce que le corps n'est pas en mesure de produire de la vitamine C, il est généralement bon d'en consommer un peu plus dans les moments de stress. Les gens qui prennent des suppléments de vitamine C de façon régulière ont de 25 à 40 % moins de risques de présenter une maladie cardiovasculaire. La plupart des suppléments n'en contiennent que 60 mg, ce qui n'est pas suffisant pour saturer votre sang et vos cellules. Essayez de consommer des aliments qui vous fourniront au moins 400 mg de vitamine C.

Sources alimentaires: 90 g (½ tasse) de poivrons rouges émincés (141 mg); 150 g (1 tasse) de fraises (82 mg); 1 tomate de dimension moyenne (23 mg).

VITAMINE D: 2000 UI[12]

La vitamine D aide l'organisme à régulariser son taux de calcium, renforce le système immunitaire, réduit les risques d'affections auto-immunes (telles que l'inflammation), abaisse la tension artérielle et peut réduire les risques d'ostéoporose et de cancer du sein, du côlon et de la prostate. Un manque de vitamine D peut affecter négativement les taux d'insuline et de glucose chez les personnes qui souffrent du diabète de type 2.

Sources alimentaires: 90 g (3 oz) de saumon rose en conserve (530 UI); 90 g (3 oz) de sardines en conserve (231 UI); 250 ml (1 tasse) de lait enrichi de vitamine D (98 UI).

VITAMINE E: 200 UI[13]

La vitamine E contribue à ralentir le vieillissement des cellules et des tissus et peut aider à réduire les effets négatifs des polluants environnementaux dans le corps. Des études menées en laboratoire ont indiqué que la vitamine E peut être particulièrement efficace pour aider à prévenir et à traiter les cancers hormonodépendants tels que ceux du sein et de la prostate.

Sources alimentaires: 30 g (1 oz) de noisettes (4,3 mg); 1 c. à soupe d'huile de canola (2,4 mg); 1 c. à soupe d'huile d'olive (1,9 mg).

VITAMINE K: DE 10 À 20 µg

La vitamine K favorise la coagulation du sang à la suite d'une blessure et protège l'organisme contre l'ostéoporose, les calculs rénaux, la fibrose kystique et – tenez-vous bien – les odeurs corporelles. La vitamine K est fortement concentrée dans le pancréas et peut favoriser le relâchement sain de l'insuline après que nous avons mangé.

---

12. Le Linus Pauling Institute recommande aussi de 10 à 15 minutes d'exposition directe des bras et des jambes ou du visage et des bras au soleil de mi-journée au moins trois fois par semaine.
13. Le Linus Pauling Institute recommande de consommer 200 UI de d-alphatocophérol *naturel* chaque jour ou 400 UI tous les deux jours.

Sources alimentaires: 120 g (1 tasse) de chou vert frisé cru émincé (547 µg) ; 60 g (1 tasse) d'épinards crus (299 µg) ; 200 g (1 tasse) de brocoli cru émincé (220 µg).

ZINC : 15 mg

Le taux de zinc tend à s'abaisser chez les personnes âgées, anorexiques, alcooliques, chez les gens qui suivent un régime alimentaire intensif, les enfants atteints de troubles déficitaires de l'attention avec hyperactivité et les diabétiques. Le taux de zinc est relié à la leptine, l'hormone de la satiété. Des études suggèrent que le fait de combler une carence en zinc aide les gens à accroître leur masse musculaire tout en maintenant ou en perdant leur gras corporel.

Sources alimentaires: 6 huîtres de taille moyenne (76,3 mg) ; 90 g (3 oz) de viande brune de dinde (3,8 mg) ; 90 g (½ tasse) de haricots cuits (1,8 mg).

SÉLÉNIUM : 70 µg

La plus grande partie de la T3 qui élimine le gras dans notre corps est activée lorsque les enzymes dépendantes du sélénium favorisent la conversion de la T4 en T3 en retirant un atome d'iode. Le sélénium produit également d'autres enzymes qui favorisent l'élimination des toxines du corps causées par les polluants, les produits pharmaceutiques et les radiations présentes dans l'environnement.

Sources alimentaires: 90 g (3 oz) de chair de crabe (41 µg) ; 90 g (3 oz) de crevettes (34 µg) ; 2 tranches de pain de blé entier (23 µg).

CHROME : DE 60 À 120 µg

Environ 90 % des gens ne consomment pas de suffisamment de chrome, qui pourtant aide l'insuline à transporter le glucose du sang aux cellules. Un faible taux de chrome peut nuire au fonctionnement de l'insuline et élever le taux de triglycérides, augmentant ainsi les risques de cardiopathies chez les gens déjà prédisposés au syndrome métabolique et à des troubles cardiovasculaires.

Sources alimentaires: 100 g (½ tasse) de brocoli (11 µg) ; 1 pomme de taille moyenne (1,4 µg) ; 90 g (½ tasse) de haricots verts (1,1 µg).

POTASSIUM : 4,7 g

Le potassium est à la fois un minéral et un électrolyte qui mène sa danse de part et d'autre de la membrane cellulaire, troquant du sodium contre du potassium. Ce dynamique échange d'énergie, qui représente jusqu'à 40 % de notre taux métabolique au repos, protège la membrane des cellules et joue un rôle clé dans le fonctionnement de nos nerfs, de nos muscles et de notre cœur.

Sources alimentaires: 1 pomme de terre de taille moyenne cuite au four (926 mg) ; 120 g (½ tasse) de prunes séchées (637 mg) ; 175 ml (¾ tasse) de jus de tomate (417 mg).

CALCIUM : DE 1000 À 1200 mg[14]

Le calcium permet aux enzymes de dégrader le glycogène, libérant ainsi de l'énergie pour les muscles en plus de prévenir les crampes et les spasmes musculaires. Le calcium aide aussi notre système nerveux à transmettre ses messages et joue un rôle dans la sécrétion de l'insuline. Votre corps ne peut absorber qu'un maximum de 300 mg à la fois. Donc si vous ne consommez pas trois portions de produits laitiers par jour, prenez des suppléments de calcium à deux moments différents de la journée.

Sources alimentaires: 250 g (1 tasse) de yogourt (300 mg) ; 180 g (1 tasse) de chou chinois cuit (239 mg) ; 100 g (½ tasse) de haricots blancs (113 mg).

ACIDES GRAS OMÉGA-3 EPA ET DHA : 1 g

Votre corps ne peut pas produire ces gras, mais vous en avez besoin pour survivre. Les capsules d'huile de poisson vous permettent de profiter des avantages presque miraculeux qu'ils représentent pour votre santé sans la toxicité des métaux lourds et des pesticides présents dans le corps des poissons. L'huile de poisson abaisse le taux de triglycérides, la tension artérielle, le taux de LDL, l'inflammation et le volume de plaques d'athérome, en plus d'élever le taux de HDL, tout cela contribuant à réduire les risques de maladies cardiovasculaires. L'huile de poisson réduit aussi radicalement les risques de mortalité pour les gens chez qui on a déjà diagnostiqué une maladie cardiaque : elle réduit la prévalence des infarctus, des AVC et des cas d'arythmie cardiaque. La recherche constante dans ce domaine suggère que les suppléments

---

14. Votre supplément vitaminique contient sans doute du calcium, mais rien qui puisse approcher les 1000 à 1200 mg dont vous avez besoin parce que le comprimé ne franchirait simplement pas votre gorge ! Trouvez un supplément de carbonate de calcium ou de citrate de calcium, puisque les deux peuvent être absorbés facilement. Il est préférable d'absorber le carbonate avec des aliments et le citrate seul.

d'oméga-3 peuvent contribuer à prévenir ou à traiter d'autres affections, dont le trouble déficitaire de l'attention avec hyperactivité, l'asthme, le trouble bipolaire, le cancer, la démence, la dépression et le diabète.

Sources alimentaires: 120 g (4 oz) de saumon sauvage (2 g) ; 30 g (¼ tasse) de noix (2,27 g) ; 2 c. à soupe de graines de lin (3,5 g).

RÉÉQUILIBREZ VOTRE ÉNERGIE SORTANTE

Vous pourriez suivre à la lettre le régime que je vous propose, vous débarrasser de toutes les toxines présentes dans votre maison, prendre chaque jour les suppléments vitaminiques qui vous conviennent le mieux, si vous n'apprenez pas à gérer votre stress et à rééquilibrer votre énergie, vous continuerez à saboter vos hormones.

En des temps reculés, nous éliminions nos hormones du stress – comme le cortisol et l'adrénaline – en chassant les lions dans la jungle. Aujourd'hui, si notre patron nous fait une demande qui nous semble insensée, nous ne pouvons pas libérer ce stress en nous sauvant ou en lui cassant la figure. Non. Nous devons simplement avaler la pilule et rester tranquillement assis, le cœur battant, avec cette adrénaline et ce cortisol qui courent tout le long de nos veines, et lutter pour conserver notre calme… et notre emploi.

Le surmenage constant sans détente adéquate place le corps pendant trop longtemps dans un mode « bats-toi ou fuis », rongeant ainsi nos organes et nos glandes jusqu'à ce que notre système s'effondre. Les gens qui sécrètent le plus de cortisol en réaction au stress sont également ceux qui ont le plus de gras abdominal, peu importe leur poids. Ce sont également ceux qui sont le plus susceptibles de connaître régulièrement des fringales de sucre incontrôlables.

Lorsque vous surmenez votre cerveau et laissez votre corps paresser, lorsque vous dormez trop peu et que vous vous en faites trop, vos hormones de croissance n'obtiennent pas leurs poussées régulières diurnes et nocturnes. On ne peut pas convertir aussi facilement une hormone thyroïdienne. La ghréline, l'hormone de la faim, monte en flèche ; la leptine, l'hormone de la satiété, dégringole. Votre glycémie crève le plafond et, en quelques jours à peine, votre corps devient résistant à l'insuline *même si vous ne souffrez pas de surpoids.*

J'aime bien travailler fort. Mais je crois aussi qu'il faut récupérer complètement. Voyons maintenant de quelle façon vous pouvez laisser votre système endocrinien souffler un peu, de manière qu'il se restaure et permette à vos hormones de retrouver leur équilibre optimal.

TACTIQUE DE RÉÉQUILIBRAGE DE L'ÉNERGIE N° 1 : DORMEZ AU MOINS SEPT HEURES PAR NUIT

Une pleine nuit de sommeil n'est pas un luxe ; c'est une nécessité élémentaire pour un équilibre hormonal sain. Une fois que vous passez sous la barre des sept heures par nuit, vous courez bien plus de risques d'avoir le diabète, le cancer, une maladie cardiovasculaire, un AVC, une dépression et de gagner encore plein, plein de kilos.

Certains chercheurs sont d'avis que le sommeil lent – le sommeil profond et sans rêve dans lequel vous plongez idéalement trois ou quatre fois par nuit – peut vraiment régulariser votre métabolisme. En fait, c'est lors du sommeil lent de stade 4, qui débute environ une heure après nous être endormis, que nous libérons nos plus fortes poussées d'hormone de croissance, qui incite le corps à éliminer le gras accumulé. Lorsqu'on est jeune, environ 20 % du temps de sommeil se déroule dans les stades 3 et 4 du sommeil lent. Mais en vieillissant, on n'y passe plus qu'environ 10 %, ou parfois même seulement 5 %, de notre sommeil.

Malheureusement, seulement deux nuits de mauvais sommeil peuvent réduire de 20 % votre taux de leptine – l'hormone de la satiété – et augmenter de 30 % celui de la ghréline, l'hormone de la faim. Cela vous rend beaucoup plus susceptible de grignoter des aliments contenant beaucoup de glucides, ce qui ne pourrait survenir à un pire moment pour votre taux d'insuline. Une étude réalisée à l'Université de Chicago a d'ailleurs révélé que seulement trois nuits de mauvais sommeil rendent votre corps 25 % moins sensible à l'insuline, soit l'équivalent d'une résistance à l'insuline normalement provoquée par un excès de poids de 10 à 15 kilos.

Afin de bloquer les hormones accumulatrices de gras et de permettre la production complète des hormones éliminatrices de gras, nous avons besoin d'au moins sept heures de sommeil par nuit. N'oubliez jamais ce conseil.

Absolument aucun glucide avant d'aller au lit ! Il faut que votre taux de ghréline soit élevé pour que vous puissiez glisser dans les stades 3 et 4 du sommeil lent. Les glucides abaissent le taux de ghréline plus rapidement que tout autre nutriment. C'est dire que le fait d'avaler quoi que ce soit, en particulier des glucides, avant d'aller au lit peut retarder de plusieurs heures votre entrée dans un sommeil profond. La libération de l'hormone de croissance n'est possible que lorsque le corps est en état de demi-jeûne ; elle est donc perturbée par la poussée d'insuline qui survient après avoir consommé des glucides. Je suis proprement fanatique à propos de la consommation de glucides avant d'aller au lit. Pourquoi donc voudriez-vous, en pleine connaissance de cause, consommer un produit qui perturbe votre sommeil réparateur et bloque la libération de l'une des hormones les plus bénéfiques qui soient ? Ne faites pas ça !

TACTIQUE DE RÉÉQUILIBRAGE DE L'ÉNERGIE N° 2 : FAITES BOUGER VOTRE CORPS CHAQUE JOUR

Parce qu'il influence notre équilibre hormonal de façon spectaculaire, l'exercice est la meilleure forme de médecine préventive. Lorsque vous y mettez vraiment de l'énergie, l'exercice libère l'hormone de croissance qui élimine le gras, abaisse le taux de cortisol et rend vos cellules plus sensibles à l'insuline. L'exercice intense accroît même les taux d'hormones thyroïdiennes qui renforcent votre métabolisme pendant un bref moment. Et tous les types d'exercice stimulent la production de testostérone.

L'exercice élève également votre taux de DHA, laquelle stimule vos surrénales fatiguées afin de vous donner davantage d'énergie, renforce votre libido et contribue à soulager la déprime. L'exercice inonde le corps d'endorphines, des composés chimiques naturels semblables à la morphine qui provoquent ce que certains appellent « l'euphorie du coureur ». Les endorphines améliorent la réaction de votre corps au stress, vous rendent de meilleure humeur et augmentent même la production de l'hormone de croissance.

Afin de bien profiter de l'exercice pour améliorer votre équilibre hormonal, prêtez une attention particulière aux sept suggestions que je vous propose ci-après. (Si vous êtes à la recherche d'un programme d'exercice progressif, je vous invite instamment à consulter mes deux premiers ouvrages, *Winning by Losing*, qui s'adresse aux débutants, ou *Making the Cut*, pour les niveaux intermédiaire et avancé.)

Exercez-vous de 4 à 5 heures par semaine. Oubliez les escaliers au bureau et les quelques pas supplémentaires que vous vous imposez lorsque vous garez votre voiture au bout du terrain de stationnement. On ne peut pas perdre du poids par petites séances de 10 minutes. Il faut que vous alliez dans un centre d'entraînement et que vous travailliez fort quand vous y êtes. Vous allez ainsi éliminer davantage de calories en moins de temps et en retirer beaucoup plus d'avantages sur le plan hormonal. Après seulement trois semaines d'exercice à ce rythme, la résistance à l'insuline peut commencer à diminuer.

Allez-y à fond. Je veux que vous transpiriez, que vous étiriez vos muscles et que vous vous donniez au maximum. Vous devriez chercher à atteindre 85 % de votre fréquence cardiaque maximale (220 – votre âge = votre fréquence cardiaque maximale). L'exercice intense accroît la production d'endorphines et d'hormone de croissance dans votre corps.

Basez votre programme d'exercice sur l'entraînement musculaire. Les femmes qui soulèvent des haltères de poids modéré à lourd produisent davantage d'hormone de croissance après avoir fait de l'exercice, et pour plus longtemps, que les femmes qui ne s'adonnent pas à ce genre d'activité. Plus votre masse musculaire est grande, plus votre métabolisme de base est élevé et plus vos muscles deviennent sensibles à l'insuline. (Ce conseil ne se limite pas aux personnes qui souffrent de surpoids : les gens de poids moyen jouissent d'un bien meilleur équilibre hormonal lorsqu'ils sont plus musclés.)

Servez-vous de l'entraînement en circuit pour combiner l'exercice cardiovasculaire et l'entraînement musculaire. Chacune des cinq heures hebdomadaires que vous consacrez à l'activité physique devrait combiner l'exercice cardiovasculaire et l'entraînement musculaire. L'entraînement en circuit permet les deux à la fois. Par exemple, faites une séquence de squats, puis immédiatement une séquence de pompes (*pushups*). Répétez ces séquences trois fois, puis enchaînez en alternant deux autres types d'exercice qui feront travailler d'autres parties du corps, et ainsi de suite.

Et voilà. Vous faites maintenant de l'entraînement en circuit. C'est aussi simple que ça.

Travaillez en intervalles. Alternez la marche et la course : faites 30 secondes de marche, puis 30 secondes de course ; répétez cette séquence pendant 30 minutes. Les intervalles offrent les mêmes bienfaits hormonaux – ainsi qu'une consommation élevée d'oxygène durant la phase de récupération – que de longues séquences d'exercice intense et continu.

Faites des exercices cardiovasculaires *supplémentaires*. Vous pouvez vous adonner à des heures supplémentaires d'exercice cardiovasculaire seulement *après* avoir fait votre entraînement musculaire en circuit. Essayez d'ajouter une séance de cardio de 30 à 60 minutes après deux séances d'entraînement en circuit.

Faites-le même si vous détestez ça. C'est aussi mon cas! De la même façon que vous travaillez pour payer l'hypothèque ou le prêt auto, vous travaillez en salle d'entraînement pour protéger votre actif le plus important: un corps sain. Une fois que vous serez bien en selle sur la voie de l'exercice, vous ressentirez automatiquement moins de stress.

TACTIQUE DE RÉÉQUILIBRAGE DE L'ÉNERGIE Nº 3 : SOYEZ BON AVEC VOUS-MÊME

Traiteriez-vous vos enfants de la même façon que vous vous traitez vous-même? Est-ce que vous les laisseriez sans amour, sans nourriture, sans sommeil et sans jeux? Alors, pourquoi vous traitez-vous de cette façon?

Si je pouvais imprimer dans votre cerveau un message permanent, ce serait celui-ci: *égoïste* n'est pas un mot vulgaire. Être égoïste ne signifie pas être narcissique ou vaniteux; cela signifie simplement être en santé. Je sais, d'après ma propre expérience et après avoir vu des milliers de gens changer leur vie, que la seule façon de réaliser cela est de penser d'abord à soi-même.

Assainissez votre cercle d'amis. Notre cerveau possède des neurones particuliers qui nous font automatiquement absorber les émotions des gens qui nous entourent. Demandez-vous simplement: quels sont les gens qui me transmettent une mauvaise opinion de moi-même lorsqu'ils sont autour de moi? Lesquels drainent mon énergie? Prenez les mesures nécessaires pour limiter au strict minimum le temps que vous passez avec de telles personnes.

Demandez de l'aide. Personne ne va nulle part dans la vie sans aide. *Demandez* cette promotion que vous désirez au bureau, *demandez* à vos beaux-parents de garder les enfants afin que vous puissiez assister à votre cours de yoga, *demandez* à un entraîneur de vous enseigner les rudiments de l'exercice. Une étude publiée dans le *Journal of the American Medical Association* a indiqué que les gens qui ont chaque mois une brève conversation avec un entraîneur – généralement de 10 à 15 minutes à peine – maintenaient davantage leur perte de poids que ceux qui n'en consultaient jamais.

Cernez vos sources de stress. Lorsque je suis éveillée en pleine nuit à jongler avec toutes sortes d'idées qui tournent dans ma tête, je me lève et j'en dresse la liste sur un bout de papier. J'énumère les choses qui me tracassent et j'imagine un plan de match pour régler ces problèmes.

Apprenez à méditer. La méditation est à l'esprit ce que l'exercice est au corps. Elle renforce le cortex préfrontal, une partie du cerveau qui gère les émotions. Lorsque cette portion du cerveau devient plus forte, les recherches démontrent que les gens tendent à être plus heureux et à se remettre plus rapidement de situations difficiles.

Essayez d'autres formes d'exercice. Une étude a révélé que les gens qui pratiquaient le taï-chi et le Qi-gong 3 fois par semaine pendant 12 semaines réduisaient de façon marquée leur indice de masse corporelle et leur tour de taille et abaissaient leur tension artérielle. Les participants présentaient une glycémie élevée au début de l'étude, mais au bout de 3 mois, leur HbA1c (hémoglobine glyquée), leur taux d'insuline à jeun, et leur résistance à l'insuline avaient diminué.

Offrez-vous un massage hebdomadaire. Dans le cadre d'une étude portant sur des adolescentes aux prises avec des problèmes d'image corporelle, celles qui avaient reçu un massage montraient des taux plus faibles d'anxiété, de dépression et de cortisol et un taux plus élevé de dopamine, ce neurotransmetteur qui améliore l'humeur. Le massage élève également la production de sérotonine, cette substance qui produit le même effet que plusieurs antidépresseurs.

De grâce, prenez des vacances. Le fait de travailler plus de 40 heures par semaine double les risques de dépression chez les femmes et les augmente du tiers chez les hommes. Mais, malgré toutes ces heures supplémentaires, une personne sur trois ne prend pas au complet la période de vacances annuelle qui lui est allouée. Ne faites pas de vous une cible facile pour l'infarctus. Vous avez mérité ces vacances, alors prenez-les.

Une fois que vous aurez rééquilibré votre énergie, toutes les pièces du régime alimentaire que je vous propose se mettront en place. Vous disposerez alors d'une arme de choix: un programme qui vous aidera à gérer le stress, qu'il soit d'ordre psychologique ou environnemental. Vous disposerez des connaissances dont vous avez besoin pour éliminer les toxines qui endommagent votre métabolisme. Vous saurez quels aliments consommer et comment les consommer afin de déclencher l'action de vos hormones éliminatrices de gras et de maintenir au plus bas celles qui accumulent le gras. Bref, vous profiterez de toutes les ressources qu'il vous faut pour faire face à n'importe quelle situation que ce monde de fous vous lancera au visage. Et vous en sortirez plus mince, plus sain et plus heureux.

Tournons-nous maintenant vers les menus et les recettes proposés dans le programme alimentaire de deux semaines de *Maîtrisez votre métabolisme.* Vous verrez à quel point ce programme est facile… et délicieux!

CHAPITRE 9

LE GRAND PLAN ALIMENTAIRE ET SES RECETTES

LE GRAND PLAN ALIMENTAIRE ET PLUS DE 16 RECETTES RAPIDES ET FACILES À PRÉPARER QUI VOUS FERONT SORTIR DE LA CUISINE AUSSI VITE QUE VOUS Y ÊTES ENTRÉ

Je sais que d'apprendre à manger autrement peut représenter tout un défi. Mais je veux que vous réalisiez qu'il peut être facile et incroyablement satisfaisant d'avoir les meilleures habitudes alimentaires pour optimiser le fonctionnement de vos hormones, et ce, sans passer des heures dans la cuisine ni dépenser des millions au marché. Voilà pourquoi j'ai réuni quelques exemples de menus ainsi que des recettes qui prennent en compte l'ensemble des principes et des stratégies liés aux groupes d'aliments contenant de puissants nutriments. Même si vous décidez de ne pas les suivre à la lettre, prenez tout de même quelques secondes pour les parcourir. Vous verrez ainsi très clairement ce à quoi ressemble le plan de *Maîtrisez votre métabolisme* dans la vraie vie.

MAÎTRISEZ LA MATHÉMATIQUE ALIMENTAIRE

Étude après étude, on nous démontre que le meilleur moyen d'obtenir tous les avantages des nutriments est de consommer de façon équilibrée des aliments entiers. Et je ne parle pas ici seulement de bénéfices à long terme : après seulement quatre jours de ce type de régime, des participants à ces études ont ressenti plus de satisfaction, éliminé plus de calories au repos, à l'exercice et pendant leur sommeil, amélioré leur composition corporelle et éliminé plus de gras que ceux qui avaient suivi un régime traditionnel.

Lorsque vous mangez de la façon souhaitée par votre corps, lorsque vous vous tenez à bonne distance des calories vides qui perturbent le système endocrinien et que vous consommez des aliments entiers et biologiques en quantités

MANGER À L'EXTÉRIEUR

Lorsque vient le temps de manger à l'extérieur, tenez-vous-en au minimum. La simple vérité, c'est que vous ne pouvez vraiment pas savoir ce que contiennent ces aliments ni d'où ils viennent. Vous pouvez poser toutes les questions pertinentes afin de savoir s'ils sont biologiques, élever la voix et demander que vos aliments soient grillés plutôt que frits, blablabla. Nous savons tous quelles questions poser, mais la réalité est que la qualité de ces aliments n'est sans doute pas extraordinaire. Les restaurants sont des entreprises et ils sont là pour faire des profits. Alors ils utilisent probablement des ingrédients bon marché comme des gras trans, des HFCS, des aliments non biologiques et ainsi de suite.

En réduisant le nombre de vos repas pris à l'extérieur, vous allez économiser une fortune (de l'argent que vous pourrez investir dans l'achat d'aliments sains) et vous aurez l'assurance de maîtriser avec succès votre métabolisme.

Il m'arrive encore fréquemment de manger à l'extérieur, mais jamais plus de cinq repas par semaine. Et lorsque je le fais, je commande du poisson blanc ou du saumon de l'océan, des céréales saines telles que le riz brun et des tas de légumes. Si vous voulez suivre mon plan alimentaire, c'est aussi simple que cela.

appropriées, vos hormones se comportent comme elles doivent le faire. Votre taux d'insuline baisse. Vos cellules deviennent plus sensibles à l'insuline et à la leptine. Votre taux de ghréline demeure faible après les repas. Votre taux de cholécystokinine augmente. Votre production de testostérone augmente aussi, favorisant ainsi l'élimination des graisses et le raffermissement des muscles, même pendant votre sommeil. Votre thyroïde est en pleine possession de ses moyens et aide votre métabolisme à continuer à éliminer les calories. Vos taux d'œstrogènes se maintiennent dans des registres normaux. Votre niveau de cortisol demeure bas et votre gras abdominal fond.

Vous perdez du poids parce que vous travaillez avec vos hormones, et non contre elles.

Alors, comment faire ça, exactement ? Comment combiner ces aliments dans les proportions adéquates ? Eh bien, je vais vous faciliter la vie.

Je réalise que mes écrits précédents sur l'équilibre des macronutriments ont pu susciter de la confusion chez les gens. (Ce sont probablement les milliers de courriels que j'ai reçus à ce sujet qui m'ont mis la puce à l'oreille.) Dans mon deuxième ouvrage, j'ai créé des menus et des recettes pour illustrer comment on équilibre les glucides, les protéines et les graisses. Génial, non ? C'est bien ce que je pensais. Mais vous souhaitiez que ce soit plus simple et vous m'avez rappelé que ce n'est pas tout le monde qui passe ses semaines à cuisiner à la maison. Touché ! Dans un effort pour vous faciliter les choses, j'ai créé la Mathématique Maîtrisez vos aliments. Avec ce tableau à emporter, tout ce que vous aurez à faire, c'est un peu d'arithmétique : 1 + 1 = un repas parfaitement équilibré qui va placer votre métabolisme en orbite. Et voilà !

MATHÉMATIQUE MAÎTRISEZ VOS ALIMENTS : PETIT DÉJEUNER

COMMENCEZ AVEC UN DE CEUX-CI	AJOUTEZ ENSUITE UN DE CEUX-CI
2 œufs	1 tranche de pain Ezekiel 4:9 (qu'importe la variété)
4 blancs d'œufs	150 g (1 tasse) de gruau
250 ml (1 tasse) de lait écrémé	150 g (1 tasse) de céréales à 8 grains entiers
3 tranches de bacon de dinde sans nitrate	1/2 pamplemousse frais
250 g (1 tasse) de yogourt biologique à la grecque, faible en gras	150 g (1 tasse) de fruits des champs biologiques frais
250 g (1 tasse) de fromage cottage faible en gras	1 pomme
2 tranches de jambon biologique sans nitrate	2 tomates tranchées
90 g (3 oz) de saumon fumé entièrement naturel, sans nitrates	1/2 bagel multigrain
1 saucisse de poulet sans nitrate	150 g (1 tasse) de céréales de sarrasin
90 g (3 oz) de poulet grillé	1 tortilla de maïs et salsa à volonté

MATHÉMATIQUE MAÎTRISEZ VOS ALIMENTS : DÉJEUNER

COMMENCEZ AVEC UN DE CEUX-CI	AJOUTEZ ENSUITE UN DE CEUX-CI
150 g (5 oz) de poitrine de poulet (taille d'une paume)	1 portion de chips de maïs grillées et 1/8 avocat
150 g (5 oz) d'agneau grillé	100 g (1/2 tasse) de riz brun
150 g (5 oz) de flétan cuit au four	1 petite patate douce
150 g (5 oz) de thon grillé	80 g (1/2 tasse) de quinoa
150 g (5 oz) de bifteck (flanchet)	100 g (1/2 tasse) de haricots noirs
150 g (5 oz) de tilapia cuit au four	1 gros artichaut
150 g (5 oz) de bar grillé	100 g (1/2 tasse) de pâte de riz brun
150 g (5 oz) de morue noire	Salade de tomates (à volonté)
150 g (5 oz) de surlonge	100 g (1/2 tasse) de haricots blancs

MATHÉMATIQUE MAÎTRISEZ VOS ALIMENTS : COLLATION D'APRÈS-MIDI

COMMENCEZ AVEC UN DE CEUX-CI	AJOUTEZ ENSUITE UN DE CEUX-CI
125 g (1/2 tasse) de hoummos	Bâtonnets de carottes (à volonté)
20 noix nature (non salées, non grillées)	1 pomme
1 bâtonnet de mozzarella faible en gras	10 craquelins à 7 grains
2 c. à soupe de beurre d'amande biologique	Bâtonnets de céleri (à volonté)
3 tranches de dinde biologique	1 tortilla multigrain
125 ml (1/2 tasse) de trempette aux haricots noirs	20 chips de maïs grillées
250 ml (1 tasse) de thon faible en sodium, en conserve dans l'eau	1/4 d'avocat
250 g (1 tasse) de yogourt biologique	Bleuets (à volonté)
125 g (1/2 tasse) de fromage cottage faible en gras	2 tranches de melon d'eau

MATHÉMATIQUE MAÎTRISEZ VOS ALIMENTS : DÎNER

COMMENCEZ AVEC UN DE CEUX-CI	AJOUTEZ ENSUITE UN DE CEUX-CI
120 g (4 oz) de saumon grillé	Brocoli à la vapeur (à volonté)
120 g (4 oz) de poitrine de poulet marinée	Salade en feuilles avec brocoli cru et concombre cru (à volonté)
5 grosses crevettes	300 g (1 1/2 tasse) de carottes cuites
150 g (5 oz) de côtelettes de porc grillées	Chou-fleur rôti (à volonté)
120 g (4 oz) de côtelettes d'agneau grillées	Haricots verts à la vapeur (à volonté)
120 g (4 oz) de poitrine de dinde	Choux de Bruxelles cuits (à volonté)
150 g (5 oz) de pétoncles	Épinards à la vapeur (à volonté)
120 g (4 oz) de poulet de Cornouailles	150 g (1 tasse) de courge spaghetti
150 g (5 oz) de coryphène (mahi-mahi)	Macédoine de légumes grillés (à volonté)

LE PLAN ALIMENTAIRE DE DEUX SEMAINES

Ce programme alimentaire de deux semaines comprend tous les aliments bons pour votre santé hormonale et qui vous aideront à perdre du poids et à ne plus en regagner. Chaque journée de ce régime a été conçue pour que vous consommiez autant que possible de groupes d'aliments qui contiennent de puissants nutriments. Vous remarquerez que tous les repas, sauf le dîner, présentent un équilibre entre les gras, les protéines et les glucides. Rappelez-vous que ce repas du soir doit principalement être composé de protéines et de gras sains ainsi que de légumes à forte teneur en fibres qui maintiendront votre insuline à un bas taux la nuit venue, de manière que vous puissiez maximiser la poussée d'hormone de croissance qui survient durant votre sommeil. C'est aussi la raison pour laquelle il n'y a pas de collation en soirée ; je ne veux pas qu'il y ait de poussée d'insuline dans votre corps après 21 heures.

Les éléments du menu qui sont imprimés en **gras** font partie des recettes présentées plus loin dans ce chapitre. Au cas où vous ne seriez pas du genre à cuisiner, j'y ai aussi intégré certains plats de viandes grillées et de légumes vapeur qui sont très simples à réaliser et n'exigent pas de recette. La réponse à la question habituelle « Qu'est-ce qu'on mange ? » se trouve dans les emballages en papier d'aluminium. Essentiellement, il s'agit de prendre votre viande et vos légumes, d'y verser quelques gouttes d'huile d'olive extravierge et un peu de sel et de poivre, d'emballer le tout dans un papier d'aluminium, de le jeter sur le gril et le tour est joué !

J'ai également dressé une liste d'emplettes pour vous aider à bien équiper votre cuisine et être prêt à toute éventualité. Vous trouverez cette liste à la page 295.

ET LE TEMPS DE CUISSON ?

Je ne suis pas un génie en matière de cuisson, mais je peux toujours compter sur mon gril pour bien paraître. Pour la plupart des gens, le temps de cuisson des viandes et des poissons est un peu déroutant au début. Ne vous en faites pas. Remettez-vous-en simplement à ce tableau. Essayez de tourner votre viande une seule fois, au milieu du temps de cuisson total, pour lui permettre d'être grillée juste à point.

VIANDE	TEMPS DE CUISSON
Burgers	De 5 à 8 min de chaque côté (de 10 à 16 min en tout)
Poitrine de poulet	De 4 à 6 min de chaque côté (de 8 à 12 min en tout)
Poisson (1,25 cm [½ po] d'épaisseur)	De 2 à 3 min de chaque côté (de 4 à 6 min en tout)
Poisson (darne de 2,5 cm [1 po])	De 4 à 6 min de chaque côté (de 8 à 12 min en tout)
Côtelettes d'agneau	De 6 à 8 min de chaque côté (de 12 à 16 min en tout)
Côtelettes de porc	De 6 à 8 min de chaque côté (de 12 à 16 min en tout)
Filet de porc	De 6 à 9 min de chaque côté (de 12 à 18 min en tout ; tournez souvent la viande)
Crevettes	De 3 à 4 min de chaque côté (de 6 à 8 min en tout)
Bifteck	De 6 à 9 min de chaque côté (de 12 à 18 min en tout)

REPAS DU LUNDI, JOUR 1

REPAS	ALIMENTS
Petit déjeuner	Blancs d'œufs brouillés, tomates sautées, 1 pamplemousse
Déjeuner	**Salade de poulet du Sud-Ouest**
Collation	Orange avec une poignée de noix
Dîner	Brochettes de flétan avec aubergine, poivrons et oignons

REPAS DU MARDI, JOUR 2

REPAS	ALIMENTS
Petit déjeuner	**Yogourt fouetté (*smoothie*) aux petits fruits**
Déjeuner	Salade de laitue romaine et macédoine de légumes crus, vinaigre balsamique et huile d'olive, et 5 grosses crevettes
Collation	Bâtonnets de carottes et hoummos
Dîner	Saumon sauvage du Pacifique et légumes grillés

REPAS DU MERCREDI, JOUR 3

REPAS	ALIMENTS
Petit déjeuner	**Burrito petit déjeuner**
Déjeuner	**Penne Ezekiel à la sauce tomate aux amandes** et 5 grosses crevettes
Collation	125 ml (1/2 tasse) de haricots noirs et salsa
Dîner	Côtelette de porc grillée avec haricots verts vapeur

REPAS DU JEUDI, JOUR 4

REPAS	ALIMENTS
Petit déjeuner	**Parfait petit déjeuner** avec 2 blancs d'œufs brouillés
Déjeuner	Poitrine de poulet grillée et épinards vapeur avec oignons et champignons
Collation	Yogourt à la grecque sans gras avec xylitol (édulcorant naturel), cannelle et amandes rôties moulues
Dîner	**Bœuf au piment jalapeño**

REPAS DU VENDREDI, JOUR 5

REPAS	ALIMENTS
Petit déjeuner	Omelette à 3 œufs avec tomates et poitrine de dinde tranchée, et 1 tranche de pain grillé à 7 grains
Déjeuner	**Tacos au poulet avec haricots à l'étuvée**
Collation	Une poignée de graines de tournesol
Dîner	**Crevettes à l'ail et au citron avec légumes**

REPAS DU SAMEDI, JOUR 6

REPAS	ALIMENTS
Petit déjeuner	**Œufs bénédictine santé**
Déjeuner	**Sandwich au thon chaud**
Collation	Bâtonnets de mozzarella biologique faible en gras et 75 g (1/2 tasse) de bleuets
Dîner	Tilapia grillé avec chou-fleur vapeur

REPAS DU DIMANCHE, JOUR 7

REPAS	ALIMENTS
Petit déjeuner	Sarrasin avec lait écrémé et 2 blancs d'œufs brouillés
Déjeuner	Filet de thon grillé avec 50 g (1/4 tasse) de riz brun et mesclun
Collation	Bâtonnets de carottes et 125 g (1/2 tasse) d'hoummos
Dîner	Filet de porc avec asperges vapeur

REPAS DU LUNDI, JOUR 8

REPAS	ALIMENTS
Petit déjeuner	3 blancs d'œufs, 1 saucisse de dinde, 1/2 tomate italienne et 1 tranche de pain grillé à 7 grains
Déjeuner	100 g (1/2 tasse) de haricots noirs, 125 g (1/2 tasse) de salsa, 30 g (1/4 tasse) de fromage et 1 tortilla ; 125 g (1/2 tasse) de yogourt à la grecque pour trempette
Collation	3 tranches de melon d'eau avec 30 g (1/4 tasse) d'amandes fraîches
Dîner	Bifteck (flanchet) grillé avec oignons grillés et choux de Bruxelles vapeur

REPAS DU MARDI, JOUR 9

REPAS	ALIMENTS
Petit déjeuner	1 paquet de gruau instantané et 2 blancs d'œufs durs
Déjeuner	Poitrine de poulet tranchée et macédoine de légumes sur laitue romaine avec huile et vinaigre
Collation	Chips de maïs cuits au four avec salsa fraîche
Dîner	**Hamburgers au fromage jack, sauce cumin et jalapeño** (au dîner, prenez des feuilles de laitue plutôt que des pains à hamburger)

REPAS DU MERCREDI, JOUR 10

REPAS	ALIMENTS
Petit déjeuner	**Artichauts aux blancs d'œufs brouillés** avec 1 tranche de pain grillé à 7 grains
Déjeuner	1 boîte de taille moyenne de chili biologique avec légumes et petite salade
Collation	Cheddar biologique faible en gras avec craquelins aux légumes
Dîner	Saumon grillé avec **légumes à l'étouffée à la moutarde et au citron**

REPAS DU JEUDI, JOUR 11

REPAS	ALIMENTS
Petit déjeuner	1 portion de céréales biologiques avec lait écrémé
Déjeuner	**Taco de farine de blé au flétan grillé et salsa à l'orange**
Collation	250 ml (1 tasse) de soupe aux pois cassés biologiques
Dîner	Poulet grillé avec poivrons et oignons grillés

REPAS DU VENDREDI, JOUR 12

REPAS	ALIMENTS
Petit déjeuner	1 paquet de gruau instantané, 150 g (1 tasse) de bleuets et 2 blancs d'œufs brouillés
Déjeuner	**Artichauts farcis au quinoa** accompagnés de poitrine de dinde
Collation	150 g (1 tasse) de petits fruits avec 30 g (1/4 tasse) de pacanes
Dîner	Saumon sauvage du Pacifique poché avec brocoli, carottes, oignons et céleri blanchis

REPAS DU SAMEDI, JOUR 13

REPAS	ALIMENTS
Petit déjeuner	Omelette à 3 œufs avec poivron vert et tomate et 1 tranche de pain
Déjeuner	5 grosses crevettes avec macédoine de légumes verts crus et vinaigrette César
Collation	5 tranches de dinde biologique avec une pêche
Dîner	**Poulet rôti à l'ail et haricots verts aux amandes**

REPAS DU DIMANCHE, JOUR 14

REPAS	ALIMENTS
Petit déjeuner	1 paquet de gruau instantané et 250 g (1 tasse) de yogourt à la grecque avec 150 g (1 tasse) de fraises
Déjeuner	100 g (1/2 tasse) de haricots sautés (*refried beans*), de romaine déchiquetée, d'oignons tranchés et de tomates dans 1 tortilla Ezekiel
Collation	1 pomme surmontée de beurre d'amande
Dîner	Steak de thon saisi avec mesclun

LES GRANDES RECETTES

Si vous avez jeté un coup d'œil au plan alimentaire précédent, vous savez sans doute déjà que ce régime est d'une simplicité désarmante. J'ai tenté d'en éliminer toutes les incertitudes à l'égard de la cuisson, de telle sorte que tout ce que vous avez à faire, c'est de vous asseoir à table et d'en profiter. Pour concevoir ces recettes, j'ai travaillé de concert avec Cassandra Corum, chef spécialisé dans la conception de repas biologiques, qui m'a aidée à transformer les principes de ce régime en repas succulents pouvant activer les hormones responsables de la perte de poids. Chacun de ces repas comprend les aliments entiers les meilleurs et les plus frais pour les transformer en véritables centrales métaboliques sur le plan hormonal. Mais tout ce que vous goûterez, ce sera un délice pour votre palais. Ne vous privez pas de ce plaisir !

INDEX DES RECETTES

ARTICHAUTS AUX BLANCS D'ŒUFS BROUILLÉS

Petit déjeuner JOUR 10 — *4 portions*

4 artichauts, de dimension moyenne à grande
Enduit antiadhésif en vaporisateur
3 c. à café (3 c. à thé) d'échalotes émincées
Sel, au goût
8 blancs d'œufs moyens
1 c. à café (1 c. à thé) de jus de citron
2 ou 3 pincées de persil frais haché, comme garniture

Préchauffer le four à 220 °C (425 °F).

Couper les cœurs des artichauts et les placer sur une plaque de cuisson légèrement huilée. Cuire au four pendant 10 à 15 minutes ou jusqu'à ce qu'ils soient tendres.

Vaporiser une poêle moyenne d'enduit antiadhésif, puis ajouter les échalotes avec une pincée de sel. Faire légèrement suer les échalotes, puis verser les blancs d'œufs dans la poêle et mélanger le tout. Une fois les œufs brouillés, retirer du feu et ajouter le jus de citron.

Déposer les œufs sur les cœurs d'artichauts et servir avec une garniture de persil frais haché, au goût.

Par portion : calories : 95,8 ; cholestérol : 0 mg ; gras total : 0,3 g ; gras saturés : 0 g ; calories provenant des gras : 5,4 ; gras trans : 0 g ; protéines : 11,6 g ; glucides : 14,8 g ; sodium : 231,7 mg ; fibres : 7 g ; sucres : 1,8 g.

BURRITO PETIT DÉJEUNER

Petit déjeuner JOUR 3 — *4 portions*

Enduit antiadhésif en vaporisateur
1 grosse gousse d'ail, hachée
180 g (3 tasses) d'épinards prélavés
Blanc de 8 gros œufs
Piments broyés, au goût
4 tortillas de 15 cm (6 po), chauffées
3 grosses tomates italiennes, hachées
120 g (1/2 tasse) de fromage jack sans gras, râpé

Vaporiser une casserole moyenne d'enduit antiadhésif. Faire revenir l'ail à feu moyen jusqu'à ce qu'une odeur s'en dégage. Ajouter les épinards et cuire jusqu'à ce qu'ils soient tendres.

Vaporiser une autre casserole d'enduit antiadhésif et y brouiller les blancs d'œufs. Lorsque la cuisson est presque terminée, saupoudrer un peu de piments broyés, au goût.

Placer un volume égal d'épinards et de blancs d'œufs dans chaque tortilla, garnir de tomates et de fromage. Servir.

Par portion : calories : 400,3 ; cholestérol : 6,3 mg ; gras total : 9,4 g ; gras saturés : 3 g ; calories provenant des gras : 32 ; gras trans : 0 g ; protéines : 27,5 g ; glucides : 54,3 g ; sodium : 951 mg ; fibres : 8 g ; sucres : 6,5 g.

ŒUFS BÉNÉDICTINE SANTÉ

Petit déjeuner JOUR 6 — *4 portions*

Enduit antiadhésif en vaporisateur
3 gousses d'ail, hachées
1 sac de 300 g (10 oz) d'épinards prélavés (que vous laverez de nouveau)
Sel, au goût
2 litres (8 tasses) d'eau
90 ml (3 oz) de vinaigre blanc
4 gros œufs
2 grosses tomates rouges, tranchées
4 muffins anglais multigrains, grillés
Poivre noir fraîchement moulu, au goût

Vaporiser une poêle moyenne d'enduit antiadhésif et chauffer à feu moyen. Faire suer l'ail jusqu'à ce qu'il soit légèrement attendri. Ajouter les épinards et faire revenir jusqu'à ce qu'ils soient tendres. Saler, au goût.

Porter lentement l'eau et le vinaigre à ébullition dans une casserole moyenne. Casser un œuf dans un petit bol ou une tasse en s'assurant qu'il n'y a aucun morceau de coquille. Avec une cuillère de bois, remuer rapidement le liquide dans la casserole de manière à créer une spirale, ou une « tornade », puis verser lentement l'œuf au centre de la tornade et cesser de remuer. Retirer l'œuf à l'aide d'une cuillère à égoutter au moment où il semble cuit. Répéter l'opération avec les autres œufs.

Déposer les tranches de tomates sur les moitiés de muffin grillées, suivi du volume désiré d'épinards et garnir avec un œuf. Poivrer, au goût. Servir.

Par portion : calories : 266,6 ; cholestérol : 211 mg ; gras total : 6,7 g ; gras saturés : 1,8 g ; calories provenant des gras : 16,2 ; gras trans : 0 g ; protéines : 15,2 g ; glucides : 37,9 g ; sodium : 483 mg ; fibres : 4,5 g ; sucres : 3,6 g.

PARFAIT PETIT DÉJEUNER

Petit déjeuner JOUR 4 — *4 portions*

250 g (1 tasse) de yogourt nature à la grecque, sans gras
200 g (2 tasses) de céréales de lin
150 g (1 tasse) de bleuets, frais ou décongelés
150 g (1 tasse) de fraises, fraîches ou décongelées
4 c. à café (4 c. à thé) de miel pur
1 orange moyenne ou grosse, pelée et coupée en fines tranches

Dans 4 petits bols ou grandes tasses, déposer 30 g (⅛ tasse) de yogourt pour en garnir le fond. Ajouter en étages 50 g (½ tasse) de céréales, 50 g (¼ tasse) de chacun des fruits et 1 c. à café (1 c. à thé) de miel. Couvrir d'une autre couche de yogourt et garnir avec 2 ou 3 tranches d'orange. Servir froid.

Par portion : calories : 165,8 ; cholestérol : 3,6 mg ; gras total : 2 g ; gras saturés : 0,6 g ; calories provenant des gras : 10,2 ; gras trans : 0 g ; protéines : 6,2 g ; glucides : 34,7 g ; sodium : 106,6 mg ; fibres : 6,5 g ; sucres : 21,9 g.

YOGOURT FOUETTÉ (*SMOOTHIE*) AUX PETITS FRUITS

Petit déjeuner JOUR 2 — *4 portions*

250 ml (1 tasse) de lait écrémé ou partiellement écrémé
250 g (1 tasse) de yogourt nature à la grecque
225 g (1 ½ tasse) de bleuets, congelés
225 g (1 ½ tasse) de fraises, congelées
90 g (¾ tasse) de glace
2 c. à soupe de graines de lin
60 g (¼ tasse) de compote de pommes
1 c. à soupe de miel

Placer tous les ingrédients dans un mélangeur et mélanger jusqu'à consistance lisse. Verser dans des verres et servir.

Par portion : calories : 193,5 ; cholestérol : 2,4 mg ; gras total : 4,1 g ; gras saturés : 0,5 g ; calories provenant des gras : 16,4 ; gras trans : 0 g ; protéines : 8 g ; glucides : 34 g ; sodium : 87 mg ; fibres : 6,6 g ; sucres : 21 g.

ARTICHAUTS FARCIS AU QUINOA

Déjeuner JOUR 12 — *4 portions*

4 gros artichauts
150 g (1 tasse) de quinoa non cuit
500 ml (2 tasses) d'eau
60 g (1/4 tasse) de tomates séchées au soleil
1 c. à café (1 c. à thé) de sel kascher
1 c. à café (1 c. à thé) de poivre noir, fraîchement moulu
1 gros citron

PRÉPARATION DE L'ARTICHAUT

Faire bouillir les artichauts jusqu'à ce qu'ils soient tendres.

Couper la partie supérieure (2,5 cm [1 po]) et la tige de chaque artichaut. Retirer les feuilles externes plus dures et enlever tous les bords piquants. Séparer les feuilles externes pour les assouplir ainsi que les feuilles internes de manière que les feuilles plus légères qui entourent le cœur soient visibles. Retirer les feuilles de couleur plus pâle et enlever le foin à l'aide d'une cuillère.

PRÉPARATION DE LA FARCE

Amener le quinoa et l'eau à ébullition, réduire la chaleur et laisser mijoter jusqu'à ce que l'eau soit absorbée et que le quinoa soit tendre. Y déposer les tomates séchées au soleil, le sel et le poivre, puis presser le citron pour en extraire le jus et mélanger.

Préchauffer le four à 190 °C (375 °F).

Verser de 60 à 120 g (de ¼ à ½ tasse) de farce au quinoa dans chaque artichaut et sur le côté, dans les cavités entre les feuilles.

Faire chauffer au four de 5 à 8 minutes. Servir.

Par portion : calories : 344,9 ; cholestérol : 0 mg ; gras total : 4,4 g ; gras saturés : 0,6 g ; calories provenant des gras : 30,2 ; gras trans : 0 g ; protéines : 16,3 g ; glucides : 66,7 g ; sodium : 470,5 mg ; fibres : 15,7 g ; sucres : 7,8 g.

PENNE EZEKIEL À LA SAUCE TOMATE AUX AMANDES

Déjeuner JOUR 3 — *4 portions*

300 g (2 tasses) de penne Ezekiel
500 ml (2 tasses) de sauce tomate
1/4 c. à café (1/4 c. à thé) de piments broyés
1/4 c. à café (1/4 c. à thé) de sel kascher
8 grosses feuilles de basilic
1 1/2 c. à soupe d'amandes non salées, rôties à sec, finement hachées
Parmesan, fraîchement râpé (facultatif)

Cuire les pâtes selon les instructions sur l'emballage. Réserver.

Dans un grand bol ou au mélangeur électrique, mélanger la sauce tomate, les piments broyés, le sel, le basilic et les amandes jusqu'à consistance homogène. Déposer les pâtes dans des bols, et garnir de sauce et de fromage. Servir immédiatement.

Par portion : calories : 312 ; cholestérol : 52 mg ; gras total : 5,3 g ; gras saturés : 0,7 g ; calories provenant des gras : 26,4 ; gras trans : 0 g ; protéines : 11,3 g ; glucides : 56,5 g ; sodium : 670,7 mg ; fibres : 2,1 g ; sucres : 10 g.

SALADE AU POULET DU SUD-OUEST

Déjeuner JOUR 1 — *4 portions*

125 ml (1/2 tasse) de jus de citron vert
2 c. à soupe d'huile d'olive
4 gousses d'ail de taille moyenne, hachées
8 c. à soupe de coriandre hachée
1 à 2 c. à café (1 à 2 c. à thé) de poudre de chili
1 à 2 c. à café (1 à 2 c. à thé) de cumin moulu
1 c. à café (1 c. à thé) de sel (facultatif)
Enduit antiadhésif en vaporisateur
4 poitrines de poulet désossées de taille moyenne, sans la peau
1 boîte de haricots noirs de 450 g (15 oz), égouttés
4 tomates italiennes, de taille moyenne à grande, coupées en dés
8 c. à soupe d'oignons verts, hachés
200 g (4 tasses) de laitue romaine biologique

Déposer le jus de citron vert, l'huile d'olive, l'ail, la coriandre, la poudre de chili, le cumin et le sel (si désiré) dans un récipient fermé. Agiter jusqu'à ce que le tout soit bien mélangé.

Vaporiser légèrement le gril d'enduit antiadhésif, chauffer et faire griller le poulet jusqu'à ce qu'il soit à point. Découper en tranches d'environ 2,5 cm (1 po).

Mélanger le poulet, les haricots, les tomates, les oignons verts, la laitue et le contenu du récipient. Servir.

Par portion : calories : 415,3 ; cholestérol : 68,4 mg ; gras total : 11 g ; gras saturés : 1,7 g ; calories provenant des gras : 35,9 ; gras trans : 0 g ; protéines : 41,2 g ; glucides : 42,7 g ; sodium : 129,7 mg ; fibres : 16,7 g ; sucres : 8,3 g.

SANDWICH AU THON CHAUD

Déjeuner JOUR 6 — *4 portions*

Enduit antiadhésif en vaporisateur
40 g (1/4 tasse) d'oignons, hachés
1/2 c. à soupe d'ail, haché
Sel, au goût
2 boîtes de thon blanc dans l'eau
1/2 c. à café (1/2 c. à thé) de piments broyés
2 c. à soupe de moutarde en grains
4 tranches de pain multigrain, grillées

Vaporiser légèrement une poêle d'enduit antiadhésif et chauffer à feu moyen. Faire revenir l'oignon, l'ail et une pincée de sel, 1 ou 2 minutes en brassant fréquemment. Ajouter le thon et les piments broyés, bien mélanger et chauffer.

Étendre ½ c. à soupe de moutarde en grains sur chaque tranche de pain grillé, puis à l'aide d'une cuillère, étendre le mélange de thon sur chacune des tranches. Servir.

Par portion : calories : 174 ; cholestérol : 24,8 mg ; gras total : 1,9 g ; gras saturés : 0,4 g ; calories provenant des gras : 9,4 ; gras trans : 0 g ; protéines : 24,8 g ; glucides : 13,3 g ; sodium : 151,4 mg ; fibres : 2,2 g ; sucres : 2,3 g.

TACOS DE FARINE DE BLÉ AU FLÉTAN GRILLÉ ET SALSA À L'ORANGE

Déjeuner JOUR 11 — *4 portions*

TACOS

1 c. à soupe d'huile d'olive extravierge

1 c. à soupe de poudre de chili ancho

1 c. à café (1 c. à thé) de jus de citron vert, fraîchement pressé

1/4 c. à café (1/4 c. à thé) de sel kascher

1/8 c. à café (1/8 c. à thé) de poivre noir, fraîchement moulu

4 filets de flétan de 120 à 180 g (de 4 à 6 oz) de 2,5 cm (1 po), d'épaisseur avec la peau

8 tortillas de maïs de 15 cm (6 po)

SALSA À L'ORANGE

2 grosses oranges

2 citrons verts moyens

1 c. à café (1 c. à thé) de coriandre, finement hachée

1/2 gousse d'ail, hachée

2 c. à café (2 c. à thé) de vinaigre de vin de riz

Sel et poivre, au goût

1 piment Serrano de taille moyenne, haché

1 c. à soupe d'huile d'olive extravierge

POUR LES TACOS

Dans un gros sac à fermeture à glissière à pression, mettre l'huile, la poudre de chili, le jus de citron vert, le sel, le poivre et les filets de flétan. Agiter vigoureusement ce mélange jusqu'à ce que les filets soient complètement imprégnés.

Déposer les filets sur un gril préchauffé, la peau vers le bas, et faire griller jusqu'à cuisson complète.

Retirer la peau des filets et distribuer également sur chacune des tortillas.

POUR LA SALSA

Peler oranges et citrons verts en retirant toutes les membranes (n'utiliser que la chair juteuse). Trancher finement les fruits.

Mélanger les fruits, la coriandre, l'ail, le vinaigre, le sel, le poivre, l'huile et le piment Serrano. Réserver.

Garnir les tacos de salsa et servir.

Par portion : calories : 306,2 ; cholestérol : 75 mg ; gras total : 8 g ; gras saturés : 1,2 g ; calories provenant des gras : 16,3 ; gras trans : 0 g ; protéines : 25,9 g ; glucides : 36,3 g ; sodium : 93,3 mg ; fibres : 5,4 g ; sucres : 7,1 g.

TACOS AU POULET AVEC HARICOTS À L'ÉTUVÉE

Déjeuner JOUR 5 — *4 portions*

4 grosses poitrines de poulet désossées, sans la peau
Sel kascher, au goût
Poivre noir fraîchement moulu, au goût
Enduit antiadhésif en vaporisateur
3 tranches moyennes de bacon de dinde sans nitrates
1 gousse d'ail, hachée
2 piments jalapeños moyens, hachés
1 grosse boîte de 480 g (16 oz) de haricots noirs sautés (*refried beans*)
1 petite boîte 410 ml (14 ½ oz) de bouillon de poulet sans gras à 99 % et faible en sodium
1 bouteille de bière légère, de préférence Corona légère
50 g (1 tasse) de laitue romaine, déchiquetée
200 g (1 tasse) de tomates italiennes, tranchées
4 tortillas de 15 cm (6 po)

Saupoudrer le poulet de sel kascher et de poivre. Déposer sur un gril préchauffé jusqu'à cuisson complète. Trancher et réserver.

Vaporiser légèrement une poêle d'enduit antiadhésif. Faire revenir le bacon jusqu'à ce qu'il soit légèrement bruni. Ajouter l'ail et les piments et faire sauter 1 ou 2 minutes jusqu'à ce que l'ail soit tendre et odorant. Ajouter les haricots et verser ensuite lentement le bouillon en remuant jusqu'à ce que la texture soit homogène. N'utiliser que la moitié de la boîte de bouillon puisque la bière amènera les haricots à la consistance désirée. Verser lentement la bière en remuant. À l'aide d'une cuillère, déposer le poulet tranché dans les 4 tortillas. Servir les haricots en accompagnement des tacos, de la romaine déchiquetée et des tomates.

Par portion : calories : 150 ; cholestérol : 49,9 mg ; gras total : 1,8 g ; gras saturés : 0,4 g ; calories provenant des gras : 13 ; gras trans : 0 g ; protéines : 21,8 g ; glucides : 6,6 g ; sodium : 452 mg ; fibres : 2,5 g ; sucres : 3 g.

BŒUF AU PIMENT JALAPEÑO

Dîner JOUR 4 — *4 portions*

1,2 à 1,4 kg (2 ½ à 3 lb) de palette de bœuf
Sel kascher, au goût
Poivre noir fraîchement moulu, au goût
Enduit antiadhésif en vaporisateur
1 boîte de 425 ml (15 oz) de bouillon de bœuf à faible teneur en sodium
1 boîte de 210 g (7 oz) de piments jalapeños dans la sauce adobo
2 sacs de laitue prélavée de votre choix

Saler et poivrer la viande. Vaporiser une poêle d'enduit antiadhésif. Chauffer à feu moyen et faire brunir la viande des deux côtés.

Ajouter le bouillon et le contenu entier de la boîte de piments jalapeños, y compris la sauce.

Cuire à feu doux pendant 1 à 2 heures, puis trancher et servir sur la laitue pour obtenir une délicieuse salade épicée sans vinaigrette.

Par portion : calories : 457,2 ; cholestérol : 170,1 mg ; gras total : 20,3 g ; gras saturés : 7,8 g ; calories provenant des gras : 41 ; gras trans : 0 g ; protéines : 62 g ; glucides : 2,5 g ; sodium : 961,9 mg ; fibres : 0,7 g ; sucres : 0,6 g.

CREVETTES À L'AIL ET AU CITRON AVEC LÉGUMES

Dîner JOUR 5 — *4 portions*

Enduit antiadhésif en vaporisateur
1 gros poivron rouge, coupé en dés
1 gros poivron vert, coupé en dés
1 kg (2 lb) d'asperges, coupées en morceau de 2,5 à 5 cm (de 1 à 2 po)
2 c. à café (2 c. à thé) de zeste de citron, haché
½ c. à café (½ c. à thé) de sel + 1 pincée de sel
6 gousses d'ail, hachées
480 g (1 lb) de crevettes non cuites, épluchées et déveinées
1 c. à café (1 c. à thé) de fécule de maïs
250 ml (1 tasse) de bouillon de poulet, non réduit en sodium
1 c. à soupe de jus de citron frais
2 c. à soupe de persil haché

Vaporiser une poêle d'enduit antiadhésif et chauffer à feu moyen. Y faire revenir les poivrons, les asperges, le zeste de citron et ¼ c. à café (¼ c. à thé) de sel. Brasser de temps à autre. Lorsque les légumes commencent à s'attendrir, les réserver dans un bol et couvrir.

Mettre dans la poêle ¼ c. à café de sel (¼ c. à thé) et l'ail, et faire suer pendant 1 minute. Ajouter les crevettes et cuire pendant encore 1 ou 2 minutes.

Mélanger la fécule de maïs et le bouillon dans un bol séparé jusqu'à consistance homogène, puis verser dans la poêle avec une pincée de sel. Poursuivre la cuisson en remuant pendant 2 ou 3 minutes, jusqu'à ce que la sauce ait légèrement épaissi et que les crevettes soient rosées et bien cuites. Retirer du feu et intégrer le jus de citron.

Servir les crevettes sur les légumes et garnir de persil.

Par portion : calories : 187,2 ; cholestérol : 172,4 mg ; gras total : 4,8 g ; gras saturés : 0,8 g ; calories provenant des gras : 16,5 ; gras trans : 0 g ; protéines : 25,7 g ; glucides : 10,9 g ; sodium : 176,8 mg ; fibres : 3,2 g ; sucres : 3,4 g.

HAMBURGERS AU FROMAGE JACK, SAUCE CUMIN ET JALAPEÑO

Dîner JOUR 9 — *4 portions*

3 gros piments jalapeños frais, épépinés et grossièrement tranchés
125 ml (½ tasse) + 3 c. à soupe de coriandre fraîche, grossièrement hachée
3 grosses gousses d'ail, écrasées
1 c. à soupe de jus de citron vert frais
1 c. à café (1 c. à thé) de cumin
2 c. à soupe d'eau
1 pincée de sel kascher
720 g (1 ½ lb) de surlonge maigre haché, provenant d'un bœuf nourri au fourrage, à la température ambiante
120 g (½ tasse) de fromage jack sans gras, râpé
Poivre noir fraîchement moulu, au goût
Huile d'olive, pour badigeonner la grille
4 pains à hamburger multigrains (seulement la partie inférieure)
50 g (1 tasse) de laitue romaine, déchiquetée
4 fines tranches de tomates
Piments jalapeños marinés et tranchés, pour la présentation

Dans un mélangeur, mettre les jalapeños, 125 ml (½ tasse) de coriandre fraîche, l'ail, le jus de citron vert, ½ c. à café (½ c. à thé) de cumin, l'eau et une pincée de sel. Réduire en purée jusqu'à consistance onctueuse.

Dans un bol de taille moyenne, mélanger légèrement la viande, le fromage jack et le reste de la coriandre et du cumin. Former 4 boulettes d'environ 2 cm (¾ po) d'épaisseur en insérant bien à l'intérieur les morceaux de fromage qui dépassent. Saler et poivrer. Transférer dans une assiette tapissée de pellicule de plastique.

Badigeonner la grille chaude d'un peu d'huile d'olive. Faire griller les burgers pendant environ 10 minutes à feu moyen en les tournant une fois. Placer les burgers sur les pains et garnir de laitue, de tomates et de tranches de jalapeño. Servir.

Par portion : calories : 427 ; cholestérol : 103,5 mg ; gras total : 13,9 g ; gras saturés : 4,8 g ; calories provenant des gras : 34,3 ; gras trans : 0 g ; protéines : 56 g ; glucides : 18 g ; sodium : 714 mg ; fibres : 2,8 g ; sucres : 5,8 g.

LÉGUMES À L'ÉTOUFFÉE À LA MOUTARDE ET AU CITRON

Dîner JOUR 10 — *4 portions*

1 c. à soupe d'huile d'olive
1 kg (2 lb) de légumes assortis
40 g (1/4 tasse) d'oignon blanc, tranché
1 c. à café (1 c. à thé) de sel
160 ml (2/3 tasse) de bouillon de poulet faible en sodium
2 c. à café (2 c. à thé) de jus de citron
2 c. à café (2 c. à thé) de moutarde de Dijon

Chauffer l'huile dans une poêle de taille moyenne. Lorsque l'huile est chaude, ajouter les légumes et une pincée de sel. Remuer fréquemment pendant 3 à 5 minutes pour attendrir les légumes et les brunir légèrement.

Verser lentement le bouillon de poulet, couvrir et laisser mijoter jusqu'à ce que le bouillon soit absorbé.

Retirer le couvercle, ajouter le jus de citron et la moutarde, et mélanger. Assaisonner au goût avec le reste du sel et servir.

Par portion : calories : 193 ; cholestérol : 0 mg ; gras total : 5,284 g ; gras saturés : 0,824 g ; calories provenant des gras : 3,62 ; gras trans : 0 g ; protéines : 8,636 g ; glucides : 32,757 g ; sodium : 631,69 mg ; fibres : 9,42 g ; sucres : 0,77 g.

POULET RÔTI À L'AIL ET HARICOTS VERTS AUX AMANDES

Dîner JOUR 13 — *4 portions*

POULET

1 c. à café (1 c. à thé) d'huile d'olive
Sel kascher, au goût
Poivre noir fraîchement moulu, au goût
1 tête d'ail
4 grosses poitrines de poulet désossées, sans la peau

HARICOTS VERTS

180 g (1 tasse) de haricots verts, lavés et équeutés
Enduit antiadhésif en vaporisateur
2 gousses d'ail, hachées
1 c. à soupe d'amandes nature, tranchées

PRÉPARATION DU POULET

Préchauffer le four à 190 °C (375 °F).

Verser un filet d'huile d'olive sur la tête d'ail, saler et poivrer légèrement, puis envelopper dans un papier d'aluminium. Faire rôtir au four pendant 15 à 20 minutes, jusqu'à ce que l'ail soit à moitié à point.

Pendant ce temps, saupoudrer légèrement les poitrines de poulet de sel et de poivre.

Retirer l'ail du four et piquer soigneusement le poulet de gousses d'ail. Déposer le poulet dans une rôtissoire et cuire au four pendant 18 à 20 minutes.

PRÉPARATION DES HARICOTS VERTS

Porter à ébullition 2 litres (8 tasses) d'eau salée. Déposer les haricots verts dans l'eau bouillante et blanchir pendant 2 ou 3 minutes. Retirer et assécher.

Vaporiser une poêle moyenne d'enduit antiadhésif et chauffer à feu moyen. Mettre l'ail haché et les amandes et faire revenir jusqu'à ce que les amandes soient légèrement brunies. Ajouter les haricots verts et poursuivre la cuisson jusqu'à ce que le tout soit chaud.

Servir avec le poulet.

Par portion : calories : 308,8 ; cholestérol : 37,8 mg ; gras total : 18,4 g ; gras saturés : 3,6 g ; calories provenant des gras : 27,5 ; gras trans : 0 g ; protéines : 15,7 g ; glucides : 21 g ; sodium : 397,3 mg ; fibres : 3,7 g ; sucres : 1,4 g.

CHAPITRE 10

LES GRANDS REMÈDES

PLANS POUR SIX DES TROUBLES HORMONAUX LES PLUS COURANTS

J'ai conçu le régime de *Maîtrisez votre métabolisme* pour qu'il convienne à chacun : que vous soyez jeune ou vieux, un homme ou une femme, mince ou enrobé de quelques kilos en trop, ce plan marchera pour vous. Cependant, il y a des moments dans la vie où l'ensemble des hormones connaissent des changements, comme cela se produit par exemple à la ménopause et à l'andropause. Si vous souffrez d'un problème hormonal plus complexe, qui se manifeste par un syndrome des ovaires polykystiques (SOPK), un syndrome métabolique, un SPM prononcé ou un déséquilibre thyroïdien, ce régime vous sera sûrement d'un grand secours. Mais il est possible aussi que vous ayez besoin d'un coup de main supplémentaire, d'un soutien et peut-être de médicaments.

J'ai eu la chance de travailler avec l'une des meilleures endocrinologues américaines, le Dr Christine Darwin, professeur agrégé de médecine et directrice adjointe du service d'épidémiologie clinique et de médecine préventive au UCLA Medical Center. Elle m'a aidée à concevoir des plans qui, de concert avec ce régime, contribueront à vous soulager de vos symptômes dans une certaine mesure.

MAÎTRISEZ LE SPM

Le syndrome prémenstruel, ou SPM, est parfois une antichambre de l'enfer sur terre. Jusqu'à 75 % des femmes subissent cet ensemble de symptômes désagréables, qui atteignent leur point culminant durant la deuxième partie de leur cycle, généralement de 5 à 7 jours avant leurs règles. Voici une liste des symptômes souvent évoqués en rapport avec le SPM :

Acné
Agressivité
Anxiété
Appétit immodéré
Baisse de libido
Ballonnements
Bouffées de chaleur
Changements d'humeur
Constipation
Crampes et pesanteur au bas-ventre
Crise de larmes
Démangeaisons aux mains et aux pieds
Dépression
Désir de solitude
Difficulté à se concentrer
Distraction
Enflure aux mains et aux pieds
Étourdissement
Fatigue
Gain de poids
Gonflement abdominal
Insomnie
Irritabilité
Migraines
Nausées
Paranoïa
Problèmes de mémoire
Rythme cardiaque plus rapide ou plus prononcé
Sensibilité des seins
Sensibilité exacerbée
Sentiment d'accablement
Tension musculaire
Vomissements

Beaucoup de femmes présentent plusieurs de ces symptômes, encore que certaines n'en éprouvent qu'un ou deux ; 1 femme sur 20 est aux prises avec des symptômes de SPM tellement graves qu'on peut les considérer comme atteintes du trouble dysphorique prémenstruel, un dérèglement qui peut carrément détruire la vie d'une personne et dont l'un des symptômes est une colère incontrôlable. (Si votre SPM affecte votre fonctionnement normal au bureau, à la maison ou dans vos rapports avec vos proches, prenez cette situation au sérieux et parlez-en à votre médecin.)

La cause véritable du SPM est encore sujet de controverse dans le milieu des endocrinologues. Beaucoup de médecins l'attribuent à la croissance et au déclin rapides du taux de progestérone après l'ovulation. D'autres en font porter le blâme à des dérèglements androgéniques. Plusieurs spécialistes sont aussi d'avis que le trouble dysphorique prémenstruel pourrait être causé par une faible production de sérotonine, le neurotransmetteur « de l'humeur positive et du calme ». Les troubles de la thyroïde et le SPM partagent beaucoup de symptômes communs. Si vous souffrez de symptômes chroniques associés au SPM, vous pouvez demander à votre médecin d'examiner votre thyroïde afin d'écarter cette possibilité.

La bonne nouvelle, c'est que le SPM, s'il ne peut pas être guéri, peut au moins être « dompté ». Notez sur un calendrier le premier jour de vos règles et calculez le nombre de jours de votre cycle menstruel. Faites cela pendant trois mois pour connaître votre cycle. Une fois que vous saurez à quoi vous attendre, vous pourrez prendre des mesures directes pour gérer vos propres symptômes. Essayez les cinq trucs suivants.

Reposez-vous, détendez-vous et faites de l'exercice. Un sommeil adéquat et une réduction du stress vous placeront dans une meilleure « situation hormonale » pour faire face à ce déséquilibre physiologique. Même si vous n'en avez pas le goût, faites de l'exercice. Les poussées d'endorphines vous aideront à soulager les crampes et à contrebalancer un manque probable de sérotonine et d'autres composés neurochimiques apaisants.

Si vous le pouvez, planifiez vos activités en fonction de vos règles. Essayez de prévoir des temps d'arrêt durant la dernière et la première semaine de votre cycle ; c'est à ce moment-là que surviennent le SPM et les règles. Programmez les tâches plus stressantes durant la deuxième semaine de votre cycle, qui commence sept jours après votre première journée de règles, parce que plusieurs hormones – telles que la LH, les œstrogènes et la testostérone, sans parler de vos niveaux d'énergie et de concentration – sont à leur sommet pendant cette semaine qui précède l'ovulation.

Réduisez presque à zéro votre consommation de caféine, d'alcool et de sel. Les femmes atteintes de la maladie fibrokystique des seins éprouvent souvent beaucoup de douleur durant les jours précédant leurs règles. La réduction de la caféine peut minimiser la sensibilité des seins. Évitez l'alcool dans la mesure où il aggrave le sentiment de dépression. L'absence de sel dans votre régime alimentaire réduira aussi le gonflement abdominal.

Minimisez la consommation de sucres simples. La consommation de glucides à haute teneur glycémique accroît le degré d'inflammation dans votre corps, ce qui aggrave les crampes. Une glycémie en montagnes russes n'est jamais une bonne chose pour des nerfs déjà à vif. Ce régime, qui propose à intervalles réguliers des repas et des collations contenant des fibres et des protéines, vous aidera à stabiliser votre glycémie.

Suppléments. Le calcium peut réduire les symptômes du SPM. Visez au moins 1200 mg par jour, une dose qui s'est avérée efficace contre placebo lors d'essais cliniques sur le SPM. Le magnésium est aussi intéressant à cet égard, tout comme les vitamines du groupe B telles que les vitamines B_1, B_2, B_3 et en particulier la vitamine B_6. Pour réduire l'inflammation des crampes et les douleurs aux seins, essayez un supplément d'huile de primevère, un anti-inflammatoire non stéroïdien dont les effets sont semblables à ceux de l'ibuprofène.

MAÎTRISEZ L'HYPOTHYROÏDIE

Une thyroïde qui n'est pas suffisamment active peut énormément nuire à votre métabolisme et rendre extrêmement frustrantes vos tentatives de perdre du poids. Pourtant, l'hypothyroïdie, ou le fonctionnement au ralenti de la thyroïde, devient de plus en plus commune à mesure que les femmes vieillissent. Jusqu'à 20 % d'entre elles peuvent souffrir de ce trouble, sous une forme ou une autre, en particulier celles qui sont de race blanche ou mexicaines-américaines. Consultez la liste des symptômes à la page 61 et demandez-vous si vous avez éprouvé l'un ou plusieurs d'entre eux. Toutefois, sachez que vous pouvez souffrir d'hypothyroïdie même si vous ne présentez aucun de ces symptômes.

La cause la plus commune de l'hypothyroïdie est la maladie de Hashimoto, une maladie auto-immune par laquelle le système immunitaire s'attaque à la thyroïde et lui cause des torts considérables, altérant notamment sa capacité de produire des hormones thyroïdiennes. On s'inquiète de plus en plus de ce qu'une grande part des cas d'hypothyroïdie puissent être causés par la pollution et la libération de résidus de pesticides à partir de nos tissus adipeux. Il arrive parfois qu'une thyroïde en mauvais état ait en fait beaucoup plus à voir avec le niveau de stress de la personne et le fonctionnement de ses surrénales qu'avec la thyroïde elle-même. Les hormones surrénales, dont le cortisol, jouent un rôle considérable dans le fonctionnement de la thyroïde. Ainsi, un taux élevé de cortisol peut entraver la conversion de la T4 en T3. Pour écarter cette possibilité d'hypothyroïdie causée par le stress, demandez à votre médecin une analyse sanguine afin de connaître vos taux d'ACTH et de cortisol, de même que celui de votre TSH pour vérifier le fonctionnement de votre thyroïde. (Voir le chapitre 2 pour obtenir des informations supplémentaires sur l'examen de la thyroïde.)

Si votre analyse confirme une hypothyroïdie, trouvez un endocrinologue ; ils sont familiarisés avec les subtilités du dysfonctionnement thyroïdien. Tentez d'en trouver un qui soit ouvert à des solutions autres que médicamenteuses, en particulier celles qui concernent les habitudes alimentaires et le mode de vie. (Consultez des sites Web liés à cette question pour trouver un endocrinologue non loin de chez vous.) Si un diagnostic confirme le mauvais fonctionnement de votre thyroïde, essayez de suivre les étapes suivantes.

Suivez le régime de *Maîtrisez votre métabolisme...* légèrement modifié. Le maître-plan de ce livre vous permet d'éliminer beaucoup de toxines présentes dans l'environnement et les aliments, lesquelles toxines sont reconnues pour affecter la thyroïde. Assurez-vous néanmoins de faire cuire les crucifères goitrogènes puisqu'il est démontré qu'ils favorisent le goitre. Assurez-vous également de ne pas prendre de suppléments vitaminiques en même temps que du fer ou un médicament destiné à réduire le taux de cholestérol. Dans les quelques heures suivant la prise d'un médicament pour la thyroïde, ne consommez rien qui contienne du fer, du calcium ou du soja ou qui ait une haute teneur en fibres ; tous ces éléments peuvent en effet perturber l'absorption des hormones thyroïdiennes.

Faites de l'exercice et détendez-vous chaque jour. Le cortisol – hormone du stress – altère la conversion de l'hormone T4 inactive en T3 active. L'exercice physique est particulièrement efficace pour réduire le stress ; il abaisse le taux de cortisol tout en augmentant la sensibilité du corps aux hormones thyroïdiennes. Consultez quelques-unes des autres méthodes de détente que je suggère au chapitre 8 et, en règle générale, ayez comme objectif de faire de l'exercice physique pendant *au moins* 30 minutes chaque jour.

Ne prenez pas de supplément contenant de l'iode. Beaucoup de sites Web « holistiques » voués à la nutrition recommandent de prendre des suppléments d'iode pour soutenir le bon fonctionnement de la thyroïde. Ne faites pas ça. Le régime du Nord-Américain moyen contient de l'iode en abondance. Lorsque la glande thyroïde reconnaît des taux élevés d'iode dans le sang, elle libère moins d'hormones. Optez pour du sel iodé plutôt que du sel kascher pour assaisonner vos aliments, mais ne prenez pas de suppléments.

Prenez d'autres types de suppléments pour la thyroïde. Pour fonctionner efficacement, l'enzyme nécessaire à la conversion de l'hormone T4 en T3 a besoin de sélénium. La vitamine D, le zinc et l'huile de poisson sont d'autres suppléments efficaces. (Consultez le tableau des aliments qui stimulent la thyroïde à la page 187 pour savoir comment on peut obtenir ces nutriments et pour prendre connaissance d'autres suggestions nutritionnelles.) Comme toujours, consultez votre médecin avant d'ingérer quelque supplément que ce soit, en particulier si vous prenez des médicaments pour la thyroïde.

Si vous consommez au moins 1 gramme d'huile de poisson par jour, non seulement vous contribuez à soutenir le bon fonctionnement de votre thyroïde, mais vous réduisez également les risques d'infarctus, d'AVC et d'autres troubles cardiovasculaires. Je recommande à tout le monde de prendre de l'huile de poisson. Et lorsque vous choisissez un supplément vitaminique, assurez-vous qu'il contient du sélénium (jusqu'à 200 milligrammes) et du zinc (jusqu'à 40 milligrammes).

En ce qui concerne la vitamine D, faites comme dans le bon vieux temps : allez dehors et exposez-vous chaque jour au soleil, sans protection, pendant au moins 10 minutes. Votre peau est en mesure de synthétiser la vitamine D_3 lorsqu'elle est exposée aux rayons UVB du soleil. Vous pouvez également prendre des suppléments, mais n'excédez jamais la limite quotidienne de 2000 UI.

Combinez les médicaments pour la thyroïde. Depuis que j'ai été diagnostiquée à l'âge de 30 ans, les médicaments pour la thyroïde ont fait tout un monde de différence pour moi. Consultez votre médecin afin de choisir le médicament adéquat et vous pourriez alors constater une amélioration de votre état en aussi peu que deux semaines. Beaucoup de gens tirent partie d'une combinaison de la T4 inactive, qu'on trouve dans le Synthroid et le Levothroid, et la T3 active, présente dans d'autres médicaments tels que Cytomel (100 % T3) et Armour Thyroid, une hormone bioidentique contenant 60 % de T4 et 40 % de T3. Parce que la T3 n'apparaît pas dans les analyses sanguines, elle ne figure pas au radar de certains médecins et ils répugnent à la prescrire. Si c'est le cas de votre médecin, demandez-lui pourquoi. (Et obtenez un deuxième avis.)

MAÎTRISEZ LE SYNDROME MÉTABOLIQUE

Tout au long de cet ouvrage, j'ai évoqué longuement la question de la résistance à l'insuline. Le syndrome métabolique (parfois appelé syndrome X) est sans doute l'une des affections les plus dangereuses associées à la résistance à l'insuline. Vous souffrez du syndrome métabolique lorsque vous cumulez au moins trois des facteurs de risques suivants.

Une bedaine de bonne dimension. Si votre corps commence à prendre la forme d'une pomme, avec un tour de taille mesurant plus de 90 cm pour une femme ou 100 cm pour un homme, vous êtes déjà sur la mauvaise voie. Ajoutez à cela certains autres facteurs de risques tels que le tabac, le vieillissement, ou une ascendance sud-asiatique, mexicaine ou autochtone, ou encore des antécédents familiaux de diabète et votre limite de tour de taille passe alors de 79 à 89 centimètres pour les femmes et de 94 à 99 centimètres pour les hommes.

Taux élevé de triglycérides. Si votre médecin vous a averti que vos triglycérides étaient trop élevés ou que vous avez été soigné pour ce problème, vous êtes à risques même si votre taux de triglycérides est maintenant plus bas que le seuil de 150 milligrammes par décilitre (mg/dL).

Faible taux de HDL (« bon » cholestérol). Si des analyses sanguines ont déjà signalé un faible taux de HDL ou que vous avez déjà été soigné pour ce problème, vous êtes à risques même si votre taux est supérieur au seuil de 50 mg/dL (pour une femme) ou de 40 mg/dL (pour un homme).

Tension artérielle élevée. Si on a déjà diagnostiqué chez vous de l'hypertension artérielle ou que vous avez déjà été soigné pour ce problème, vous êtes à risques même si votre tension est inférieure au seuil de 130/85. (Si l'un ou l'autre de ces chiffres est supérieur au seuil – même si l'autre est plus bas –, vous êtes à risques.)

Glycémie élevée à jeun. Si vous avez déjà été soigné pour une glycémie élevée ou qu'on a diagnostiqué ce problème chez vous, vous êtes à risques même si votre glycémie à jeun est inférieure au seuil de 100 mg/dL. (Si vos résultats d'analyse se situent entre 100 et 125 mg/dL, vous êtes prédiabétique ; si vos résultats d'analyse sanguine à jeun se situent au-delà de cette limite plus d'une fois, vous êtes officiellement diabétique.)

Faites-vous partie de ce groupe ? Si oui, vous n'êtes pas seul : près de 25 % des Américains souffrent du syndrome métabolique, mais beaucoup d'entre eux ne le savent pas. Ce qui est proprement terrifiant à propos du syndrome métabolique, c'est que si vous en souffrez, vous êtes deux fois plus susceptible de subir une maladie cardiovasculaire et cinq fois plus susceptible d'être atteint de diabète que ceux qui n'en souffrent pas. Vous courez aussi davantage de risques de souffrir de stéatose hépatique ou de SOPK. Il est également possible que votre système cardiovasculaire ait déjà subi des dommages sérieux avant même que vous soyez au courant. Plusieurs études ont en effet indiqué que le durcissement des artères commence bien avant que la résistance à l'insuline se manifeste par une glycémie élevée à jeun. Voilà pourquoi il est si important de prendre très au sérieux n'importe lequel de ces symptômes et de prendre de vitesse le syndrome métabolique avant qu'il ne débute. Voici quelques moyens pour ce faire.

Perdez 5 % de votre poids (davantage, de préférence !). Le fait de perdre ce poids peut réduire de 58 % les risques de souffrir du diabète. Il peut également réduire les risques d'AVC et réduire ou éliminer complètement la nécessité de prendre des médicaments hypotenseurs. Perdez 10 % de votre poids et vous réduisez alors considérablement les risques de maladies cardiovasculaires et prolongez du même coup votre espérance de vie. Cet objectif d'une perte de 10 % de votre poids en un an – sinon plus rapidement – devrait être votre priorité, avec comme objectif ultime un indice de masse corporelle (IMC) inférieur à 25.

Gérez votre réponse à l'insuline. L'élément commun de tous les facteurs de risque du syndrome métabolique est un risque accru de résistance à l'insuline. Si vous suivez le régime suggéré dans ce livre, en particulier en consommant des repas moins copieux toutes les quatre heures afin de stabiliser votre glycémie, vous réduirez la quantité d'insuline dont votre corps a besoin et c'est un résultat qui est à votre portée très rapidement. Assurez-vous de consommer une certaine quantité de protéines à chaque repas ou collation, de manger fréquemment de la cannelle, de l'ail et des fibres, et cessez de fumer. Chacune de ces mesures vous aidera à abaisser votre glycémie et à bien gérer la résistance à l'insuline.

Améliorez votre sommeil et réduisez votre stress. Le stress est lié à un accroissement du volume de gras corporel là où votre estomac possède davantage de récepteurs de cortisol. En réduisant votre niveau de stress, vous réduisez automatiquement votre tour de taille ainsi que le volume du dangereux gras viscéral, lequel est relié à une inflammation systémique et à une réduction de la sensibilité à l'insuline. Si vous combinez cela à des nuits de plus de sept heures de sommeil, vous allez abaisser vos taux de cortisol et de ghréline – des hormones de la faim –, ce qui facilitera le maintien d'un régime alimentaire sain dans lequel la malbouffe sera réduite au minimum.

Faites de l'exercice! Plus vous avez de masse musculaire, plus vous avez de cellules disponibles pour absorber le glucose. L'exercice accroît la capacité de vos cellules d'utiliser l'insuline, de sorte que vous n'ayez pas à en produire autant après les repas. Lorsque vous produisez moins d'insuline, vous réduisez les risques de souffrir du diabète. (Note: si vous êtes à la recherche d'un programme d'exercice par étapes, visitez mon site Web à l'adresse www.JillianMichaels.com pour y trouver un programme personnalisé, que vous pourrez adapter à votre propre forme physique. Vous pouvez également consulter mes deux premiers ouvrages.)

Envisagez une aide hormonale supplémentaire. En général, je ne suis pas très portée sur les médicaments, mais dans le cas du syndrome métabolique, la consommation d'hormones peut s'avérer d'un grand secours. Des études récentes montrent que les hommes souffrant du syndrome métabolique et du diabète sont aussi susceptibles de présenter un taux de testostérone plus bas. Une étude comparative avec placebo a récemment permis de découvrir que les hommes souffrant de diabète ou du syndrome métabolique qui avaient absorbé pendant 14 jours de la testostérone en gel avaient accru leur sensibilité à l'insuline et que ces résultats s'étaient maintenus pendant une année complète suivant le traitement. (En prime: ça pourrait aussi améliorer votre vie sexuelle.) Que vous soyez un homme ou une femme souffrant du syndrome métabolique, vous ne perdez rien à profiter des hausses naturelles de testostérone qu'entraînent l'exercice physique intense et les aliments déclencheurs de testostérone présentés à la page 165.

MAÎTRISEZ LE SYNDROME DES OVAIRES POLYKYSTIQUES (SOPK)

Le syndrome des ovaires polykystiques est l'un des problèmes hormonaux les plus communs chez les femmes : 10 % des Américaines en préménopause en sont atteintes. Certaines femmes découvrent qu'elles souffrent du SOPK lorsqu'elles ont de la difficulté à devenir enceintes. Il s'agit de la cause numéro un d'infertilité féminine parce que les femmes qui en souffrent ont des ovulations et des règles irrégulières. Mais cette maladie peut aussi toucher des jeunes filles à un âge aussi précoce que 11 ans : en général, elles s'en rendent compte lorsqu'elles éprouvent de graves problèmes d'acné ou présentent une pilosité faciale excessive.

Le SOPK se caractérise généralement par la combinaison de deux dysfonctions hormonales, soit la résistance à l'insuline et l'excès d'androgènes. Lequel précède l'autre ? Personne ne le sait trop. Selon une théorie, l'excès d'insuline inciterait les ovaires à produire trop de testostérone. Selon une autre, tout commencerait dans l'hypothalamus. Mais toutes les femmes atteintes du SOPK ne souffrent pas de résistance à l'insuline et toutes n'ont pas de problème de surpoids. Voilà pourquoi certains médecins sont d'avis que d'ici 10 ans, on distinguera un SOPK de type 1 et un autre de type 2, de la même manière qu'on reconnaît aujourd'hui les diabètes de type 1 et de type 2.

Une chose est certaine : les femmes souffrant du SOPK subissent beaucoup de dommages collatéraux découlant de leur maladie sous forme des symptômes suivants :

- Acné
- Acrochordonsa
- Cheveux clairsemés
- Excès de poils au-dessus de la lèvre supérieure, sur le menton, la poitrine, le dos, le ventre, les pouces ou les orteils
- Faible taux de HDL
- Gain de poids ou difficulté à perdre du poids
- Haut taux de LDL
- Infertilité
- Obésité abdominale
- Peau grasse
- Peau sombre au niveau du cou, des bras, des seins ou des cuisses
- Pellicules
- Règles irrégulières ou omises
- Ronflement excessif / apnée du sommeil
- Taux élevé de triglycérides

Certains de ces symptômes peuvent être simplement agaçants, mais les effets à long terme du SOPK sur la santé sont bien pires. Les femmes qui en souffrent peuvent être jusqu'à sept fois plus susceptibles de subir un infarctus que celles qui n'en souffrent pas. Les femmes enceintes qui en sont atteintes sont beaucoup plus susceptibles de subir une fausse couche, de souffrir de diabète gestationnel et d'éclampsisme et de donner naissance à un enfant prématuré. Plus de 50 % des femmes atteintes du SOPK souffriront de prédiabète ou de diabète avant 40 ans. En gérant adéquatement vos symptômes, non seulement vous vous sentirez mieux dès maintenant, mais vous réduirez aussi les risques de subir ces graves complications dans l'avenir.

Si vous soupçonnez que vous êtes atteinte du SOPK, prenez rendez-vous avec un endocrinologue et demandez-lui de faire analyser vos taux d'androgènes et votre sang afin de déceler des signes de résistance à l'insuline. Vous devriez aussi faire vérifier l'état d'autres hormones telles que la lutéostimuline (LH), les œstrogènes, la progestérone et les hormones thyroïdiennes. Votre médecin peut même prescrire une échographie pelvienne pour vérifier l'état de vos ovaires et révéler, s'il y a lieu, la présence d'un chapelet de petits kystes, d'où le nom de ce syndrome.

Si vous êtes enceinte (ou souhaitez le devenir) et que vous souffrez du SOPK, ne désespérez pas : votre médecin peut vous informer des divers traitements à votre disposition. On ne peut pas guérir le SOPK, mais certains trucs liés au mode de vie et au régime alimentaire peuvent en atténuer les symptômes immédiatement et contribuer à prévenir des risques plus importants en cours de route. En voici quelques-uns.

Surveillez votre glycémie. Même si vous n'avez pas eu de diagnostic de diabète, vous vous sentirez certainement mieux en surveillant votre glycémie ; il s'agit là d'un excellent moyen de suivre à la trace la façon dont votre régime alimentaire affecte votre réponse à l'insuline. Assurez-vous de consommer des repas et des collations riches en protéines. Lorsque les femmes souffrant du SOPK suivent un régime riche en protéines et faible en glucides afin de perdre du poids, elles réduisent leur glycémie, abaissent leurs taux d'androgènes libres et maintiennent un taux sain de HDL.

Perdez ces 10 %. Le Department of Health and Human Services des États-Unis affirme que même une perte de 10 % de son poids peut contribuer à régulariser le cycle menstruel, en plus d'améliorer la sensibilité à l'insuline. Suivez le régime alimentaire proposé dans ce livre, mais n'oubliez pas non plus de faire de l'exercice. Une étude menée auprès de femmes souffrant du SOPK a révélé qu'en pédalant sur un vélo stationnaire pendant à peine 30 minutes trois fois par semaine, celles-ci avaient perdu en moyenne 4,5 % de leur poids corporel et amélioré nettement leur sensibilité à l'insuline sans même suivre de régime amaigrissant.

Cessez de fumer. Songez seulement aux risques d'infarctus ! La cigarette fait bondir votre tension artérielle et votre rythme cardiaque, élève vos taux de testostérone, de cortisol et d'autres hormones surrénales, provoque la résistance à l'insuline et dérègle le fonctionnement de vos ovaires. Autrement dit, elle aggrave chacun des symptômes du SOPK. Arrêtez, c'est tout.

Tenez-vous-en à des produits laitiers biologiques. Le facteur de croissance insulinomimétique de type 1 (IGF-1) stimule la production de certaines cellules de la peau susceptibles de boucher des conduits cutanés, provoquant ainsi de l'acné. Même si aucun lien n'a été établi de façon certaine entre la somatotropine bovine recombinante (STbr) présente dans certains produits laitiers et le SOPK, les vaches traitées aux hormones de croissance produisent du lait contenant des niveaux plus élevés d'IGF-1. Compte tenu des nombreuses autres raisons de choisir des produits laitiers biologiques, la perspective d'une réduction de l'acné apparaît simplement comme la cerise sur le gâteau.

MAÎTRISEZ LA MÉNOPAUSE

Votre tonus musculaire s'affaisse, votre appétit sexuel diminue et les kilos semblent s'accumuler à la hauteur de votre abdomen, de vos fesses et de vos cuisses, peu importent les efforts que vous déployez pour empêcher tout cela. La raison est simple : vous vous dirigez vers la ménopause. La ménopause survient naturellement chez les femmes âgées de 40 à 55 ans. Durant les années qui précèdent la ménopause – c'est-à-dire la préménopause – chacune d'entre nous subit à divers degrés un certain nombre de symptômes désagréables avec plus ou moins d'intensité :

- Bouffées de chaleur et sueurs nocturnes
- Humeur instable
- Insomnie
- Perte des cheveux
- Perte du tonus musculaire
- Pilosité faciale
- Prise de poids à l'abdomen
- Problèmes de concentration
- Règles plus abondantes ou plus légères
- Règles plus courtes ou plus longues
- Sécheresse vaginale

Plusieurs sont d'avis que beaucoup de ces symptômes, en particulier les sueurs nocturnes et la sécheresse vaginale, surviennent parce que nos ovaires cessent de produire des œstrogènes et de la progestérone et, dans une moindre mesure, de la testostérone. Lorsque vous avez traversé une période de 12 mois ou davantage sans règles, vous êtes considérée comme ménopausée.

Après la ménopause, les risques d'un certain nombre de problèmes de santé augmentent : cancer du sein, hypothyroïdie, syndrome métabolique et diabète. La baisse des œstrogènes peut également mener à l'ostéoporose et aux maladies cardiovasculaires, ce qui explique pourquoi l'hormonothérapie fut si populaire auprès des femmes ménopausées pendant un certain nombre d'années, en fait, jusqu'en 2002, lorsqu'une étude menée dans le cadre de l'Initiative sur la santé des femmes révéla que les femmes suivant une hormonothérapie faisaient face à des risques beaucoup plus élevés de maladies cardiovasculaires, d'AVC, de caillot sanguin et de cancer. Aujourd'hui, les femmes recherchent des solutions de remplacement et beaucoup d'entre elles sont de plus en plus sensibilisées à la médecine antivieillissement. (Voir « Qu'en est-il des hormones bio-identiques » à la page 65.) Mais pourquoi ne pas commencer par certains des trucs suivants, liés aux habitudes alimentaires et au mode de vie, des choix qui non seulement vous aideront à gérer les symptômes de la ménopause, mais aussi à améliorer votre santé globale ?

Mangez suffisamment de protéines. La sarcopénie, ou la perte de la masse musculaire avec l'âge, a toujours été considérée comme une conséquence inévitable du vieillissement, mais une grande part de son intensité est dictée par notre régime alimentaire et le fait que nous fassions ou non de l'exercice physique. À cet égard, les protéines sont d'un grand secours. Une étude a révélé que des hommes et des femmes âgés de 70 à 79 ans qui consommaient plus de protéines avaient perdu 40 % moins de masse musculaire que les autres. Les muscles éliminent plus de calories, accroissent la sensibilité à l'insuline et maintiennent la production de testostérone à un niveau plus élevé, si bien que vous pouvez freiner le développement des problèmes de santé liés au vieillissement tels que le syndrome métabolique, le diabète et la perte de libido.

Consommez du soja *avant* la ménopause. Le soja contient des phytœstrogènes qui peuvent contribuer à atténuer les bouffées de chaleur, encore que les études présentent des avis divergents à ce sujet. Tenez-vous-en à des produits de soja entiers, comme le tempeh et le miso, et évitez les barres de soja et autres produits contenant des extraits d'isoflavones. Les composés actifs présents dans les produits transformés contenant des isoflavones peuvent être bien différents de ce qu'on trouve dans la nature. Bien qu'on considère ces produits comme sécuritaires à court terme, l'utilisation prolongée d'extraits de soja concentrés a été liée à des risques accrus de cancer, en particulier chez les femmes qui prennent des contraceptifs oraux ou qui ont des antécédents familiaux de cancer du sein, de l'utérus, des ovaires, de l'endomètre ou de fibrome utérin. (Demandez à votre médecin de vous aider à déterminer si le soja vous convient.)

Pas la peine de prendre beaucoup de « suppléments pour la ménopause ». Il est probable que certaines herbes traditionnellement consommées pour soulager les symptômes de la ménopause – par exemple l'herbe de Saint-Christophe, le dong quai et le trèfle violet – ne produiront pas l'effet escompté. Le National Center for Complementary and Alternative Medicine, une branche des National Institutes of Health des États-Unis, a analysé l'ensemble des recherches menées sur ces trois produits et n'a trouvé aucune indication selon laquelle ceux-ci pouvaient atténuer les bouffées de chaleur. (Il a également découvert que le trèfle violet, un phytœstrogène, devrait inspirer les mêmes précautions que le soja, alors que l'herbe de Saint-Christophe et le dong quai sont sécuritaires.)

Le ginseng est un supplément qui pourrait s'avérer d'un certain secours. Mais s'il peut contribuer à améliorer l'humeur et le sommeil, il est sans effet pour soulager les bouffées de chaleur. Même chose pour le kawa, qui peut contribuer à réduire l'anxiété mais accroît par ailleurs les risques de problèmes hépatiques. Des études de moindre envergure ont indiqué que la DHA, un précurseur des œstrogènes et de la testostérone, pouvait aider à soulager les bouffées de chaleur et augmenter la libido, mais aucun essai comparatif ne l'a démontré. Compte tenu du fait qu'elle peut accroître les risques de cancer du sein ou de la prostate, je vous recommande la prudence et vous invite à parler à votre médecin avant de prendre de la DHA. Mais s'il y a un supplément que vous devez absolument prendre, c'est le calcium accompagné de vitamine D. Si vous êtes une femme, à plus forte raison si vous avez plus de 35 ans, vous devriez prendre 1200 milligrammes de calcium par jour. Une fois que vous avez atteint la ménopause, vous devriez passer à une ration quotidienne de 1500 milligrammes.

Recourez à des crèmes hormonales. Si vous n'êtes pas à risques concernant le cancer du sein ou d'autres cancers liés aux hormones et que vous êtes aux prises avec des bouffées de chaleur, de la sécheresse vaginale ou un sentiment général de mal-être, envisagez le recours à une crème œstrogène. Appliqué directement sur la muqueuse vaginale, l'œstrogène agit là où c'est le plus nécessaire sans se propager au reste de votre corps, comme le faisaient les premières méthodes d'hormonothérapie. Beaucoup de femmes font aussi confiance à la crème de testostérone : des études ont en effet démontré qu'elle contribue à accroître la libido et à soulager la sécheresse vaginale. Comme vous devriez le faire dans le cas de toute thérapie hormonale pour soulager les symptômes de la ménopause, minimisez les risques en demandant à votre médecin quels sont le dosage minimal et la durée de traitement la plus courte pour obtenir des résultats probants.

Équilibrez l'énergie sortante. La sainte trinité présentée au chapitre 8 – sommeil, exercice et soulagement du stress – est extrêmement importante au moment de la ménopause. La plupart des femmes qui se situent dans ce groupe d'âge s'occupent à la fois de leurs parents et de leurs enfants. Des spécialistes affirment qu'en plus des poussées d'endorphines qu'il procure, l'exercice nettoie le système et vous aide à gérer beaucoup mieux l'anxiété, l'irritabilité et la dépression.

MAÎTRISEZ L'ANDROPAUSE

Après avoir été pendant des années un objet de risée, la science est aujourd'hui très claire : l'andropause, ou la ménopause masculine, existe bel et bien.

Contrairement à la ménopause qui frappe soudainement les femmes comme une tonne de briques, l'andropause – ou la déficience androgénique partielle – est le déclin lent mais constant de plusieurs hormones clés.

À partir de l'âge de 30 ans, le taux de testostérone des hommes baisse d'environ 10 % à chaque décennie. Si un homme commence à prendre du poids, son taux d'une hormone appelée globuline/protéine liant la testostérone (TeBG) augmente, liant ainsi la testostérone active pour la désactiver. Plus le taux de TeBG est élevé, plus le taux de testostérone biodisponible est faible. Environ 30 % des hommes dans la cinquantaine présentent des niveaux sensiblement moins élevés de testostérone, ce qui peut mener aux phénomènes suivants :

Baisse de libido
Baisse d'énergie
Dépression
Manque de concentration
Dysfonction érectile
Insomnie
Perte de masse musculaire
Perte de mémoire

L'andropause peut provoquer des changements au niveau des testicules : la production de spermatozoïdes ralentit, la masse testiculaire diminue, et il arrive parfois qu'une dysfonction érectile s'ensuive. La bonne nouvelle, c'est que rien de tout cela ne semble affecter beaucoup la fertilité des hommes : plusieurs d'entre eux peuvent engendrer même après 70 ans. Ce sont les problèmes de prostate, en fait, qui risquent le plus d'envoyer un homme sur la touche. Environ 50 % des hommes subissent une hypertrophie bénigne de la prostate, une affection par laquelle le volume de la prostate augmente et un tissu cicatriciel se forme au niveau de l'urètre, rendant ainsi plus difficiles la miction et l'éjaculation. L'hormone thyréostimuline décline et les cellules commencent à perdre leurs récepteurs d'insuline, ce qui provoque une réduction de la sensibilité à l'insuline. À partir de 50 ans, le taux de glucose à jeun peut augmenter de 6 à 14 milligrammes par décilitre tous les 10 ans. Ce phénomène survient parce que les cellules deviennent moins sensibles aux effets de l'insuline, sans doute en raison de la diminution du nombre de récepteurs d'insuline dans la membrane des cellules. Le diabète et l'hypertension artérielle – également plus répandus chez les hommes plus âgés – peuvent mener à une dysfonction érectile, une situation à laquelle peu de gars aspirent. Voici quelques façons de prendre l'andropause de vitesse aussi rapidement que possible.

Un peu d'exercice, peut-être ? Encore une fois, l'activité physique est déterminante. Non seulement l'exercice est génial pour votre bien-être global, mais il réduit votre masse adipeuse et maintient le couvercle sur votre taux de TeBG, permettant ainsi à votre testostérone de circuler librement sans se lier à aucune protéine. L'exercice renforce également vos os et vos muscles, ce qui prévient la perte de masse musculaire ou l'accumulation de gras.

Ne prenez pas de testostérone sans l'avis d'un médecin. Les médecins ont beaucoup d'histoires d'horreur à raconter sur des patients qui se sont présentés à leur cabinet après avoir pris par eux-mêmes des suppléments de testostérone. Si vous commandez par courrier de la testostérone provenant, disons, de la Bulgarie, vous allez carrément vous doper avec des stéroïdes anabolisants. Lorsqu'on consomme des stéroïdes sans demander l'avis d'un médecin, on court le risque de désactiver ses propres hormones naturelles provenant de la glande pituitaire, lesquelles sont des précurseurs d'importants composés chimiques dont nous avons besoin chaque jour. Et dans les faits, on désactive la production de sa propre testostérone plutôt que de l'accroître. De grâce, dites non !

Faites l'amour ! En vieillissant, les gars ont moins d'érections. Jusqu'à 90 % des cas de dysfonction érectile sont attribuables à une cause physique, et non pas mentale. Mais les médecins affirment que vous êtes beaucoup plus susceptible d'avoir une vie sexuelle intéressante lorsque vous êtes plus vieux si tout au long de l'âge mur vous maintenez votre instrument en bon état de marche en ayant des relations sexuelles fréquentes. (Je sais que ce n'est pas facile, les gars, mais il faut bien que quelqu'un se sacrifie !)

Mangez des protéines et des gras provenant de légumes. Une étude a démontré que le meilleur indicateur d'un taux élevé de testostérone au repos était une présence accrue de gras saturés et monoinsaturés dans le régime alimentaire d'un homme. Une autre étude a indiqué que les protéines – mais seulement celles de source végétale – étaient liées à des niveaux plus élevés de testostérone. (Voir la liste des aliments déclencheurs de testostérone à la page 165.)

Chapitre 11

UN MÉTABOLISME TOUT NEUF

COMMENT RESTER FIDÈLE AU PROGRAMME RETIREZ / RESTAUREZ / RÉÉQUILIBREZ TOUTE VOTRE VIE

Bon, nous sommes arrivés à la fin du voyage… ou peut-être devrais-je plutôt parler d'un début ? Une fois que vous serez requinqué par le succès de votre régime alimentaire et de votre mode de vie, je veux que continuiez à respecter ces trois mêmes principes dans tous les aspects de votre vie. Ce chapitre est donc bref. Je veux que vous :

- retiriez de votre vie toutes les saletés possibles : le stress, les embarras mentaux et émotifs que vous traînez avec vous, sans parler des problèmes physiques qui vous vident de votre énergie ;
- restauriez les bonnes choses, que vous preniez le temps d'apprécier cette vie que vous venez tout juste de prolonger ! Vous savez ce qui vous rend heureux ; alors allez-y à fond. Automatiquement, vos hormones travailleront beaucoup mieux ;
- rééquilibriez votre vie. Il vous faut comprendre que même lorsque la vie vous déstabilise momentanément, vous avez quand même la chance chaque jour de retrouver cet équilibre, d'atteindre une zone où vous pouvez profiter des plaisirs de la vie et des saines émotions qu'elle procure, mais aussi de prendre les pauses nécessaires pour vous reposer et vous ressourcer afin de vous maintenir en bonne santé et bien centré sur vos objectifs.

Une fois que vous aurez commencé à appliquer ces principes dans tous les domaines de votre vie, vous verrez que ce sont les trois seuls principes dont vous aurez toujours besoin à la fois pour le fonctionnement de vos hormones, pour votre santé et pour votre bonheur.

J'ai foi en ce programme. J'ai foi en vous. Certaines des choses que vous venez de lire vous ont peut-être paru accablantes, stupéfiantes, terrifiantes. Je sais, je suis passée par là. Mais vous avez le pouvoir de changer n'importe quoi dans votre vie pour peu que vous le vouliez et au moment que vous aurez choisi. Et souvenez-vous que je suis là à vos côtés à mener le bon combat, à faire les gestes qu'il faut et à dire les choses qu'il faut dire. Reprenons en main notre santé, reprenons nos droits sur nos vies, changeons les choses et sauvons le monde, rien de moins! Ensemble, nous pouvons agir tant sur le plan local et qu'au niveau mondial.

Vous serez formidable, en bonne santé et heureux. Tout ce que vous avez à faire, c'est d'être conscient des enjeux (mais je parie que vous l'êtes déjà) et de commencer à intégrer ces changements dans votre vie. Certains d'entre eux peuvent s'avérer fastidieux. Et puis après? Vous allez paraître et vous sentir génial. Est-ce que ça ne vaut pas le coup? Et y a-t-il quelque chose de plus important que votre santé? La santé est la pierre d'assise sur laquelle repose toute votre vie. En investissant dans votre santé, vous vous engagez dans la poursuite du bonheur. En le faisant, c'est en vous-même que vous investissez. Est-ce qu'il y a une action sur le marché boursier qui vaut plus que ça?

CHAPITRE 12

LA GRANDE LISTE D'EMPLETTES

VOTRE GUIDE À EMPORTER AU MARCHÉ DES PRODUCTEURS ET À L'ÉPICERIE

Évidemment, votre liste d'emplettes devrait comprendre au premier chef les aliments contenant de puissants nutriments. J'aimerais que vous en achetiez quelques-uns chaque fois que vous allez au marché. Idéalement, vous vous rendrez d'abord au marché des producteurs, puis à l'épicerie pour y acheter les articles que vous n'aurez pas trouvés au premier endroit.

Pour que les choses soient très simples, je vous suggère de conserver avec vous la grande liste d'emplettes (page 295) : elle vous aidera à vous procurer tous les ingrédients dont vous aurez besoin pour suivre le plan de repas de deux semaines à compter du jour 1. Une fois que vous serez dans le bain, vous pourrez la modifier selon vos goûts, à mesure que vous vous familiariserez avec de nouveaux légumes et d'autres types d'aliments.

MAÎTRISEZ LE MARCHÉ D'ALIMENTATION

D'ici à ce que les agriculteurs biologiques aient droit aux mêmes subventions que les autres agriculteurs, c'est seulement en achetant plus de produits biologiques que nous réussirons à faire baisser les prix. C'est ainsi que ça fonctionne : quand la demande augmente, l'offre augmente aussi et les prix baissent. Voici quelques trucs pour vous aider à profiter au maximum de votre dollar bio.

Optez pour les marques maison. Les produits biologiques comme les autres produits des marques maison des supermarchés sont souvent moins chers que les marques plus connues. Le fait d'opter pour ces marques moins tape-à-l'œil vous permet de réaliser des économies, en plus de lancer le message aux chaînes d'alimentation que les clients qui achètent des produits biologiques sont aussi sensibles aux coûts, ce qui devrait nous permettre d'obtenir de meilleurs prix.

Commandez en ligne. Si vous aimez un type particulier d'aliment – par exemple, des haricots ou du riz brun – dont vous prévoyez faire une grande consommation, commandez-le en ligne. Vous devriez pouvoir obtenir un rabais en fonction du volume d'achat et vous pourrez choisir uniquement les variétés que vous aimez.

Fréquentez régulièrement votre marché de producteurs local. Si vous y allez assez souvent et finissez par bien connaître les producteurs de votre marché local, ils pourront vous informer des dates où certaines denrées spécifiques seront offertes.

Mangez moins de viande. Les repas à base de haricots peuvent vous procurer toutes les protéines dont vous avez besoin à une fraction du coût du bœuf, du poulet ou du poisson. Commencez par prendre un repas sans viande par semaine, tout en visant un objectif d'un repas sans viande par jour. Vous réduirez ainsi votre exposition aux hormones et aux pesticides toxiques qui s'accumulent dans les tissus des produits animaux, vous économiserez une fortune et vous contribuerez à assainir l'environnement.

Faites votre café à la maison. Ne vous faites pas avoir en payant cinq dollars une tasse d'un café bourré de pesticides. Pour une gâterie de haute qualité à bas prix, préparez à la maison votre propre café équitable avec du lait entier biologique ou même moitié lait moitié crème biologique.

Préparez vos propres repas et collations prêts à servir. Les contenants à portion unitaire, comme ceux des compotes de pommes ou des yogourts, ainsi que les paquets de bâtonnets de fromage laissent des particules de plastique s'échapper dans les aliments et, gramme pour gramme, sont beaucoup plus coûteux. De plus, leur emballage et leur transport requièrent plus de carburant fossile. Songez à vous procurer des contenants plus grands et à y piger selon vos besoins.

Une exception à cette règle : lorsque cela vous amène à jeter des aliments gâtés. Les produits biologiques ne durent pas aussi longtemps que les produits transformés, alors il faut les manger pendant qu'ils sont encore frais ! Si vous ne pouvez pas consommer la totalité de ce qui se trouve dans le contenant avant que l'aliment commence à pourrir, tenez-vous-en alors à de plus petits contenants ou achetez des produits prélavés et coupés tels que chou déchiqueté, carottes miniatures ou salade hachée, ce qui vous incitera à les manger tout de suite.

Achetez certains aliments en grosses quantités. Certains magasins vous consentiront une remise pouvant aller jusqu'à 5 % si vous achetez une caisse d'un article particulier. Achetez de telles quantités avec des amis ou encore partagez le coût d'une carte de membre d'un club-entrepôt et profitez des économies qui s'y rattachent.

Songez à une coopérative alimentaire. Dans plusieurs régions, il existe de plus en plus de coopératives d'aliments biologiques. Vous pourriez bien y trouver des produits bios que vous ne trouvez pas ailleurs. Parce que les clients en sont aussi propriétaires, les prix demeurent très raisonnables. (S'il n'en existe pas dans votre région, envisagez d'en créer une. Vous trouverez sûrement en ligne les informations nécessaires sur les moyens de mettre sur pied une telle coopérative.)

Coupons de réduction ? Je ne crois pas qu'on ait encore atteint la masse critique nécessaire pour justifier l'offre de coupons de réduction pour les produits biologiques, mais je garde espoir. Si vous êtes au courant de l'existence de tels coupons, utilisez-les : cela va inciter les autres entreprises à en offrir également dans l'avenir. Vérifiez dans Internet les sites des fabricants afin de savoir s'ils en offrent. Entre-temps, procurez-vous une carte de fidélisation à chacun de vos marchés d'alimentation préférés et profitez des coupons de réduction, en particulier les semaines où vous achetez en grosses quantités.

N'achetez pas de boissons sucrées. Les jus, les boissons gazeuses et les boissons énergisantes contiennent tous beaucoup trop de sucre dont vous n'avez aucun besoin. Ne gaspillez pas votre argent – ni vos ressources – en boissons embouteillées, y compris l'eau. La seule boisson en contenant que j'aimerais vous voir acheter est le lait biologique. Tenez-vous-en à du lait bio 1 % ou 2 % et essayez de trouver une ferme de produits laitiers locale, de manière à minimiser votre bilan du dioxyde de carbone et d'encourager l'économie biologique de votre région. Et à la maison, buvez de l'eau filtrée du robinet.

Aménagez un petit potager. Un plan de tomates coûte à peine quelques dollars, mais vous rapportera l'équivalent de 30 à 40 dollars de tomates produites localement : dans votre propre cour. Multipliez cela par un jardin au grand complet et peut-être n'aurez-vous même plus besoin de vous rendre du tout au marché des producteurs.

MAÎTRISEZ LES ALIMENTS TRANSFORMÉS

Lorsqu'il s'agit d'aliments transformés, très peu de marques se qualifient à mes yeux. Mais avec celles-ci, vous savez que vous allez garder la forme :

- Amy's
- Arrowhead Mills
- Cliff
- Eden
- Erewhon
- Ezekiel
- Greens
- Healthy Valley
- Horizon
- Kashi
- Luna
- Nature's Path
- Newman's Own

LA LISTE D'EMPLETTES DU GRAND PLAN DE REPAS

Si vous êtes maintenant prêt à entreprendre le plan de repas de deux semaines, photocopiez ces pages et apportez-les avec vous au magasin. Il y a là-dedans tout ce dont vous avez besoin pour suivre le plan jusque dans ses moindres détails. (Les volumes suggérés sont pour une personne plus ceux qui s'appliquent aux recettes ; veuillez les modifier en fonction du nombre de personnes qui participent au programme.)

LISTE D'EMPLETTES – SEMAINE 1 DU PLAN

LÉGUMES FRAIS	
ARTICLES (Bios autant que possible !)	**QUANTITÉS**
Ail	3 têtes
Asperges	1,1 kg (2 ½ lb)
Aubergine	1 petite
Basilic	1 petite barquette
Bâtonnets de carottes	1 sac
Champignons de Paris	2 moyens
Chou-fleur	1 petite tête
Concombre	1 gros
Coriandre fraîche	1 petit paquet
Courgettes	1 moyen
Épinards, prélavés	2 sacs
Haricots verts	225 g (½ lb)
Laitue romaine	2 tetes
Oignons	3 moyens
Oignons verts (facultatif)	1 paquet
Persil	1 petit paquet
Piments jalapeños	2 moyens
Poivrons rouges	2 moyens
Poivrons verts	2 moyens
Salade (au choix), en sac	3 sacs
Salsa fraîche	1 petit contenant
Tomates	9 grosses
Tomates italiennes	6 grosses

(Suite à la page suivante)

LISTE D'EMPLETTES – SEMAINE 1 DU PLAN – *suite*

FRUITS FRAIS	
ARTICLES (Bios autant que possible !)	**QUANTITÉS**
Bleuets	225 g (1 ½ tasse)
Citrons	3 moyens
Fraises	225 g (1 ½ tasse)
Oranges	2
Pamplemousses	1 moyen

ALIMENTS CONGELÉS	
ARTICLES (Bios autant que possible !)	**QUANTITÉS**
Bleuets	1 petit sac
Fraises	1 petit sac

PRODUITS EN CONSERVE	
ARTICLES (Bios autant que possible !)	**QUANTITÉS**
Bouillon de poulet faible en sodium	1 boîte (420 ml [14 oz])
Haricots noirs	2 boîtes (450 g [15 oz] chacune)
Haricots noirs sautés (*refried beans*)	1 boîte (450 g [15 oz])
Poivrons aux piments jalapeños dans sauce adobo	1 petite boîte
Sauce tomate	1 boîte (480 ml [16 oz])
Thon blanc dans l'eau	2 boîtes

ŒUFS ET PRODUITS LAITIERS	
ARTICLES (Bios autant que possible !)	**QUANTITÉS**
Bâtonnets de mozzarella bio, faibles en gras	1 paquet
Fromage parmesan frais (facultatif)	1 petit morceau
Fromage jack sans gras	1 petit paquet (120 à 140 g [4 à 6 oz])
Lait écrémé ou partiellement écrémé	2 litres (2 pintes]
Œufs	2 douzaines
Yogourt nature à la grecque sans gras	2 contenants (450 g [16 oz])

LISTE D'EMPLETTES – SEMAINE 1 DU PLAN – *suite*

VIANDES ET POISSONS	
ARTICLES (Bios autant que possible !)	**QUANTITÉS**
Bacon de dinde sans nitrates	1 paquet
Bœuf, rôti de palette	1,2 à 1,5 kg (2 ½ à 3 lb)
Côtelette de porc	150 g (5 oz)
Crevettes	454 g (1 lb)
Filet de porc	150 g (5 oz)
Filet de thon	150 g (5 oz)
Flétan	150 g (5 oz)
Grosses crevettes	10
Poitrine de dinde fumée	120 g (4 oz)
Poitrines de poulet	9
Saumon sauvage du Pacifique	150 g (5 oz)
Tilapia	150 g (5 oz)

CÉRÉALES ET LÉGUMES SÉCHÉS	
ARTICLES (Bios autant que possible !)	**QUANTITÉS**
Avoine de sarrasin	1 paquet
Hoummos	1 petit contenant
Riz brun instantané	1 petit paquet

NOIX ET GRAINES	
ARTICLES (Bios autant que possible !)	**QUANTITÉS**
Amandes séchées rôties	1 petit paquet
Graines de lin	1 petit paquet
Graines de tournesol	1 petit paquet
Noix	1 petit paquet

(Suite à la page suivante)

PAINS, CÉRÉALES ET PÂTES

ARTICLES (Bios autant que possible !)	QUANTITÉS
Céréales de lin	1 boîte
Muffins anglais multigrains	1 paquet
Pain à 7 grains	1 miche (conserver au congélateur)
Pâtes penne Ezekiel	1 boîte
Tortillas de maïs 15 cm (6 po)	2 paquets (conserver au frigo)

AUTRES PRODUITS

ARTICLES (Bios autant que possible !)	QUANTITÉS
Bouillon de bœuf faible en sodium	1 boîte de 435 ml (14 ½ oz)
Bouillon de poulet 99 % sans gras faible en sodium	1 boîte de 435 ml (14 ½ oz)
Bouillon de poulet non réduit en sodium	1 boîte de 435 ml (14 ½ oz)
Cannelle	1 contenant
Compote de pommes	1 petit pot
Corona légère	1 bouteille
Cumin	1 contenant
Enduit antiadhésif en vaporisateur	1 bouteille
Fécule de maïs	1 boîte
Huile d'olive extravierge	1 bouteille
Jus de citron vert	1 petite bouteille
Menthe	1 paquet
Miel	1 petit pot
Moutarde à grains entiers	1 petit pot
Piments broyés	1 contenant
Poivre noir, moulu	1 contenant
Poudre de chili	1 contenant
Sel kascher	1 contenant
Vinaigre balsamique	1 petite bouteille
Vinaigre blanc	1 petite bouteille
Xylitol (édulcorant naturel)	1 contenant

LISTE D'EMPLETTES – SEMAINE 2 DU PLAN

LÉGUMES FRAIS	
ARTICLES (Bios autant que possible !)	**QUANTITÉS**
Ail	2 têtes
Artichauts	8 de moyen à gros
Asperges	240 g (8 oz)
Brocoli	1
Carottes	454 g (1 lb)
Choux de Bruxelles	1 petit contenant
Céleri	3 gros pieds
Coriandre fraîche	1 botte
Échalotes	1 petite botte
Haricots verts	454 g (1 lb)
Laitue romaine	2 grosses têtes
Mélange de jeunes pousses	1 sac
Oignons	5 moyens
Persil (facultatif)	1 botte
Piments jalapeños	3 gros
Piment poblano (facultatif)	1 petit
Piment Serrano	1 moyen
Poivrons rouges	2 moyens
Poivrons verts	2 moyens
Salsa, fraîche	1 petit contenant
Tomates	3 grosses
Tomates italiennes	1 moyenne à grosse
Tomates séchées au soleil	60 g (¼ tasse)

(Suite à la page suivante)

FRUITS FRAIS	
ARTICLES (Bios autant que possible !)	**QUANTITÉS**
Bleuets	600 g (4 tasses)
Citrons	2 moyens
Fraises	150 g (1 tasse)
Citrons verts	3 moyens
Melon d'eau	1 petit
Oranges	2 moyennes
Pêche	1
Petits fruits (au choix)	150 g (1 tasse)
Pomme	1

ŒUFS ET PRODUITS LAITIERS	
ARTICLES (Bios autant que possible !)	**QUANTITÉS**
Beurre non salé	1
Cheddar bio faible en gras	1 petit paquet de 240 g (8 oz)
Lait écrémé ou partiellement écrémé	2 litres (8 tasses)
Œufs	2 douzaines
Yogourt nature à la grecque sans gras	1 contenant (480 g [16 oz])

PRODUITS EN CONSERVE	
ARTICLES (Bios autant que possible !)	**QUANTITÉS**
Chili bio avec légumes	1 boîte (450 g [15 oz])
Haricots noirs frits (*refried beans*)	1 boîte (450 g [15 oz])
Soupe aux pois cassés	1 boîte (450 g [15 oz])
Tomates en dés	1 boîte (450 g [15 oz])

LISTE D'EMPLETTES – SEMAINE 2 DU PLAN – *suite*

VIANDES ET POISSONS	
ARTICLES (Bios autant que possible !)	**QUANTITÉS**
Bifteck (flanchet)	150 g (5 oz)
Bœuf de surlonge nourri au fourrage, maigre et haché	720 g (1 ½ lb)
Crevettes	5 grosses
Darne de thon	150 g (5 oz)
Flétan	4 filets de 120 à 180 g (4 à 6 oz)
Saucisse de dinde maigre, faible en sodium	1 petit paquet
Poitrine de dinde tranchée	5
Poitrines de poulet	454 g (1 lb)
Saumon sauvage du Pacifique	Filet ou darne de 150 g (5 oz)

CÉRÉALES ET LÉGUMES SÉCHÉS	
ARTICLES (Bios autant que possible !)	**QUANTITÉS**
Gruau instantané	8 paquets
Quinoa	160 g (1 tasse)

NOIX ET GRAINES	
ARTICLES (Bios autant que possible !)	**QUANTITÉS**
Amandes crues	1 petit sac
Pacanes	30 g (¼ tasse)

PAINS, CÉRÉALES ET PÂTES	
ARTICLES (Bios autant que possible !)	**QUANTITÉS**
Tortillas de maïs 20 cm (8 po)	2 paquets

(Suite à la page suivante)

AUTRES PRODUITS	
ARTICLES (Bios autant que possible !)	**QUANTITÉS**
Beurre d'amande	1 petit contenant
Bouillon de poulet faible en sodium	1 contenant (env. 240 ml, en conserve ou en sachet)
Chips de tortilla au four	1 sac
Craquelins aux légumes	1 boîte
Jus de citron	1 petite bouteille
Moutarde de Dijon	1 petit pot
Poudre de piment ancho	1 contenant
Vinaigrette à salade César	1 bouteille
Vinaigre de vin de riz	1 petite bouteille

INDEX

R

TABLE DES MATIÈRES